L'INTERVENTION SYSTÉMIQUE DANS LE TRAVAIL SOCIAL

Cet ouvrage fait partie de la collection «Travail social» publiée sous les auspices de la Conférence suisse des écoles supérieures de Service social. Cette collection se propose d'assurer la diffusion de travaux et d'études concernant le secteur du travail social, en particulier en vue de stimuler la formation des professionnels qui, de près ou de loin, lui sont rattachés.

Couverture

dessin ©Aeschlimann
réalisation graphique: Jean-Marc Humm

ISBN 978-2-88224-098-9

LES ÉDITIONS IES
Case postale 80
CH - 1211 Genève 4

ÉDITIONS EESP
Ch. des Abeilles 14
CH - 1010 Lausanne

9e impression, octobre 2014
SRO-KUNDIG SA, Genève

L'INTERVENTION SYSTÉMIQUE DANS LE TRAVAIL SOCIAL

Repères épistémologiques, éthiques et méthodologiques

Olivier AMIGUET et Claude JULIER

Préface à la 8e impression
par Olivier Amiguet

ies éditions & éesp

PRÉFACE

à la 8e impression

15 ans… huitième impression! Il y a de quoi se réjouir! Je n'y manque pas! En même temps surgit immédiatement la question: comment ce livre peut-il être encore pertinent, adapté au travail social de 2012?

Comment cette question apparaît-elle? Elle est évidemment en lien avec l'évolution des différents contextes dans lesquels s'inscrit cette réflexion méthodologique et éthique!

Plus précisément le contexte social a changé, les institutions se sont modifiées, l'accès aux formations continues s'est compliqué, la pensée systémique a évolué.

Le contexte social d'abord

Le plus significatif, c'est la montée du «tout financier». La crise de l'euro, l'endettement de tous les pays, la recherche d'économies à tout prix, du profit maximum, l'arrogance des grands patrons et de leurs parachutes diamantés (dorés ne suffit plus), tout cela montre à quel point nos préoccupations de justice sociale, d'équité, de solidarité ont passé à l'arrière plan. La solidarité sociale ne semble possible que si elle ne coûte rien.

Les écarts entre riches et pauvres s'accroissent, la précarité est considérée comme normale. Le seul discours possible semble être celui de la croissance comprise comme le développement de nouvelles ressources financières.

Le réchauffement climatique et la fonte des glaciers, la surconsommation, l'accumulation des déchets, les catastrophes nucléaires, la privatisation des semences, les méfaits des pesticides divers, l'austérité obligatoire de la moitié de l'Europe, qui ne propose pour seule antidote que la relance de la course économique, n'appellent pas à l'optimisme.

Comment faire croire qu'il y a possibilité pour tous de vivre décemment quand la moitié des jeunes de certains pays ne trouvent pas d'emploi et que les personnes qui ne peuvent vivre qu'avec des aides sociales sont en constante augmentation?

Heureusement, quelques foyers de résistance existent: des mouvements tels le convivialisme, les objecteurs de croissance, les colibris, les indignés, les artisans du changement et beaucoup de mouvements associatifs... Ils sont le fruit de personnes qui refusent de se laisser réduire à l'impuissance, écraser par la fatalité du «tout économique». La générosité et la solidarité ne sont pas encore des mots oubliés.

Le travail social

La primauté des aspects financiers a aussi pris le dessus sur les autres préoccupations dans le domaine du travail social. Les accompagnements doivent être plus courts. L'obsession du quantitatif exige des résultats mesurables. Les procédures semblent plus servir à protéger les services et les institutions que les clients.

Le New Public Management a investi les institutions sociales comme tout le reste des services liés à l'Etat. Les institutions fonctionnent «à flux tendu» ne laissant aux professionnels aucun temps pour prendre du recul, se ressourcer. Face à l'augmentation du nombre de dossiers qu'ils doivent traiter, les travailleurs sociaux n'ont souvent que le temps de faire quelques démarches mais manquent de disponibilités pour comprendre ou donner du sens à leur action. Le «burn out» des professionnels est devenu habituel.

L'innovation est soutenue dans la mesure où, après une période probatoire, elle deviendra autonome ou permettra des économies.

Heureusement, diverses initiatives existent pour recréer un espace de travail possible, prendre le temps de penser à long terme. Beaucoup de travailleurs sociaux savent que l'aide ne consiste pas exclusivement dans des démarches administratives ou dans l'application de normes et de règles mais surtout dans la rencontre, dans la tentative de redonner du sens et de l'espoir aux fracassés de la vie.

Des mouvements d'usagers s'organisent pour que l'aide nécessaire aux personnes en difficulté ne se limite pas à de l'administratif. Des travailleurs sociaux s'engagent pour défendre une conception humaine des relations et de l'aide.

Et les formations

En Suisse, dès 1998, les différents instituts de formation en travail social se sont organisés en Hautes écoles spécialisées en travail social (HES-TS), multi sites et multi professionnelles. Cette réorganisation a provoqué un vaste remaniement de l'ensemble des formations sociales.

Les HES ont progressivement orienté leurs formations en se calquant sur des critères universitaires: le savoir est prioritaire par rapport à la capacité à intervenir sur le terrain. Certes, les formations alternent les périodes de cours (4 semestres) et de stage (2 semestres). Mais l'articulation entre théorie et pratique professionnelle est toujours un point délicat, voire fragile, en particulier pour les étudiants en formation de base.

En ce qui concerne les formations continues, la politique de la HES privilégie un haut niveau d'élaboration théorique sur une capacité renforcée d'intervenir dans les contextes du travail social.

Certes, il faut reconnaître que cette exigence de sérieux théorique a été le moteur de travaux d'élaboration utiles. Elle a suscité de nouvelles recherches, des étayages théoriques à des pratiques intuitives.

Les travailleurs sociaux en formation continue systémique s'indignent contre la menace d'être formatés pour ne plus penser, pour agir au plus vite. Ils cherchent l'occasion de ré-approfondir un travail social réflexif, porteur de sens, d'espoir, de dignité… même s'il faut pour cela prendre du temps.

Les théories systémiques

D'abord, un grand nombre des pionniers de ce mouvement sont décédés: Watzlawick, Fisch, Haley, Weekland, Selvini Palazzoli, Cecchin, Whitaker, Boszormenyi Nagy, et d'autres encore. Les nouvelles générations ont pris le relais, se sont affirmées, ont continué leur évolution.

Et c'est ainsi que de nouvelles écoles sont apparues et se sont développées, en particulier le constructionisme social, les thérapies narratives et les thérapies orientées vers la solution (dont ce livre ne parle pas).

Chacune de ces écoles est porteuse d'un renouveau tout en s'inscrivant dans la continuité.

La systémique a confirmé sa crédibilité et nul ne conteste plus que cette épistémologie est pertinente, qu'elle a sa logique, sa cohérence, son efficacité.

De plus en plus aussi, on parle d'intervention systémique, sachant que bon nombre des intervenants n'agissent pas dans un contexte thérapeutique mais dans divers lieux de travail social, de pratiques d'accompagnement ou de mouvement de défense d'un projet, d'une idée.

En même temps, les systémiciens ont écrit pour rendre compte de leurs pratiques, et se sont structurés en associations qui ont pour but de promouvoir et défendre une vision de l'intervention systémique et de la thérapie familiale qui soit exigeante, cohérente et consistante.

Il y a une réelle volonté de reconnaissance interprofessionnelle, de partages d'expériences et de promotion d'un modèle d'intervention.

Mais surtout, l'intervention systémique en travail social, idée novatrice il y a 15 ans, est devenue autonome et s'est dégagée de ses seules références à la thérapie familiale. Des écrits, des congrès et surtout des pratiques et des expériences lui ont constitué un socle solide et crédible.

Ce livre a-t-il encore un sens?

Oui et ceci au moins pour quatre raisons:

1.- L'approche systémique demeure, pour le travail social, un modèle d'intervention adapté, utile et pertinent. De plus en plus d'institutions et de professionnels se réclament d'une mouvance systémique. La prise en compte de l'entourage (famille, groupe de résidents, équipe de travail), est devenue évidente.

L'approche systémique aide à penser les questions relatives au sens qu'un comportement prend dans un contexte donné.

De plus, il s'implante également dans les écoles et dans les milieux de la santé: maintien à domicile, cliniques, hôpitaux. C'est donc un modèle actuel, qui permet de penser le travail avec un usager et son entourage, en équipe, en réseau.

Ce livre présente une modélisation adaptable à chacun de ces contextes.

2.- En sortant de leur formation, les jeunes professionnels ont plein de notions en tête, ils ont une capacité à faire diverses lectures théoriques des contextes dans lesquels ils sont engagés. Mais leur capacité de mettre en lien une théorie et leurs interventions est souvent pauvre. Ils sont livrés à leur intuition, à leurs préconstruits, à leurs croyances et à leurs peurs. A la suite de toutes les formations de type académique, la pratique est à découvrir, à explorer.

Les formations systémiques offrent une des possibilités de donner une signification et une direction à leurs interventions. Ce livre propose une méthodologie circulaire pour observer, penser, agir et prendre en compte les effets des interventions.

3.- Dans notre monde changeant, apprendre est une nécessité permanente. Tous les acteurs politiques et les milieux professionnels insistent pour dire à quel point se former tout au long de la vie est une nécessité. Autrefois, les formations continues permettaient d'espérer une promotion. Aujourd'hui, elles permettent simplement de rester à jour, de rester vivant dans une pratique qui évolue à grande vitesse. Ce que nous défendons dans cet ouvrage, c'est la capacité à penser en termes de processus plus que de contenu. Cela reste totalement d'actualité et même d'avenir.

4.- Après une formation où une quantité de savoirs ont été juxtaposés, sans que les liens entre ces divers éclairages aient nécessairement été construits, le besoin de trouver une cohérence et une consistance est impérieux. Le modèle systémique permet de développer une colonne vertébrale autour de laquelle les autres éclairages viennent enrichir l'action. Ce livre voudrait y contribuer.

Proposer des repères est pertinent et dangereux

Dangereux tout d'abord!

«Toutes les théories sont dangereuses, Toutefois elles sont utiles au débutant» disait en substance Whitaker.

J'ai beaucoup discuté avec mes collègues du danger que représente ce livre. Il peut apparaître comme un ensemble de recettes, comme une liste exhaustive d'attentions à développer.

Prendre ce livre comme un recueil qui indiquerait une voie possible à toute intervention serait malsain. Cela rigidifierait, figerait, instrumentaliserait et finalement réduirait le client ou l'usager à devenir conforme à nos attentes.

Dangereux encore car il pourrait faire croire que seuls les huit repères développés dans cet ouvrage sont pertinents. Plus nous avançons dans nos formations, plus nous nous rendons compte que chaque étudiant développe ses propres repères.

Souvent, certains pensent que leurs repères ne sont pas systémiques, comme l'intuition par exemple. L'intuition en elle même n'est pas systémique. Mais elle le devient si l'on tente de comprendre ce qui dans les interactions en présence a fait surgir une intuition et si l'on se centre sur ce qu'elle nous permet de percevoir en termes d'interaction, d'inter influence, de résonance.

Un repère n'est donc pas «en soi» systémique ou non. Le regard que l'on porte à l'aide de ce repère peut l'être.

Pertinent aussi

Mais ces repères sont surtout pertinents si on les prend comme une aide, provisoire, à se construire dans son positionnement professionnel.

Nous recommandons de les lire et de les digérer: c'est à force de «machouiller», de digérer au moins sept fois que l'on pourra se dégager du côté scolaire pour créer sa propre démarche.

La pensée systémique est devenue pour moi une vraie référence, vivante, évolutive. D'une vision qui se centrait sur la relation entre un travailleur social et un client, elle s'est élargie, enrichie, complexifiée. Elle m'a aidé à me penser comme un acteur impliqué, invité à me sentir co-responsable du monde dans lequel je vis. Je ne peux la réduire à une méthodologie. Comme le montre clairement Claude Julier dans le premier chapitre, elle est une manière de penser le monde, de se penser en interaction, acteur et agi. Mais elle appelle aussi à un positionnement et à un engagement.

Pour ma part, je crois toujours plus que je n'ai plus à accepter:

- que le mythe de la réussite ne se formule qu'en accumulation de biens
- que l'économique écrase l'humain
- que les procédures se substituent au sens
- que le psychologique masque le social et le politique
- que l'individualisme aveugle la responsabilité collective.

Et pour me soutenir dans cette résistance,

- je crois aux capacités auto correctrices des systèmes,
- je crois que l'attention à l'autre est plus forte que le repli sur soi,
- que les ressources d'un système peuvent être plus puissantes que ses paralysies,
- que les relations apparemment les plus figées sont susceptibles d'évoluer,
- que le travail social peut agir autant en faveur des personnes en difficultés que contre les processus sociaux qui les ont marginalisés.

Puisse ce livre être utile à la réflexion et à la formation des lecteurs qui sauront y trouver ce qui les fortifie dans leurs pratiques.

Olivier Amiguet
Lausanne, le 18 août 2012

Avertissement et Remerciements

Cet ouvrage est né de plusieurs histoires, de plusieurs désirs, de beaucoup de discussions et de pas mal d'appréhension au sein de notre groupe de formateurs en approche systémique, concepteurs de ce que nous avons appelé les repères pour une méthodologie de l'intervention systémique dans le travail social.

Allions-nous, par l'écriture, parler au nom de tous? Avec quelle liberté, mais aussi avec quelles possibilités d'aliénation, de réduction? Nos collègues femmes allaient-elles accepter de laisser se définir ainsi leur pensée, évidemment complexe, évidemment différente?

Allions-nous proposer un manuel du formateur systémicien, un polycopié amélioré pour des travailleurs sociaux en recherche de modèle?

Quel risque prenions-nous à figer ainsi une pensée que nous savions changeante? Aurions-nous, après, la liberté de penser, ensemble ou séparément, de façon différente?

Un séminaire avec Linda Roy sur les modèles de formation en approche systémique a été l'occasion pour nous de mieux cerner les enjeux personnels, professionnels et institutionnels de notre désir d'écrire, et donc de préciser notre intention.

Si la réflexion sur les repères méthodologiques ont été une production commune à Olivier Amiguet, Mariette Grisel, Claude Julier et Colette Lechenne, le présent ouvrage n'engage que leurs deux auteurs, à qui l'occasion d'un congé professionnel pour Olivier et d'une pause dans ses activités d'enseignant pour Claude ont permis ce travail de réflexion et d'écriture.

Tout à la fois manuel, essai, précis, texte à trous, cet ouvrage aura atteint son but si sa lecture permet à chacun de mieux savoir quel travail social il entend défendre. Si, par bonheur, il peut aider certains dans leur recherche d'une modélisation de leur intervention professionnelle, nous serons comblés.

Enfin, avec nos collègues directes, comme avec les systémiciens de tous horizons - la pensée systémique est loin d'être unique - nous comptons bien poursuivre l'action entreprise depuis bientôt dix ans pour un travail social pluriel, multidimensionnel, dans une réalité décidément complexe.

Nos remerciements vont d'abord à Mariette Grisel et Colette Lechenne, collègues formatrices de la première heure avec qui nous continuons nos recherches; à nos institutions d'appartenance qui nous ont accordé le temps nécessaire à la réflexion et à l'écriture ; à Guy Ausloos, formateur de l'avant première heure (!) qui nous a introduits, il y a longtemps, à l'approche systémique et au goût de sa diffusion ; à Joseph Duss von Werdt, notre consultant, dont les positions éthiques n'ont pas fini de nous en apprendre ; à Linda Roy enfin, qui, presque par inadvertance, a restimulé notre curiosité et rappelé que pour être unis il fallait être différents.

L'ouvrage contient quatre chapitres. Pour le lecteur pressé :

- le chapitre I décrit l'évolution, en Occident, de notre façon de penser et de connaître. Une évocation épistémologique qui prend la tête..mais pas trop! Il peut être lu en toutes sortes de circonstances, avant ou après les autres chapitres, d'une traite ou à petites doses;
- le chapitre II met en discussion les liens entre la pensée systémique et l'éthique;
- le chapitre III présente de manière détaillée les repères pour l'intervention systémique en travail social. C'est la partie «manuel». A lire et relire avant et après l'intervention (éviter de le faire pendant, quoique..);
- le chapitre IV est une réflexion sur les limites de notre modèle. Son aspect inachevé, en chantier, n'échappera à personne. C'est voulu, d'une part parce que c'est là que nous en sommes, d'autre part parce qu'il est bon de laisser au lecteur de l'espace pour sa propre réflexion!

L'introduction et les chapitres I et IV ont été rédigés par Claude Julier, les chapitres II et III par Olivier Amiguet.

INTRODUCTION

Intervenants systémiques et formateurs de travailleurs sociaux depuis plus de dix ans, nous avons construit progressivement, avec nos collègues Mariette Grisel et Colette Lechenne, un modèle d'intervention systémique pour les travailleurs sociaux qui constitue l'aspect principal des formations que nous donnons actuellement, soit dans le cadre des activités du Centre d'Etudes et de Formation Continue pour travailleurs sociaux (CEFOC) de Genève, soit dans les programmes des Ecoles supérieures de travail social de Genève et Lausanne.

La première ambition de ce livre sera donc de présenter de manière approfondie ce modèle d'intervention (chapitre III) ainsi que ses présupposés épistémologiques, théoriques (chapitre I) et éthiques (chapitre II).

Par ailleurs, la confrontation avec d'autres modèles, mais surtout l'évolution des problématiques sociales et la façon d'y répondre nous incitent depuis quelque temps à réfléchir sur la pertinence de ce que nous enseignons. Nous nous demandons en particulier si ce modèle, centré sur la communication, est utile pour toute forme de travail social ou pour un domaine restreint, celui des relations interpersonnelles. A force de globaliser, peut-être avons-nous cru que notre carte pouvait s'appliquer à toute sorte de territoire.

Notre deuxième ambition sera donc de faire état d'une réflexion critique[1], non par goût de la flagellation, mais pour mettre à sa juste place cette manière d'aider (l'intervention en travail social sert à cela!) dans le champ des modèles d'intervention et permettre au lecteur de nous situer et de mesurer, à la place professionnelle où il se trouve, ce que pourrait lui apporter notre modélisation (chapitre IV).

Une des premières exigences que pose l'approche systémique est de sans cesse situer ce que l'on dit et fait dans son contexte. C'est dans et par le contexte que les événements prennent sens. Aussi nous paraît-il nécessaire, en introduction à ce travail, d'évoquer brièvement à la fois l'histoire du travail social et l'histoire de l'approche systémique. Comme toute histoire, celle-ci est une construction après coup de ce qui s'est passé. Plus exactement, une manière tendancieuse, partielle et locale de dire les choses.

Situons d'abord le lieu d'où nous partons: notre modèle s'inscrit dans un courant bien précis des sciences humaines, défini comme *le courant interactionnel-communicationnel.* L'accent y est mis sur la communication. Il s'agit de bien communiquer et de bien faire communiquer, entre personnes, familles, groupes et réseaux.

Les professions du travail social[2] ont connu chacune des développements propres, mais proches pour ce qui nous concerne ici, et que l'on pourrait schématiser ainsi:

- 1re phase: structuration de la profession sur une base de bénévolat et d'engagement religieux: on est dans le pratico-pratique. Il s'agit de réparer, réconforter, apporter des aides matérielles et morales. C'est le travail social traditionnel, caritatif;
- 2e phase: recherche, dès 1920-1930, de légitimité, en particulier par l'apparition d'écoles de formation et par l'utilisation de disciplines telles que psychologie, sociologie, droit, médecine, etc. Le travail social est à la recherche d'une théorie sur l'homme et de méthodes d'intervention spécifiques;
- 3e phase: cette recherche va conduire à une psychologisation de l'activité. Chez les assistants sociaux, une méthode tout à fait originale, *le case-work*, va s'enrichir (ou se charger) de toutes sortes de croyances, d'idées et de concepts puisés dans

les écoles de psychanalyse et de psychologie européennes et américaines (Freud, Klein, la psychologie du moi, etc.). Chez les éducateurs spécialisés, c'est l'emprise du modèle psychanalytique (Freud, Klein, Wallon, etc.).
Durant cette phase, Lewin et les courants de la psychologie sociale américaine vont influencer durablement certains travailleurs sociaux intéressés par le travail social de groupe ou communautaire;

- 4e phase: large influence des théories de Rogers[3], et sur le plan d'une théorie de l'homme et sur celui des techniques d'entretien. Est confirmée ici la place du travailleur social – bien que Rogers ne s'adresse pas précisément à lui – comme un spécialiste de la communication, travaillant avec des personnes qui doivent être respectées dans leurs choix, leurs croyances, leurs comportements.

Parallèlement, on remarque une évolution générale (publicité, développement des moyens d'information) vers une société de communication: il devient de plus en plus difficile, de moins en moins bien vu, de ne pas vouloir ou ne pas savoir communiquer.

C'est dans ce contexte qu'apparaît, dans les années 70, successivement le livre des Canadiens Bélanger et Chagoya sur les techniques de thérapie familiale[4] et celui de Watzlawick sur les théories de la communication[5].

A cette époque, les étudiants de l'Ecole de service social de Genève travaillent essentiellement les modèles proposés par les Canadiens et les Américains, Perlman principalement, très influencée par le courant interactionniste de Lewin et la psychologie du moi[6].

Parallèlement, les théories de Rogers sont utilisées dans l'apprentissage à l'entretien d'aide en service social. D'autres influences, telle que la Reality Therapy de Glasser[7], insistent beaucoup sur les notions de responsabilité du client, de contrat clairement établi, etc.

Bref, l'implicite et l'explicite du discours de cette époque pourraient bien se résumer ainsi: le travailleur social doit apprendre à bien communiquer et à aider les autres à le faire.

Dans les années 1975-77, à la demande des professionnels, un cours de thérapie familiale est organisé à Genève. Les formateurs sont des psychiatres et psychothérapeutes, à l'exception d'Andrée Menthonnex[8], assistante sociale, formatrice. Par ailleurs, les théories de la communication sont enseignées par Claude Julier, jeune responsable de formation, frais sorti de la pratique.

Ultérieurement l'approche systémique comme modèle de pensée et d'action sera intégrée à ces formations de base.

A l'évidence, ces programmes visent à former de bons communicateurs, des spécialistes de la chose. En plus, ils participent, pour une part, à l'ambition de ces jeunes professions d'acquérir (enfin?) une théorie vraiment pertinente pour le travail social. Sans doute aussi, est-ce un moyen - pour certains - d'acquérir un statut plus reconnu, mieux valorisé, espèrent-ils, celui de thérapeute de famille.

Il faut dire que nous étions alors plusieurs formateurs et travailleurs sociaux à être éblouis par le paradigme systémique qui allait redonner vigueur à ce qui avait fait l'originalité du travail social à ses débuts: prise en compte du contexte dans lequel se situent les personnes pour comprendre de quoi elles ont besoin; reconnaissance des interactions entre les personnes; reconnaissance de la complexité des paramètres (culture, statut, économie, etc.) influençant le comportement des personnes et des groupes; prise en compte de l'environnement comme ressources, etc.[9]

Par ailleurs, l'axiome «toute communication équivaut à un comportement, et réciproquement», prôné par Watzlawick et l'Ecole de Palo Alto, ne pouvait qu'intéresser des professionnels en prise quotidienne avec des comportements!

De plus, le modèle systémique nous fait passer d'un modèle moralisant-réparateur à un modèle explicatif-relieur: il n'y a plus de fous, d'alcooliques, d'abuseurs, de fainéants, de mauvais parents, de fugueurs, etc., mais des personnes qui dans un certain contexte se conduisent d'une certaine façon.[10]

Dès la fin des années 80, au CEFOC et dans les Ecoles supérieures de travail social, les formations systémiques vont être reprises et assurées par des formateurs et des praticiens formés en service social, en éducation spécialisée ou en enseignement spécialisé. Ce sont eux qui:

- cherchent à dégager/distinguer la thérapie familiale et l'approche systémique, au point d'abandonner, dès 1989, les formations à la thérapie familiale et ne proposer que des formations à «l'approche systémique dans le travail social»;
- tentent de formaliser un modèle d'intervention sociale ainsi qu'un modèle de formation systémique propres aux travailleurs sociaux. Au départ, il y avait l'idée que l'approche systémique s'appliquait à toutes sortes de champs (la physique et les sciences dites exactes, l'économie, la géopolitique, etc.). Elle devait donc pouvoir s'appliquer également au travail social, distinct de la thérapie familiale et de la psychothérapie;
- intègrent dans leur modèle le constructivisme et la complexité (voir chapitre I).

En 1992, le CEFOC organise le premier colloque francophone appelé «Approche systémique et travail social»[11]. A l'époque déjà, un premier débat s'instaurait entre les organisateurs[12]; fallait-il l'intituler: Approche systémique et travail social, Travail social et approche systémique ou L'approche systémique dans travail social?

A l'occasion de la préparation de ce colloque, nous lisons des articles et rencontrons des personnes qui nous font part de références théoriques et de pratiques systémiques dont certaines nous sont étrangères. Mieux encore, nous découvrons que certains collègues ne connaissent pas (ou feignent d'ignorer) Bateson, Watzlawick, Selvini, etc. Connus ou non, ces auteurs ne font pas partie de leurs classiques. De plus, leurs intérêts ne portent pas tant sur la communication que sur des questions de structures.[13] Plus troublant encore, ils nous ramènent aux préoccupations sociales actuelles: le chômage, le racisme, la pauvreté, les rapports Nord-Sud.

Dès lors commence pour nous une réflexion critique:

- Notre formation, nos présupposés, mais aussi notre pratique[14], nous ont-ils fait majorer l'intérêt pour le relationnel, le communicationnel?
- Le modèle que nous proposons est sans doute utile. Il est en effet pertinent de regarder les phénomènes, quels qu'ils soient, sous l'angle de la communication. Il s'agit après tout d'une construction. Toutefois, nous nous posons des questions:
  · A quel aménagement du territoire nous forçons-nous en n'utilisant que la carte «communication-interaction-relation»?
  · Les limites que nous observons dans notre modèle ne sont-elles peut-être pas tant dues à des imprécisions ou incohérences internes qu'à un regard trop univoque, centré sur le relationnel?
  · Quelle créativité pouvons-nous développer avec notre modèle dans des contextes où le problème est plus structurel que conjoncturel ou communicationnel? Ou, pour le dire autrement, quel bénéfice pourrions-nous tirer à inclure dans notre manière de voir des préoccupations d'un autre ordre que relationnel et qui justifient en grande partie le travail social?
  · La préoccupation communicationnelle nous fait voir principalement la réalité de la niche sociale d'un individu[15]. Or il existe des réalités en dehors de cette niche qui ont une influence évidente sur les personnes. Quelles sont ces réalités? Comment les aborder? Sous quels angles?

Telles sont les interrogations, toujours ouvertes, que nous reprendrons dans le chapitre IV.

Chapitre I

INTRODUCTION A LA PENSÉE SYSTÉMIQUE, COMPLEXE ET CONSTRUCTIVISTE

INTRODUCTION GÉNÉRALE

Le contraire d'une vérité profonde
est une autre vérité profonde.[1]
Niels Böhr

L'ambition de ce chapitre est de proposer au lecteur une ballade dans le monde des idées pour montrer, d'une part, que l'approche systémique est plus et autre chose qu'une mode et, d'autre part, qu'il s'agit d'un modèle de pensée et d'action qui dépasse de loin le domaine du travail social. L'approche systémique participe, en effet, d'un très grand mouvement qui touche tout autant les sciences dites «dures» (physique, biochimie, mathématique, biologie, etc.) que les sciences dites «molles» telles que la psychologie, la sociologie, l'histoire ou l'anthropologie.

Ce n'est hélas plus un scoop, le monde vit des bouleversements énormes tant du point de vue technique que du point de vue idéologique: les guerres, les grandes crises économiques, la famine, le chômage, le sida, la désintégration de la société civile, le désarroi idéologique et religieux ont mis en évidence que les réponses données jusqu'alors ne faisaient plus sens. Peut-être parce que les questions étaient mal posées. Peut-être parce que les données, mais aussi les contextes, avaient tellement changé que les réponses manquaient de pertinence. Peut-être, enfin, que les manières d'y répondre avaient péché par manque ou par excès d'informations. Peu importe, philosophes et scientifiques s'accordent aujourd'hui largement pour réinterroger la façon dont nous nous y prenons pour vivre sur cette planète, en société. Parmi eux, beaucoup ont fait le choix de porter un regard critique sur la manière dont les hommes, depuis plus de trois cents ans, ont conduit leur raison pour approcher les objets à connaître.

Nous reviendrons sur la méthode que le philosophe français René Descartes (1637) nous a laissée pour bien conduire notre raison, mais nous pouvons déjà retenir la principale critique portée actuellement à cette méthode: toute les connaissances, jusqu'à récemment, étaient largement conditionnées par l'impératif de réduire et d'analyser pour comprendre. De cela les systémiciens, avec d'autres, ont pris le contre-pied et montrent qu'à force de spécialisation, de miniaturisation (conséquence du principe de réduction) on avait fini par simplifier, fausser et mutiler le vivant (Morin). Les sciences nouvelles seront des sciences de la totalité, de la complexité et de l'incertitude. C'est ce qu'il est convenu d'appeler une révolution épistémologique, c'est-à-dire une conversion radicale dans la façon de concevoir la réalité. Nous y reviendrons.

Qu'est-ce que la connaissance?

La connaissance, c'est l'activité philosophique ou scientifique, spéculative ou pratique qui contribue à l'étude du monde: D'où venons-nous, où allons-nous, quand est-ce qu'on mange? demande l'humoriste! «Façon de dire que l'humain a besoin, de temps en temps, de poser une question qui trouve sa réponse, de revenir à un désir qu'il soit possible de satisfaire aujourd'hui.»[2]

«De tout temps, l'homme s'est efforcé de comprendre et d'expliquer le monde dans lequel il vivait. Toutes les philosophies, les religions et les sciences apportent des réponses à cette quête. Réponses qui évoluent, bien sûr, comme se modifient les idées véhiculées par les différentes cultures quant à la place de l'homme dans son environnement matériel et naturel.

«C'est ce que nous savons de notre univers qui détermine la relation que nous avons avec lui; la question principale est donc de savoir comment nous acquérons cette connaissance.» [3]

Ce qu'on demande à la science et à la philosophie

Popper, éminent philosophe des sciences, a dit que les théories étaient des filets destinés à capturer ce que nous appelons le monde, à le rendre rationnel, l'expliquer et le maîtriser.[4] Cette métaphore rend bien compte de l'instrumentalité: la théorie ça sert à quelque chose, c'est un moyen. Comme tout moyen, elle n'est pas impérissable et elle est partielle.

«Les êtres scientifiques naissent en fonction de leur valeur d'explication, et meurent si cette valeur disparaît.»[5]

L'histoire des sciences, la réflexion – actuellement très en vogue – à propos des façons dont nous rendons compte des phénomènes que nous observons, nous montre avec quelle obstination les hommes ont affirmé des choses fausses avec des accents de vérité. Mais surtout, cette réflexion sur l'histoire nous invite à replacer toute tentative d'explication dans la réalité de son temps.

«Le vieil idéal scientifique de *l'épistémé*, l'idéal d'une connaissance absolument certaine et démontrable, s'est révélé être une idole. L'exigence d'objectivité scientifique rend inévitable que tout énoncé scientifique reste nécessairement et à jamais donné à titre d'essai.»[6]

Autrement dit, tout énoncé scientifique est vrai, toute théorie est exacte tant que l'on n'a pas trouvé d'énoncé plus satisfaisant.

Par ailleurs, Popper invite à ne jamais oublier que lorsque nous observons le réel, la réalité, qu'il s'agisse de la nature, de la culture, d'une personne, d'un groupe, d'une famille, peu importe, c'est toujours nous qui formulons les questions à poser et c'est encore nous qui donnons les réponses.

L'étude du monde

Pour simplifier, sans trop déformer, nous pourrions dire qu'il existe deux grandes manières d'étudier le monde, de le décrire, de l'expliquer et, enfin, d'essayer de le comprendre. L'une que l'on pourrait appeler *la pensée analytique-dualiste* (on décompose le réel dans un rapport qui lie deux principes de manière plus ou moins complémentaire)[7] et l'autre, *la pensée holistique* (le réel est compris comme un tout indissociable).

Guntern[8] les représente sous la forme suivante:

La pensée analytique-dualiste

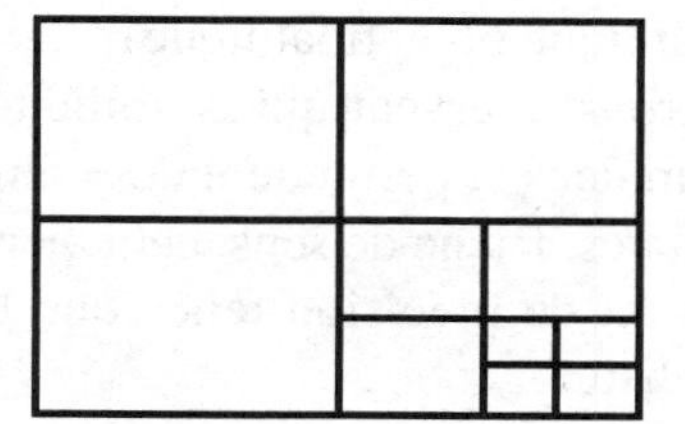

La pensée holistique

- La pensée analytique-dualiste

Elle semble surtout liée à l'hémisphère cérébral dominant (gauche). Nous divisons l'objet à connaître «en autant de parties qu'il me semble utile et nécessaire pour mieux le décrire» (Descartes).

On divise ainsi, par exemple, le corps et l'âme. Le corps, on peut le diviser en systèmes d'organes, les systèmes d'organes en organes individuels, les organes en tissus, les tissus en cellules, et ainsi de suite. Dans le corps, on distinguera le système nerveux et le système sanguin, etc. Quant à l'âme, elle peut se diviser en conscient et inconscient, inné et acquis, etc.

Grâce à cette manière de procéder, nous savons toujours plus de détails sur les choses et c'est sans doute ce type de pensées qui nous a permis d'aller sur la lune ou d'inventer le scanner. L'inconvénient majeur est que ce procédé ne permet pas de voir les relations; nous savons beaucoup de choses sur les éléments, mais nous perdons de vue la globalité et ce qui lie les choses les unes aux autres.

- La pensée holistique

Il y a une autre manière de voir le monde, connue en particulier par les traditions orientales tel que le bouddhisme zen, mis à l'honneur en occident par ce que nous appelons le *holisme*[9] (système philosophique issu du pragmatisme américain), où le monde est appréhendé comme une entité globale que l'on comprend d'abord intuitivement, globalement. C'est un peu ce que nous faisons lorsque nous rencontrons une personne pour la première fois. Avant qu'elle ne s'exprime nous avons d'elle une vision globale (elle m'est sympathique ou antipathique).

Ici, c'est plutôt l'hémisphère droit du cerveau qui est sollicité. L'intuition, la créativité sont stimulées et permettent des compréhensions fulgurantes, immédiates. Riche de sens, cette pensée toutefois manque de nuance et de précision telles que le permet la pensée analytique-dualiste.

La pensée systémique

Avec Guntern, nous pourrions dire que la pensée systémique est une pensée bi-hémisphérique, dans la mesure où elle tente de lier ces deux modes de pensées, ces deux manières de voir la réalité. Mieux encore, l'approche systémique se veut inclusive et non exclusive, c'est-à-dire qu'elle tente d'intégrer, comme nous le verrons, les acquis antérieurs en proposant une autre manière de considérer les événements, une autre manière de poser les questions. Dans le monde des idées, les vérités profondes coexistent, s'interpénètrent, se confrontent et se fécondent. L'approche systémique, c'est vraiment la science qui relie: à la fois holiste et analytique-dualiste.[10]

Ayant dit qu'il y avait deux manières de décrire le monde (c'est bien sûr une simplification pratique pour comprendre), nous pouvons encore ajouter, même si l'une est plus intuitive que l'autre, que ce sont deux manières rationnelles de parler des phénomènes sensibles, accessibles à la conscience (les réalités terrestres). Les réalités supra-naturelles, religieuses, métaphysiques (les réalités célestes), voire poétiques, ne nous paraissent pas pouvoir se réduire à ce découpage. Elles sont d'un autre ordre de connaissance. Bien qu'agissantes et influentes dans la manière de concevoir le monde pour beaucoup d'humains, elles ne seront toutefois pas contenues dans notre discours.

Dans le monde occidental, c'est sans aucun doute la pensée

analytique qui durant des siècles a dominé. Comme nous le disions en introduction, cette pensée, concrétisée dans la méthode cartésienne, paraît ne plus pouvoir apporter, à elle seule, les réponses aux grands problèmes de notre temps.

Lemoigne a fait le procès de la méthode analytique; parlant de «la faillite» du discours cartésien, il dit ceci:

«Est-ce la même intelligence humaine? Celle du triomphalisme scientiste si fréquent chez les techniciens, fiers de tant d'exploits technologiques stupéfiants et déjà familiers, et celle de la morosité amère qu'inspirent ces villes, ces usines, ces injustices, conçues, voulues par l'homme? Est-ce la même intelligence, celle qui permet à un homme de marcher librement sur la lune et qui impose à tant d'hommes l'absurdité révoltante de la stagflation? Y a-t-il donc une telle différence entre la maîtrise de la gravitation et celle de l'inflation? Ce que l'intelligence humaine a su faire ici, ne sait-elle plus le faire là..Alors, démission de l'intelligence?...

«Peut être pouvons-nous explorer une autre issue, difficile et audacieuse. Remettre en question la méthode?.» [11]

Le propos est acide, un peu triomphant aussi. Depuis 1977, date de publication de l'ouvrage, les avis sont plus nuancés, plus cohérents aussi avec le projet systémique qui vise plutôt à intégrer et à relier les diverses manières de connaître: les discours sur la connaissance sont et seront toujours provisoires, circonstanciels, régionaux et construits sur les savoirs précédents.[12]

Avant d'explorer cette invitation critique de la méthode cartésienne et des nouvelles méthodologies, il nous paraît utile de donner une définition de quelques-uns des termes utilisés.

Epistémologie - paradigme - méthode - théorie - objet

L'épistémologie

Littéralement, épistémologie signifie discours (*logos*) sur la science (*épistémé*). L'épistémologie s'intéresse à la manière dont nous connaissons les choses, la façon dont nous acquérons des connaissances sur le monde. «Les croyances de l'homme concernant l'essence du monde (ontologie) déterminent sa façon de le percevoir et de le transformer (épistémologie). Et réciproquement.» (Bateson) Ainsi, l'épistémologie c'est tout à la fois le contexte, les conditions, les procédures et les effets de la production du savoir.

L'épistémologie systémique est un ensemble de croyances, de connaissances et d'expériences qui s'adressent à un certain niveau de la réalité, celui des *relations entre les objets* et celui des *relations entre observateur et observé.*

L'épistémologie psychanalytique, par exemple, s'adresse à un autre niveau de la réalité, celui du fonctionnement interne de l'individu, de ses productions fantasmatiques et de la manière dont est structurée sa vie psychique.

Le paradigme

Un autre concept, couramment utilisé et très proche du précédant, au point qu'on les confond parfois, est le terme de paradigme.

Un paradigme est un ensemble de principes, d'hypothèses sur lesquels chaque époque organise sa pensée et ses directions d'investigation. Principes souvent occultes, ils gouvernent à notre insu notre vision des choses et du monde. Ce sont des sortes de règles implicites qui nous font voir la réalité d'une certaine manière.

Ainsi, par exemple, un paradigme s'est construit avec les principes cartésiens de disjonction, de réduction et d'abstraction. Grâce à (ou à cause de) ce paradigme on a distingué/opposé/disjoncté la science de la réflexion philosophique, l'âme du corps, la maladie de la santé, la raison de la folie, le conscient de l'inconscient. Cessez de séparer ces concepts et votre vision du monde et de vous-même s'en trouvera changée. Nous dirions aussi que ce qui change, c'est notre manière d'acquérir nos connaissances de ces réalités.

La méthode

Et pour connaître, nous avons besoin d'une méthode, c'est-à-dire d'un «ensemble de démarches que suit l'esprit pour découvrir et démontrer la vérité..ensemble de démarches raisonnées et suivies pour parvenir à un but» (*Le Petit Robert*).

La théorie

Quant à la théorie, nous retiendrons la définition qu'en donne Morin: «La théorie est un système d'idées structurant, hiérarchisant, vérifiant le savoir, de façon à rendre compte de l'ordre et de l'organisation des phénomènes qu'elle envisage. La théorie est dans son principe ouverte sur l'univers dont elle rend compte: elle y puise confirmation, et si des données la contredisant surgissent, elle procède à des vérifications (sur les données), des révisions (sur son propre fonctionnement) et des modifications (sur elle-même). Une théorie, par là, est à la fois vivante (elle change) et mortelle (le réel peut lui infliger un démenti fatal). Une théorie qui se ferme au réel devient une doctrine..le problème que pose la théorie n'est pas un problème plus «profond» que celui de «savoir voir». De fait, c'est le même: autrement dit, c'est «savoir voir» qui pose un problème profond, parce que non seulement toute théorie dépend d'une observation, mais aussi parce que toute observation dépend d'une théorie.»[13]

Pour illustrer l'idée que toute observation dépend d'une théorie et inversement, nous prendrons deux faits de l'histoire. Le premier est rapporté par Morin[14] et concerne une célèbre dispute entre deux savants du XVIe siècle observant le soleil, à la même époque, avec des instruments identiques: là où Kepler, partisan convaincu du système héliocentrique[15] de Copernic, voit un objet brillant, fixe, autour duquel tourne la terre, Tycho-Brahé, son maître, géocentriste[16] convaincu, voit un objet brillant qui tourne autour de la terre! Contemplant le même soleil, ils ne voyaient pas la même chose.

Elisabeth Badinter, dans un autre domaine, rappelle qu'au XVIIIe siècle des penseurs insistent sur la distinction radicale entre les sexes en se fondant sur la biologie comme fondement épistémologique des prescriptions sociales. Elle cite le biologiste Patrick Geddes qui croit trouver la preuve de cette distinction par l'observation au microscope des cellules féminines et masculines. Selon lui, les premières seraient «plus passives, conservatrices, apathiques et stables» alors que celles de l'homme seraient «plus actives, énergiques, impatientes, passionnées et variables»![17]

L'objet

Un mot enfin sur l'objet de connaissance: «Tout ce qui se présente à la pensée, qui est occasion ou matière pour l'activité de l'esprit», tel est l'objet selon *Le Petit Robert*. La guerre, l'inflation, le chômage, la dépression de M. Jacques, l'infidélité de Mme Bluette, l'équipe socio-éducative pour handicapés mentaux de Grand-Soleil, les difficultés scolaires d'Antoine, la relation entre Pierre et Jeanne sont autant d'objets à connaître.

LE NOUVEAU DISCOURS SUR LA MÉTHODE

Toutes les manières de voir le monde
sont bonnes, pourvu qu'on en revienne.[18]
N. Bouvier

Critique de la méthode cartésienne

La méthode cartésienne, disions-nous précédemment, ne paraît plus pouvoir répondre aux questions complexes de notre temps. Il faut en changer, trouver un nouveau discours.

C'est en 1637 que Descartes publie son discours sur la méthode, dont on peut retenir les quatre préceptes fondamentaux: le précepte d'évidence, le précepte de réduction, le précepte de causalité et enfin le précepte d'exhaustivité.

Nous allons les reprendre en y opposant - précepte par précepte - le discours que Lemoigne tente de formaliser comme un nouveau discours sur la méthode.[19]

Evidence-pertinence

Descartes: «Ainsi, au lieu de ce grand nombre de préceptes dont la logique est composée, je crus que j'aurais assez des quatre suivants, pourvu que je prisse une ferme et constante résolution de ne manquer pas une seule fois à les observer.

«Le premier était de ne recevoir jamais aucune chose pour vraie que je ne la connusse évidemment être telle, c'est-à-dire d'éviter soigneusement la précipitation et la prévention, et de ne comprendre rien de plus en mes jugements que ce qui se présenterait si clairement et si distinctement à mon esprit que je n'eusse aucune occasion de la mettre en doute.»[20]

C'est évident! Que de fois dit-on et entend-on cela. Et pourtant, existe-t-il beaucoup d'évidences, réellement évidentes, c'est-à-dire que ni nous ni personne n'aurions l'occasion ou la raison de mettre en doute, hormis les conventions locales du genre «stop» écrit sur une route, ou «Berne comme capitale de la Suisse», ou encore «2 et 2 font 4»?

Ce concept d'*évidence* est douteux dès que l'on entre dans le monde du vivant. Il n'y a aucune évidence, pensons-nous, dans tous les grands problèmes du monde, ni dans ceux des humains et de leur commerce.

Son contraire complémentaire, le concept de *pertinence*, proposé par Lemoigne, est plus intéressant: une chose n'est pas vraie en soi, mais par rapport à quelques finalités explicatives. Une hypothèse, une action, une intervention ne sont jamais des évidences. Par contre, elles peuvent être plus ou moins pertinentes par rapport à un projet que l'on formule à un moment donné.

Il n'y a aucune évidence à soustraire un alcoolique ou un toxicomane de sa dépendance, ni à le punir ou de le soigner. Par contre, les actions que l'on peut tenter auprès de lui seront plus ou moins pertinentes selon le projet que l'on a: mettre fin à la dépendance, sauver d'une mort certaine, maintenir à un poste de travail, sauvegarder la moralité publique, etc.

C'est ainsi qu'en terme d'intervention sociale, la question sera toujours et d'abord: *Quel est le projet, le but, la finalité?* (voir plus loin le concept de téléologie). Les moyens (la détention, le placement, une psychothérapie, l'aide psychosociale, la thérapie familiale, l'aide matérielle, etc.) seront *plus ou moins pertinents* selon ce projet, ce but, cette finalité.

Au précepte d'*évidence*, le nouveau discours sur la méthode proposera donc celui de *pertinence*, c'est-à-dire «convenir que tout objet que nous considérerons se définit par rapport aux intentions implicites ou explicites du modélisateur. Ne jamais s'interdire de mettre en doute cette définition si, nos intentions se modifiant, la perception que nous avions de cet objet se modifie.»[21]

Réductionnisme-globalité

Descartes: «Le second, de diviser chacune des difficultés que j'examinerais en autant de parcelles qu'il se pourrait et qu'il serait requis pour les mieux résoudre.»[22]

Le précepte *réductionniste* est devenu presque synonyme de la méthode cartésienne: réduire pour comprendre. Le problème est que ce concept est peu utile tant que l'art de diviser n'est pas expliqué: diviser un problème en parties inappropriées peut accroître la difficulté. A force de diviser on perd l'enjeu, le problème d'ensemble. C'est ainsi qu'une certaine médecine, un certain travail social ont perdu le sens de l'homme global, bio-psycho-social.

Percevoir désormais l'objet à connaître comme une partie insérée, immergée, active dans un environnement, tel est le sens du concept opposé et complémentaire au réductionnisme, le *globalisme*. Le réductionnisme impose la fermeture des systèmes par lesquels nous nous représentons les choses, le globalisme au contraire ouvre; le réductionnisme ne fait pas de liens là où le globalisme en fait.

Ainsi, un comportement asocial ne sera pas tellement compris comme une caractéristique d'un individu, mais comme l'effet d'une relation entre cet individu et son environnement.

Lemoigne: «Considérer toujours l'objet à connaître par notre intelligence comme une partie immergée et active au sein d'un plus grand tout. Le percevoir d'abord globalement, dans sa relation fonctionnelle avec son environnement sans se soucier outre mesure d'établir une image fidèle de sa structure interne, dont l'existence et l'unicité ne seront jamais tenues pour acquises.»[23]

Causalisme-téléologie

Descartes: «Le troisième, de conduire par ordre mes pensées en commençant par les objets les plus simples et les plus aisés à connaître, pour monter peu à peu comme par degrés jusqu'à la connaissance des plus composés, et supposant même de l'ordre entre ceux qui ne se précèdent point naturellement les uns les autres.»[24]

Le principe de *causalité* fait croire à l'existence de sortes de lois cause-effet invariantes: telle cause produit tel effet. Si cela est vrai dans beaucoup de situations, il en existe aussi - et de nombreuses - ou telle cause produit plusieurs effets différents. De même, tel effet peut avoir plusieurs causes: la délinquance ne saurait s'expliquer par une seule cause (par exemple le père absent). De même un comportement autoritaire ne produit pas toujours la soumission de celui sur lequel il s'exerce!

Dans le discours cartésien, on dit volontiers «prendre une décision en toute connaissance de causes». Dans le nouveau discours, on préférera dire - et s'intéresser à - «prendre une décision en connaissance des conséquences ou effets probables».

De l'explication (Dis-moi quelle sont les lois intrinsèques qui gouvernent ton comportement?) on passe à l'interprétation (Dis-moi quels sont les projets intrinsèques auxquels tu réfères ton comportement?). Le but (Où vas-tu?), plus que la cause (D'où viens-tu?), prend la position centrale.

Aussi au précepte de causalité est opposé le précepte de téléologie[25], qui signifie «étude de la finalité».

Lemoigne: «Interpréter l'objet non pas en lui-même mais par son comportement, sans chercher à expliquer a priori ce comportement par quelque loi impliquée dans une éventuelle structure. Comprendre en revanche ce comportement et les ressources qu'il mobilise par rapport aux projets que, librement, le modélisateur attribue à l'objet.»[26]

Exhaustivité-agrégativité

Descartes: «Et le dernier, de faire partout des dénombrements si entiers et des revues si générales que je fusse assuré de ne rien omettre.»[27]

Qui pourra jamais être assuré de ne rien omettre dans les réalités complexes? L'informatique a pu croire et faire croire cela, mais la complexité oblige à un changement de méthode.[28]

On ne peut plus ne rien omettre. C'est trop complexe, trop de paramètres interviennent pour les connaître tous. Mieux vaut donc se résigner (ou se réjouir): omettons délibérément beaucoup de choses. Prenons délibérément le parti de n'observer que partiellement les choses, l'agrégat, c'est-à-dire l'ensemble des parties que nous choisirons et tenterons de définir. Nous n'expliquerons pas *le tout*, mais - plus modestement et plus réalistement - nous interpréterons ce à quoi nous nous intéressons.

Le nouveau précepte, *l'agrégativité*, serait alors de «convenir que toute représentation est simplificatrice, non pas par oubli du modélisateur, mais délibérément: chercher en conséquence quelques recettes susceptibles de guider la sélection d'agrégats tenus pour pertinents et exclure l'illusoire objectivité d'un recensement exhaustif des éléments à considérer»[29].

L'évolution des paradigmes

Les méthodes, ainsi que leurs paradigmes, veulent donner des moyens pour concevoir, comprendre les objets que nous cherchons à connaître et à changer.

Comme nous venons de le voir, l'ambition du nouveau discours est de remplacer compléter le discours cartésien pour proposer une méthode adaptée à notre temps.

Sans refaire toute l'histoire des idées, nous présenterons maintenant les trois paradigmes qui ont précédé et rendu possible le paradigme systémique, et terminerons par l'évocation d'un paradigme en devenir, le paradigme de la complexité.

Le paradigme de la mécanique rationnelle

La construction intellectuelle qui incarne le plus fidèlement le discours cartésien est le paradigme de la mécanique rationnelle. La mécanique est la métaphore privilégiée de ce discours.

Ce paradigme postule que tout objet possède une *structure* et c'est cette structure qui explique l'objet: «La structure est la cause, la condition nécessaire et suffisante de l'effet, et donc de la fonction assurée par l'objet.»[30]

Un tel paradigme expliquerait un comportement agressif ou une tendance toxicomaniaque par la structure de la personne en cause. Des considérations d'ordre héréditaire, physiologique ou psychologique seraient évoquées. On expliquerait, autre exemple, le phénomène du chômage par l'analyse de notre système économique, pour conclure que ce système est la cause et la condition nécessaire et suffisante pour qu'il y ait chômage.

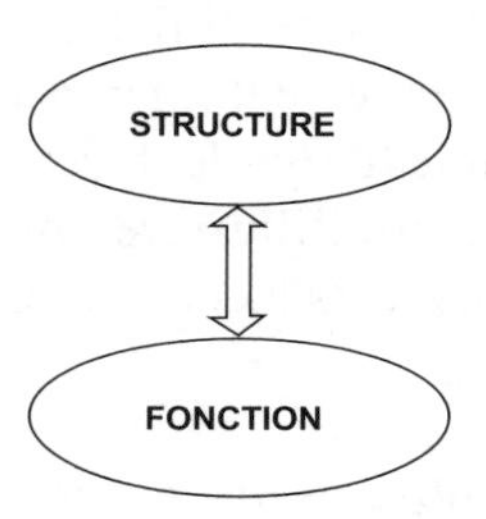

Le paradigme évolutionniste

Le paradigme de la mécanique rationnelle, encore actif aujourd'hui, a connu un premier défi au XIXe siècle avec la thermodynamique qui posait la question des transformations irréversibles de cette structure dans le temps: les structures, disait-on alors, évoluent, changent. C'est le dynamisme, l'évolution de l'objet qui caractérisent le mieux l'objet. A la dialectique structure-fonction succède la dialectique structure-évolution.

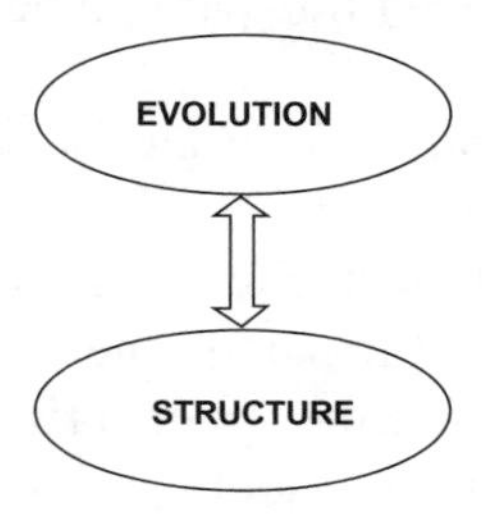

Ce changement de paradigme peut facilement se comprendre. Cela tombe sous le sens que tout système vivant évolue, change, qu'il n'est pas le même aujourd'hui qu'hier. Toutefois, si l'on reprend les exemples précédents, le paradigme évolutionniste ne nous ferait nous intéresser qu'à l'évolution, aux dépens de ce que fait l'objet (comportement agressif, prise de drogue, déprime du chômeur, affolement de la bourse, etc.). Ici, l'activité de l'objet est peu prise en compte. A la dialectique structure-fonction succède la dialectique structure-évolution.

Le paradigme structuraliste

On ne peut ignorer la tension qui existe entre les deux paradigmes précédents: structure-fonction d'une part, structure-évolution d'autre part.

Comment relier le «ça fonctionne» avec le «ça évolue»?

Le paradigme structuraliste allait proposer une démarche d'intégration qui veut décrire l'objet dans sa totalité, en même temps *fonctionnant* et *évoluant.*

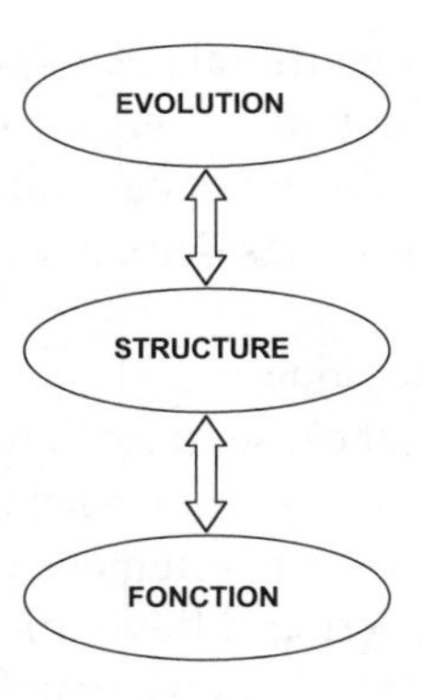

Il ne faut pas choisir entre la fonction et l'évolution, il faut prendre les deux: «La vérité synchronique paraît la négation de la vérité diachronique et, à voir les choses superficiellement, on s'imagine qu'il faut choisir; en fait, ce n'est pas nécessaire; l'une des vérités n'exclut pas l'autre.»[31]

Si donc il ne faut plus choisir, on va pouvoir expliquer le comportement agressif, le comportement toxicomaniaque et le phénomène du chômage, pour rester dans nos exemples précédents, d'un triple point de vue:
- celui de la structure: Comment est organisé l'objet?
- celui de l'évolution: Comment se transforme-t-il?
- celui de sa fonction: Que fait-il?

Le paradigme systémique

Le paradigme structuraliste proposait une démarche globale qui décrivait en même temps l'objet dans sa totalité, fonctionnant et évoluant. L'image de l'organisme vivant, fonctionnant *et* évoluant allait permettre de résoudre la tension entre les deux paradigmes. Toutefois, nous intéressant plus spécialement aux systèmes vivants, cette image nous oblige à prendre en compte et à intégrer deux hypothèses complémentaires: l'hypothèse téléologique et l'hypothèse d'un objet nécessairement ouvert sur l'environnement.

C'est aux intuitions de Bertalanffy, que nous décrirons plus en détails ultérieurement, que l'on doit l'énoncé de ces hypothèses. C'est à lui que revient la paternité du paradigme systémique (1930). Explicitons les deux nouvelles hypothèses:

- L'hypothèse téléologique

Si l'organisme vivant est supposé doté d'au moins un projet identifiable, l'organe modélisant l'objet aura aussi un tel projet par rapport auquel son comportement pourra être interprété. Pour comprendre la fonction et l'évolution d'un objet, l'on doit s'intéresser aux projets de l'observateur comme à ceux de l'objet. Il ne suffira donc pas de s'intéresser à la personne agressive ou toxicomaniaque dans ce qu'elle est, comment elle évolue et ce qu'elle fait. Il faudra inclure dans l'observation et un projet identifiable chez cette personne et un projet de l'observateur, par exemple l'éducateur.

• L'hypothèse d'un objet ouvert sur son environnement
Ouvert, cela signifie que l'objet va à la fois influencer et être influencé par l'environnement.

Voici représenté graphiquement le paradigme systémique:

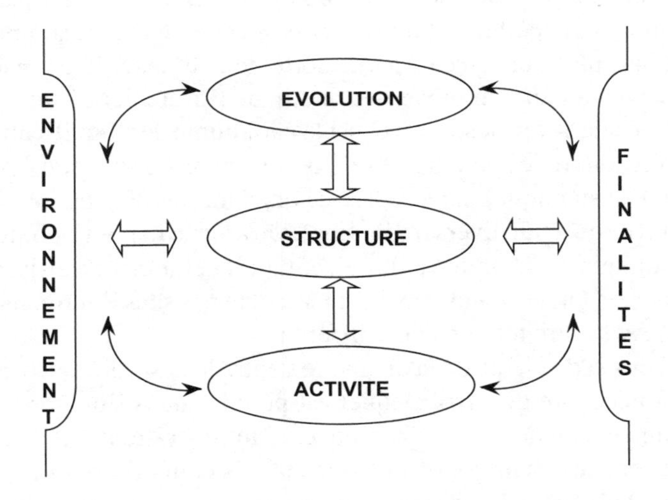

Cette description de l'évolution historique peut paraître simplificatrice et somme toute assez logique. Nous précisons qu'il s'agit là d'une construction qui veut démontrer: premièrement que les paradigmes dits anciens ne le sont pas vraiment puisqu'ils continuent à traverser nos champs de réflexion et d'action; deuxièmement que le paradigme systémique doit être compris comme un dépassement et non comme un reniement.

Le paradigme de la complexité

L'évolution, telle qu'elle a été présentée jusqu'à maintenant, a montré comment l'intelligence humaine a progressivement intégré des paramètres complexifiant notre manière d'observer et de comprendre les phénomènes: tel paradigme remplaçant, en l'englobant, le précédent. Il n'y a évidemment aucune raison pour que le paradigme systémique soit le dernier. L'ensemble des recherches scientifiques, les réflexions épistémologiques contemporaines intègrent de plus en plus la notion de complexité dans le champ explicatif de l'objet.[32]

C'est encore à Morin que nous emprunterons les aspects les plus caractéristiques de ce qui pourrait bien devenir un paradigme.[33] Il rappelle que toute la pensée occidentale a été soumise pendant plusieurs siècles à une sorte de nécessité: la connaissance devait être un moyen de mettre de l'ordre dans l'univers et d'en chasser le désordre. C'est le paradigme de simplification (qui recouvre les paradigmes dont nous avons parlé, non compris le systémique) qui a séparé ce qui était lié (disjonction) ou réduit ce qui était divers (réduction). On a ainsi disjoint l'homme biologique de l'homme culturel, et réduit celui-ci à celui-là, ou l'inverse. Or, non seulement l'un n'existe pas sans l'autre, mais l'un *est* l'autre tout en étant différent.

Il en est de même de la distinction entre le désordre et l'ordre et la nécessité de savoir lequel est premier dans l'univers: au commencement était...Or, l'un et l'autre existent; ils sont antagonistes, mais coopèrent tout à la fois pour organiser l'univers. Il n'y a pas d'ordre sans désordre, et inversement. Cela est vrai pour la nature (l'univers s'organise en se désintégrant), pour le vivant, dont l'organisation n'existe que par et dans la succession de l'ordre et du désordre (la vie vit de la mort et inversement), cela est aussi vrai pour le social enfin où ce que nous appelons *problème* est bien souvent du désordre (chômage, délinquance, etc.). Le social s'organise dans cette tension entre le normal et le pathologique, la norme et l'anormal, l'intégré et l'exclu, etc. Ce constat n'est pas une approbation morale, mais une invitation à voir le complexe dans ce qui se présente comme en opposition, en contradiction: «La complexité est là où l'on ne peut surmonter une contradiction, voire une tragédie.»[34] La complexité, c'est donc concevoir l'ordre et le désordre à la fois comme opposés et réunis pour organiser. Mais c'est aussi appréhender l'être humain à la fois comme autonome et dépendant. L'humain capable de dire *je* – c'est-à-dire, pour reprendre la belle formule de Morin, capable de se mettre «au centre de son monde pour pouvoir le traiter et se traiter soi-même» – tout en sachant que *je* est à la fois inclus dans le réel qui le détermine partiellement et incluant le monde des autres, celui de sa famille, de ses parents, etc.

«La difficulté de la pensée complexe est qu'elle doit affronter le fouillis (le jeu infini des interrétroactions), la solidarité des phénomènes entre eux, le brouillard, l'incertitude, la contradiction.»[35]

Pour nous aider, Morin propose trois principes, qui sont des sortes de macro-concepts:

• Le principe dialogique

C'est la reconnaissance de la dualité au sein de l'unité, l'association de deux termes à la fois complémentaires et antagonistes. Dans le domaine du travail social, on pourrait dire, par exemple, que ce principe nous invite à penser le phénomène de l'exclusion et de l'intégration comme à la fois complémentaires et antagonistes. Une simplification de la pensée complexe pourrait faire croire à une sorte de démobilisation défaitiste: «Il y aura donc toujours des exclus, à quoi bon se battre». La pensée complexe – qui, précisons-le, n'est pas un programme social, mais une manière de considérer les problèmes – dit au contraire que l'exigence de la complémentarité et de l'antagonisme veut précisément unir là où la pensée simplifiante veut séparer (les exclus des autres). Morin dira: «Si vous avez le sens de la complexité vous avez le sens de la solidarité»[36], parce qu'on ne peut pas isoler les objets les uns des autres.

• Le principe de la récursion organisationnelle

C'est la reconnaissance que dans un processus les produits et les effets sont en même temps causes et producteurs de ce qui les produit. Les individus produisent la société qui produit des individus. Cela paraît assez banal à dire, mais quel discours – et quelle action pertinente – produirions-nous en reconnaissant le chômeur, le délinquant, le réfugié, l'assisté comme produits d'une société *et* producteurs de la société dans laquelle ils sont? Continuerions-nous à gérer le social de la même manière si l'on concevait les assistés et les exclus de toutes sortes comme des acteurs-producteurs de ce qu'ils sont, de ce que nous sommes et donc de ce que nous faisons ensemble?

- Le principe hologrammatique

Il cherche à dépasser le réductionnisme qui ne considère que les parties et le holisme qui ne voit que le tout. Selon ce principe, non seulement la partie est dans le tout, mais le tout est dans la partie. Non seulement je peux comprendre le tout en étudiant la partie, mais je dois également inclure le tout dans mon observation pour comprendre la partie. Et ce n'est pas l'un ou l'autre, c'est l'un *et* l'autre.

Quel effet cette affirmation a-t-elle sur le travail social?

Je vais comprendre quelque chose de la fugue d'un enfant non seulement en m'intéressant à son comportement et à sa peine (la partie), mais aussi au foyer dans lequel il est placé (le tout). Un échec scolaire, dans cette perspective, ne peut plus se concevoir sans s'intéresser au milieu scolaire, à la classe dans laquelle il se manifeste. Cela est vrai pour la personne en dette chronique comme pour celle qui déprime, etc.

Les réflexions sont en cours. Sur quoi déboucherons-nous avec les grands problèmes de l'humanité, mais aussi à notre niveau d'intervenants sociaux?

«Nous sommes dans une bataille incertaine et nous ne savons pas encore qui l'emportera. Mais l'on peut dire, d'ores et déjà, que si la pensée simplifiante se fonde sur la domination de deux types d'opérations logiques: disjonction et réduction, qui sont l'une et l'autre brutalisantes et mutilantes, alors les principes de la pensée complexe seront nécessairement des principes de distinction, de conjonction et d'implication.»[37]

Résumé

1. De tout temps, l'homme s'est efforcé de comprendre et d'expliquer le monde dans lequel il vivait.
2. On peut identifier deux grandes manières de voir le monde, l'une centrée sur l'analyse et la division en plusieurs parties de l'objet à connaître, l'autre en l'appréhendant comme une entité globale. L'approche systémique se veut une troisième voie qui lierait ces deux pensées. Elle serait donc à la fois une pensée analytique-dualiste et une pensée holistique.
3. Quelle que soit la manière de penser le monde, l'homme a besoin d'une méthode, c'est-à-dire d'un ensemble de démarches raisonnées, suivies pour parvenir à un but.
4. Pour un nombre toujours plus grand de penseurs et de scientifiques la méthode qui a prévalu pendant plusieurs siècles et que nous a léguée Descartes n'est plus adaptée aux problèmes de notre temps. Il faut inventer un nouveau discours sur la méthode où l'objet à connaître puisse être appréhendé à la fois dans ce qu'il est (sa structure), ce qu'il fait (sa fonction), sa manière de se transformer (son évolution), ce vers quoi il tend (ses finalités) et l'environnement dans lequel il se situe (son contexte).
5. Le paradigme systémique introduit à la complexité; il prépare, pourrions-nous dire, un nouveau paradigme, celui de la complexité où l'ordre et le désordre, l'équilibre et le déséquilibre, le normal et le pathologique, l'exclu et l'intégré sont conçus comme antagonistes, complémentaires et concurrents: joindre et distinguer ces polarités, supporter leur contradiction et l'incertitude de leur évolution.
6. Cette ballade dans le monde des idées n'est pas que ludique. Le travailleur social, comme n'importe quelle personne, baigne dans une culture qui lui a appris, et continue à le faire, comment voir, comprendre, expliquer et agir dans ce monde. Que ce soit au niveau individuel ou collectif, psychologique ou sociologique, la toxicomanie, le chômage, la solitude, la pauvreté et tout ce dont souffre l'humanité sont des objets à

connaître et à comprendre. Le travailleur social, par l'approche systémique et l'ouverture à la complexité, est invité à reconsidérer sa vision du monde et donc aussi sa méthode et ses outils d'intervention.

LES THÉORIES SUR LESQUELLES SE FONDE L'APPROCHE SYSTÉMIQUE

L'apprentissage commence lorsque vous regardez le monde avec les yeux d'un autre.[38]
C.W. Churchman

L'approche systémique, telle que nous la concevons dans notre modélisation de l'intervention en travail social, se reconnaît, du point de vue épistémologique, dans le paradigme de la complexité tel que nous venons de le présenter. Du point de vue méthodologique et pratique, notre approche repose sur trois théories:
- la théorie du système général;
- la théorie de la communication selon l'Ecole de Palo Alto;
- le constructivisme.

La théorie du système général

Le créateur de la théorie du système général, Bertalanffy (1901-1972)[39], est un enseignant et un chercheur en psychologie et en biologie qui a vécu d'abord en Autriche, puis au Canada et aux Etats-Unis. Son ambition est double:
- travailler à l'intégration des diverses sciences, naturelles et sociales;
- développer des principes unificateurs en vue de l'unité de la science.

En effet, dans le passé, la science essayait d'expliquer les phénomènes observables en les réduisant à un jeu d'unités élémentaires indépendantes les unes des autres. De plus en plus elle prend en compte – et cela dans toutes les disciplines scientifiques – les problèmes d'organisation et les problèmes d'interaction. La science s'intéresse à des systèmes de divers ordres qui ne peuvent s'appréhender par l'étude de leurs parties prises isolément.

Nous trouvons, en plus, fréquemment et dans divers domaines, des *lois* identiques, applicables à tout système, indépendamment de ses propriétés particulières ou de ses éléments. C'est ainsi, par exemple, que le système «individu» aurait des similitudes dans certaines lois de fonctionnement, expliquant aussi bien le système cellulaire que le système familial.

Voilà pour les principes généraux. Quant aux concepts que développe Bertalanffy[40] et ses successeurs, nous en retiendrons neuf:

1. Définition

Un système est un ensemble repérable, composé d'éléments organisés, interdépendants, interagissants, et qui cherche, dans un environnement donné, à atteindre un ou des buts déterminés, explicites ou non, en évoluant et en produisant une ou des activités.[41]

2. Ensemble et parties

Un système est un ensemble qui comporte différentes parties. D'une manière générale, on peut dire que tout système inclut des sous-systèmes et est inclus dans un ou des systèmes plus vastes que lui. Un groupe d'enfants dans un foyer, avec l'éducateur référent, forment un système dans lequel coexistent plusieurs sous-systèmes, par exemple les nouveaux et les anciens, les garçons et les filles, les enfants et l'adulte. En même temps, il est compris dans un ensemble plus vaste: la direction, les autres groupes, etc. La première démarche du travailleur social sera de décider à quel niveau, et dans quel sous-système il devra intervenir.

3. Isomorphisme

Comme le rappelle Cuendet dans ses études sur la gestion, l'approche systémique est générale. Elle ne se limite pas à un type particulier d'organisation. «Qu'il s'agisse d'objets, d'êtres vivants, de communautés, etc., n'importe quels objets reliés par des relations quelles qu'elles soient peuvent donc constituer un système.»[42] Il y a, dirons-nous, isomorphisme, c'est-à-dire analogie de forme entre, par exemple le système familial, le système cellulaire, le système économique, le système nerveux, etc.

4. Totalité et non-sommativité

Le principe de totalité veut que tout système ouvert (voir plus loin ce terme) est un tout dont chaque élément est lié aux autres. Conséquence: toute modification de l'un des éléments entraînera à la fois des modifications des autres éléments et du système entier, en terme de fonctionnement, d'interactions et de production. La mise au chômage du père de famille, la dépression du collègue de travail auront des effets non prévisibles du fait de la variabilité des interactions de tout système ouvert, à la fois sur chaque individu qui compose le système et sur l'ensemble.

Le principe de non-sommativité, indissociable de celui de totalité, affirme que le tout n'est pas la somme des parties. On ne peut pas définir un système en additionnant les caractéristiques de ses éléments, ni déduire les caractéristiques d'un élément à partir de l'ensemble auquel il appartient. Un système, c'est tout à la fois plus et moins et autre chose que la somme de ses parties.

Une famille ne saurait se définir par l'inventaire des caractéristiques de ses membres. De même, la délinquance du fils aîné ne saurait se comprendre seulement à partir de sa famille.

5. L'équifinalité

Le système dans son fonctionnement présent ne s'explique pas tant par le passé que par la manière dont il s'organise maintenant. «En d'autres termes, ce qui est déterminant, ce ne sont pas les conditions initiales, mais les paramètres d'organisation du système dans le temps qui lui est propre.»[43]

«Non seulement des conditions initiales différentes peuvent produire le même résultat final, mais des effets différents peuvent avoir les mêmes causes.»[44] Il ne suffit donc pas d'être femme, célibataire, et enfant battue pour devenir à son tour une femme qui bat son enfant.

6. L'autorégulation (homéostasie et changement)

Le système tend à la fois à la transformation et à la stabilité: «Le jeu de ces deux fonctions maintient le système en équilibre instable et provisoire, ce qui garantit ses possibilités d'évolution et de vie.»[45]

L'homéostasie est une sorte de mécanisme autocorrecteur qui se préoccupe de préserver ce qui existe, y compris en récupérant-incorporant les informations qui pourraient menacer son équilibre. Ce faisant, il assure la stabilité du système au travers des changements qui le modifient.

A l'inverse, l'hétérostasie, la force de changement, se préoccupe de la croissance et de la transformation.

Un système vivant évolue dans la mesure où ces deux fonctions s'exercent de manière adaptée. Le système est en crise lorsqu'il n'y a plus un équilibre acceptable entre ces deux tendances. On peut observer une prédominance homéostatique dans les systèmes dysfonctionnels, appelés aussi pathologiques.

7. Causalité circulaire (ou circularité)

Opposée à la causalité linéaire, la causalité circulaire indique une «chaîne causale dont les causes et les effets se succèdent jusqu'à retourner au premier élément de cette chaîne par un mécanisme de rétroaction, pour y introduire un changement, ou le renforcer, ou l'inhiber»[46].

8. Information et rétroaction

«L'information est l'élément vital de tout système à composantes humaines. Elle circule entre les éléments et les met en relation. L'information ne se contente pas de s'additionner à l'information déjà en stock, elle est facteur de changement. C'est une donnée nouvelle qui crée une différence et modifie l'image mentale que le récepteur a de la réalité.»[47] La rétroaction (feed-back) est ce processus de transmission de l'information qui va d'un élément à un autre, en réponse, et qui influence les uns et les autres, corrige l'action en fonction de la finalité poursuivie par l'objet.

La rétroaction est dite positive lorsqu'elle accentue et amplifie la différence, c'est-à-dire les forces de changement. Le plus entraîne le plus: effet boule de neige, réactions en chaînes ou le moins entraîne le moins: décompensation successive des membres d'une famille, départ en série dans une équipe, etc.

La rétroaction négative, au contraire, tente de réduire l'écart entre ce qui existe et ce que l'information nouvelle peut amener de déstabilisation. Dans une équipe en conflit, le médiateur, le conciliant jouent souvent le rôle de réducteur d'écart!

Ce qu'il convient de retenir est la nouveauté du concept: tout n'est pas une information. Ainsi, lorsque pour la énième fois l'éducateur rappelle qu'il est interdit de boire de l'alcool dans le foyer, ce n'est pas une information, elle n'apporte aucune différence à ce qui se fait et existe. Ce qui peut devenir une information - une différence, et donc facteur possible de changement - serait par exemple la colère avec laquelle il le dit!

9. Système fermé/système ouvert

Dans un système fermé, on peut observer les communications et les effets prévisibles (la régulation est interne): s'il y a rétroaction positive la machine se bloque ou dysfonctionne (une chaudière, par exemple).

Dans les systèmes ouverts, l'imprévisibilité laisse l'observateur dans de grandes incertitudes sur les effets des rétroactions. D'où la complexité des échanges avec l'extérieur.

Nous avons vu que les systèmes vivants étaient plus ou moins ouverts selon qu'ils échangeaient plus ou moins d'informations avec leur environnement. Pour bien comprendre l'importance de cette distinction entre ouverture et fermeture, il est nécessaire de caractériser ici rapidement les machines triviales et les machines non-triviales.

- La machine triviale

C'est une machines qui répète sans erreur. Toute relation entre un stimulus et une réponse reste identique à elle-même. L'ordinateur est une machine triviale, tout comme une boîte de vitesses. La machine triviale peut être complètement déterminée, prédictible. Il suffit de connaître ce qui entre dans la machine, ce qui se passe dedans pour connaître ce qui en sortira. Et c'est heureux pour tout ce que produit notre système économique en vue de satisfaire nos besoins de consommation matérielle! C'est ainsi que l'on peut être assuré, dans une chaîne alimentaire ou de construction de voitures, qu'au bout de la chaîne il y aura bel et bien un poulet emballé ou une voiture utilisable.

Or toute explication scientifique tend à transformer l'univers en machine triviale. La théorie est une vaste entreprise de trivialisation de l'univers, dans la mesure où elle cherche - c'est sa fonction - à rendre prévisible le comportement des objets. Le psychologue Skinner pensait que l'organisme était une machine triviale.

• La machine non triviale

Elle est caractérisée par le fait que son fonctionnement ne répond pas à un critère de prédictibilité. Elle possède aussi un alphabet d'entrée et de sortie comme la machine triviale, mais en plus elle possède *un état interne et une fonction d'état* (la machine triviale n'a qu'une fonction de transfert). Cela veut dire qu'une même entrée (frapper un enfant) peut ne pas donner une même sortie (pleurs) si l'état interne a varié. De plus la machine non triviale dépend en partie de son passé.

Mais à quoi tout cela peut-il bien nous servir? A ne pas prendre les organismes vivants pour des machines triviales! Tout simplement, c'est-à-dire:

- à accepter l'idée que l'être humain fonctionne essentiellement dans l'imprévisibilité, l'imprédictibilité;
- à travailler toujours en fonction de lois générales et de singularités.

Les lois sont les règles impératives imposées à un système de l'extérieur (la force de l'environnement). Dans une machine triviale, la loi prédit l'évolution d'un système. Ces lois générales s'appliquent aussi aux systèmes ouverts en équilibre. Elles rendent plutôt compte de l'homéostasie que du changement. Par contre, les singularités, ce sont des lois singulières, propres à un système donné.[48] Les singularités rendent compte plutôt du changement que de l'homéostasie.

Ces réflexions sont très importantes pour la compréhension des systèmes vivants, plus ou moins ouverts, que sont l'individu, le groupe, la famille, un quartier, etc.

En effet, si l'on considère, par exemple, l'histoire récente de l'utilisation de ces concepts dans les pratiques psychiatriques et de thérapie familiale, on se rend compte que l'on a passé d'une conception où l'on croyait que l'intervention des thérapeutes sur un système familial pouvait produire tel type d'effet (machine triviale) à une compréhension plus complexe où l'intervention du thérapeute est imprévisible dans ses effets.

Dans les années 80, le thérapeute systémique est d'abord un observateur du jeu familial. Il cherche à décrire les règles du système, éventuellement il cherche à les changer. Il croit qu'il existe des systèmes de communication s'autorégulant à travers des mécanismes de rétroaction. Toute l'attention portait sur la façon dont le système maintenait son homéostasie. C'est l'époque où la tendance était plutôt trivialisante (familles à transactions schizophréniques, psychotiques).

A suivi ce que l'on a appelé la deuxième cybernétique ou cybernétique de deuxième ordre[49], ou encore la nouvelle systémique[50]. L'attention porte alors davantage sur les rétroactions positives, c'est-à-dire sur tout ce qui amplifie les divergences, les ruptures, les mises hors de l'équilibre.

Les deux autres caractéristiques de cette cybernétique, sont:
- la construction de la réalité;
- l'implication de l'observateur dans son observation.

Caractéristiques que nous étudierons lorsque nous parlerons du constructivisme.

On pourrait dire cela d'une autre manière:

Dans la première cybernétique, l'attention portée sur la pathologie (le système explose ou se bloque) exprime une réalité;

des systèmes humains dysfonctionnels, pathologiques sont, il est vrai, plus ou moins prévisibles. On sait d'avance ce qui va se passer. Mais on négligeait un corollaire: un système vivant, même très dysfonctionnel, est un système capable de se reproduire, et de produire de nouvelles règles favorisant l'émergence d'idées et de comportements originaux.

Dans la deuxième cybernétique, on s'intéresse alors davantage à la création, au changement qu'à la répétition et à l'homéostasie. L'intervention du thérapeute doit être considérée comme une simple perturbation utilisée par le système de façon imprévisible. Ces considérations, bien entendu, concernent aussi les travailleurs sociaux aux prises avec les mêmes réalités humaines.

Le concept de système

Pour terminer nous voudrions évoquer le concept de système dans les sciences de l'homme tel que le concevait Bertalanffy:

Le XIXe siècle et la première moitié du XXe concevaient le monde comme un *chaos*, puis a succédé une conception du monde fondée sur *l'organisation*.[51] Ce changement de regard sur le monde allait amener un changement de regard sur l'homme.

Selon Bertalanffy, la science traditionnelle avait une représentation de l'être humain fondée sur quatre principes:

- premier principe: le comportement animal ou humain est très exactement une réponse à des stimuli provenant de l'extérieur. C'est le fameux schéma S-R (stimulus-réponse);
- deuxième principe, celui de l'environnementalisme: le comportement et la personnalité sont façonnés par des influences extérieures;
- troisième principe, celui de l'équilibre: la fonction de l'appareil mental est de maintenir l'équilibre. D'où la recherche de réduction des tensions;
- quatrième principe, celui de l'économie: il faut fonctionner à l'économie, en minimisant la dépense d'énergie le plus possible.

A cette conception du fonctionnement de l'humain, Bertalanffy oppose le modèle de l'homme comme systè*me à personnalité active*[52]. Qu'est-ce à dire?

«Si l'animal ou même la société peuvent se décrire en termes généraux, par contre l'homme n'est pas seulement un animal politique, il est d'abord et avant tout un individu. (...) Partant de ce fait de base, il faut intégrer les autres niveaux dans cette unité qu'est l'individu: la pluridisciplinarité des sciences de l'organisme, la complexité propre d'une machine vivante, la présence permanente des déséquilibres, la notion d'activité endogène première. (...) Il faut également retrouver le social au niveau de l'intégration des valeurs, des décisions et des jeux individuels.»[53]

Le leitmotiv de Bertalanffy: «Les formes de vie; les animaux, chaque être humain, sont des systèmes actifs avant toute chose, plutôt que réactifs. Doué d'initiative, l'humain, par sa capacité symbolique, crée, adapte et renouvelle la complexité de sa propre présence.»[54]

Trop souvent on a réduit la pensée de Bertalanffy à une théorie un peu sèche, sans montrer les dimensions philosophiques et psychologiques qui sous-tendent son œuvre.

Il faut rappeler que le concept système est une commodité pour appréhender les objets complexes que sont les êtres humains, leurs relations, leurs aspirations, leur recherche du bonheur: «Réduire au système, c'est chasser l'existence et l'être. Le terme «les systèmes vivants» est une abstraction démentielle s'il fait disparaître tout sens de la vie. Ici, je l'utiliserai, ce terme de «système vivant», mais uniquement pour évoquer l'aspect systémique du vivant, jamais pour ne voir dans le vivant qu'un système. Quelle terrifiante pauvreté de ne percevoir dans un être vivant qu'un système. Mais quelle niaiserie de ne pas y voir aussi un système.»[55]

La théorie de la communication selon l'Ecole de Palo Alto

En 1972, les travailleurs sociaux francophones prennent connaissance de l'ouvrage de Watzlawick et associés: *«Une logique de la communication»*, qui allait devenir l'ouvrage de référence pour parler de la communication et des systèmes. Si la notion de système était déjà présente dans ce livre, elle a été quelque peu éclipsée par la pertinence et la force de ce qui était proposé là pour mieux comprendre et mieux agir dans le quotidien de la communication. Les propositions de l'Ecole de Palo Alto, puisque c'est ainsi qu'on a coutume d'appeler maintenant ce courant de l'intervention thérapeutique, sont très largement connues. Nous les évoquerons ici brièvement pour signifier ce que nous en retenons principalement dans l'enseignement de l'approche systémique.

D'une manière générale, la pragmatique de la communication, c'est-à-dire l'étude de la dynamique des relations entre émetteur et récepteur, s'intéresse aux questions de valeur ou d'utilité des messages, à la reconnaissance et à l'interprétation des signes, à leurs aspects psychologiques, à leur sens.

Pour l'Ecole de Palo Alto, en particulier, on peut la caractériser ainsi:

1. La pragmatique de la communication a pour objet l'étude des effets de la communication sur le comportement: «Nous considérons les deux termes, communication et comportement comme étant presque synonymes.»[56]

   Tout comportement est une communication, et inversement, dans la mesure où tout ce qui est signe, indice verbal ou corporel s'exprime par un comportement. Ce qui unit - intentionnellement ou involontairement - l'émetteur et le récepteur, c'est la communication. On ne peut donc pas ne pas communiquer. Dans cette manière de considérer la communication, le psychisme est une sorte de boîte noire que l'on ne peut connaître que par le comportement.
2. La communication obéit à certaines règles, repérables grâce aux redondances de certains éléments, dans un processus

d'interaction. Le prototype de cette démarche est la possibilité théorique de reconstruire les règles du jeu d'échec par l'observation du jeu, sans interroger les joueurs sur les motivations de leurs coups.

3. Les processus de communication étant des systèmes à rétroaction (c'est-à-dire que A agit sur B qui agit sur A), il est difficile de leur attribuer un début et une fin. Tout comportement est à la fois réaction au précédant et inducteur du suivant. La circularité est donc une caractéristique des modèles de communication (voir le terme «circularité» dans la section consacrée à la théorie du système général, p.40).
4. Le normal et le pathologique sont des notions relatives, puisque tout comportement prend sens dans un contexte. Un comportement dit «pathologique» dans un contexte peut être un comportement approprié dans un autre contexte. Normalité et anormalité ne sont plus, dans cette approche, des attributs individuels, mais des caractéristiques des processus d'interaction.
5. L'interaction, qui consiste en une série de messages, peut être considérée comme un système et peut s'étudier dans la perspective de la théorie du système général: un ensemble d'éléments en interaction évoluant dans le temps, vers un but, de manière telle que toute variation d'un élément ou d'un attribut affecte l'ensemble du système.
6. L'Ecole de Palo Alto a repris un schéma classique des spécialistes de l'information (Shannon), de la communication (Lasswell) et de la cybernétique (Wiener).

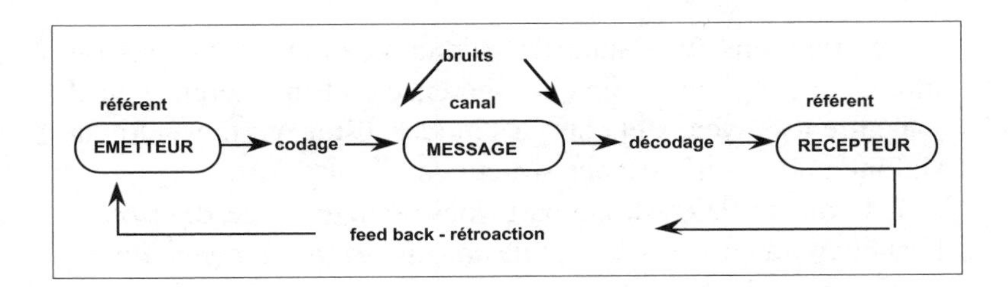

L'émetteur désigne la source d'émission, *le récepteur* est le destinataire du message, *le message* est le contenu de la communication, *le canal* c'est la voie de circulation du message, *le code* c'est l'ensemble des signes convenus pour que le message soit recevable, *les bruits* sont les phénomènes parasites qui perturbent et dénaturent le message, *le référent* enfin se rapporte aux éléments du contexte et de la situation qui ont amené l'émetteur à formuler le message et le récepteur à le recevoir.

Concrètement, Watzlawick met en évidence les axiomes suivants:
- deux *niveaux* de communication, soit le contenu littéral du message (*l'indice*) d'une part, et des informations destinées à définir la relation entre les deux communicants (*l'ordre*) d'autre part. «Fiche-moi la paix» et «veuillez me laisser seul un instant, je vous prie» ont en gros le même contenu littéral, mais il y a là deux manières bien différentes de définir la relation!
- deux *modes* de communication, l'un verbal (*digital*), l'autre non-verbal (*analogique*);
- deux *structures* de communication qui surgissent des tentatives de chaque partenaire pour imposer dans la relation sa propre définition de la relation: la *relation symétrique,* basée sur l'égalité et la reconnaissance de cette égalité; la *relation complémentaire,* basée sur la différence et la reconnaissance de cette différence;
- une manière de décrire les phénomènes de son propre point de vue. introduisant ainsi dans la relation une *ponctuation* arbitraire.

Les relations (une suite de communications) sont plus ou moins fonctionnelles selon la cohérence ou l'incohérence qu'il y a entre les niveaux et entre les modes, d'une part, et selon la rigidité ou la souplesse des structures, d'autre part.

L'Ecole de Palo Alto, à partir des recherches de Bateson, a beaucoup travaillé le concept de *paradoxe dans la communication*[57], en particulier la relation en double lien comme forme la plus élaborée du paradoxe. Il s'agit d'une relation où la communication se fait à travers des doubles messages, c'est-à-dire des messages dont la caractéristique est de réunir deux injonctions simultanées et contradictoires, tel qu'il est impossible d'obéir à l'une sans désobéir à l'autre. Il s'agit de faire et ne pas faire, sentir et ne pas sentir simultanément. Le récepteur de ce message est donc confus. L'étude de la communication paradoxale a permis à l'Ecole de Palo Alto, mais aussi à l'Ecole de Milan[58], de découvrir des procédures consistant à utiliser le paradoxe comme moyen thérapeutique (les prescriptions paradoxales).

Le constructivisme

En introduction à cet ouvrage, nous avons précisé l'orientation constructiviste que nous avions prise dans notre recherche de modélisation de l'intervention sociale systémique. Il convient de préciser que ce choix nous est venu en fréquentant, d'une part Morin[59] et Bateson[60] dans leur entreprise, très personnelle mais convergente, de connaissance de la connaissance; d'autre part, en suivant l'évolution de l'Ecole de Palo Alto, en particulier de son représentant le plus connu, Watzlawick. Celui-ci, en effet, en publiant en 1981 un ensemble d'essais sur le thème du constructivisme[61] montrait, au-delà de sa personnalité, dans quelle direction le mouvement systémique en sciences humaines devait s'orienter.

Le constructivisme, c'est tout d'abord une *théorie de la connaissance* qui sape une grande partie de la conception traditionnelle du monde (d'où la grande résistance que cette théorie rencontre). Comme nous allons le voir, elle a quelques points communs avec le scepticisme, cette philosophie qui repose sur le doute.

Selon le constructivisme, l'être humain - et lui seulement - est responsable de sa pensée, de sa connaissance et donc de ce qu'il fait. Lui seul, dans le monde du vivant, sait qu'il sait, pense qu'il pense, etc.

Plus encore, le constructivisme avance que nous construisons la plus grande partie de ce monde, et cela de manière inconsciente. Mais cette ignorance n'est pas une nécessité, ni une fatalité. Nous pouvons apprendre comment nous construisons et cela peut nous aider à faire différemment, peut-être mieux.

Relations entre connaissance et réalité

Les philosophies occidentales, si elles ont proposé des conceptions différentes de ce qui existe réellement, ont toutes eu la même conception de la vérité: est vrai ce qui correspond à une réalité indépendante et objective. La connaissance n'est connaissance que si elle reflète le monde tel qu'il est (*le réalisme métaphysique*).

Le constructivisme propose une conception radicalement différente de celle du réalisme métaphysique: il conçoit la relation entre connaissance et réalité, non pas comme une correspondance, mais comme une adaptation au sens fonctionnel. Le réalisme métaphysique cherche une connaissance qui *corresponde* à la réalité, là où le constructivisme cherche une connaissance qui *convienne*.

Glasersfeld[62] propose la métaphore suivante pour nous faire comprendre la différence entre le réalisme métaphysique et le constructivisme: une clé convient si elle ouvre la serrure qu'elle est supposée ouvrir. La convenance ici décrit une capacité, celle de la clé. Il n'y a pas de ressemblance-correspondance entre la serrure et la clé. Ainsi, les cambrioleurs ont fait la preuve qu'ils pouvaient ouvrir une porte sans une clé précise; le passe-partout approximatif leur suffit. Ils n'ont pas besoin de «comprendre» la serrure pour l'ouvrir. L'efficacité du passe-partout, qui ressemble à la clé, leur suffit.

Du point de vue de la connaissance, cela veut dire que notre connaissance n'est utile, pertinente, viable (convient) que si elle résiste à l'épreuve de l'expérience, permet de faire des prédictions, de provoquer ou d'éviter tel ou tel phénomène. Sinon elle est inutile.

Ainsi les idées, théories et autres «lois de la nature» sont-elles des structures toujours exposées et confrontées aux mondes empiriques: soit elles résistent, soit elles échouent. Si elles résistent, cela prouve que nous connaissons là un moyen viable d'atteindre un but que nous avons choisi. Cela ne nous donne aucune indication sur d'éventuelles caractéristiques du monde dit objectif, ni sur le nombre d'autres moyens pouvant exister.

Le constructivisme prétend ainsi que la connaissance ne reflète pas une réalité ontologique objective, mais concerne exclusivement l'organisation d'un monde constitué par notre expérience. Avec Piaget, le constructivisme dit: «L'intelligence.. organise le monde en s'organisant elle-même» [63].

Comment le doute s'est-il introduit dans le réalisme métaphysique?

Les doutes concernant la correspondance entre connaissance et réalité datent déjà d'avant Socrate, puisque Xénophane prétendait qu'aucun homme ne verrait jamais la vérité absolue: signe qu'on la cherchait déjà!

1er doute: Si la connaissance c'est la description ou l'image du monde en soi, il nous faudrait un critère qui nous permette de juger quand nos perceptions/représentations sont correctes et quand elles sont fausses. Or, quoi qu'on fasse, nous ne pouvons contrôler nos perceptions qu'au moyen d'autres perceptions, toutes relativement peu fiables, comme nous l'apprend notre expérience journalière.

Nous ne disposons d'aucun moyen pour comparer la description que je fais d'une pomme avec la pomme telle qu'elle serait avant que je la perçoive. (Un vieux débat philosophique posait la question de savoir si un arbre, lorsqu'il tombait dans une forêt, faisait du bruit si aucune oreille ne l'entendait?) Ce premier doute est celui de la *fiabilité de nos sens.*

2e doute: Il nous est proposé par Kant, philosophe du XVIIIe siècle. Il est encore plus implacable que le premier: si on inclut le temps et l'espace (voir le paradigme évolutionniste) dans nos manières de faire l'expérience du réel - ce qui paraît somme toute assez pertinent! - les propriétés d'un objet (reprenons l'exemple de la pomme), ces propriétés deviennent encore plus discutables; on ne peut que dire: «cette pomme-ci, en ce moment précis et en ce lieu, a un goût sucré». Le goût sucré n'est pas une propriété de la pomme, mais de cette pomme-ci. On ne peut connaître *la pomme*. Ce second doute, c'est celui de la *permanence de l'objet*.

Mais alors, comment expliquer que, malgré cette instabilité, nous fassions l'expérience d'un monde qui, à de nombreux égards, est tout à fait stable et fiable (sinon nous n'oserions jamais croquer une pomme!)? Voilà une autre redoutable question.

Le constructivisme prétend que cette difficulté peut être levée de la façon suivante: si on admet que la connaissance c'est la recherche de manières de se comporter et de penser qui *conviennent*, la connaissance alors équivaut à quelque chose que l'organisme construit dans le but de créer certains ordres parmi toutes les expériences. C'est en quelque sorte notre besoin d'ordre, de sens qui nous fait construire l'ordre et le sens.

«L'efficacité d'une clé ne dépend pas du tout de trouver une serrure à laquelle elle convienne: la clé doit seulement ouvrir le chemin qui mène au but précis que nous voulons atteindre.»[64]

De manière plus pragmatique et concrète, Watzlawick, dans une interview à la revue *Sciences humaines*, explique le sens qu'il donne au constructivisme:

«Le constructivisme radical est l'analyse des processus à travers lesquels nous créons des réalités, qu'elles soient individuelles, familiales, sociales, internationales, idéologiques, scientifiques, etc. J'emploie le mot radical au sens étymologique, c'est-à-dire «qui va aux racines.

«Chaque être humain est convaincu que sa construction de la

réalité est la réalité réelle. En fait, il y a deux niveaux de réalité, du premier et du deuxième ordre. Par exemple, si nous voyons un homme se jeter à l'eau et ramener quelqu'un qui se noyait, cette observation est une réalité du premier ordre, parfaitement objective. En revanche, il est illusoire et dangereux de chercher à fournir une interprétation des motivations de cet homme. Agir ainsi, c'est construire une réalité du second ordre, qui n'existe pas et n'est que le fruit de notre imagination. Nous devons donc abandonner l'idée qu'il existe une réalité «réelle» du deuxième ordre. L'histoire populaire de la bouteille à moitié pleine de l'optimiste ou à moitié vide du pessimiste illustre bien ce phénomène. L'état de la bouteille est une réalité de premier ordre. L'interprétation donnée à cet état est une réalité de deuxième ordre. (...) (Le constructivisme) permet, par exemple, de comprendre que les termes diagnostiques en psychiatrie sont des constructions de la réalité.»[65]

C'est ainsi, poursuit Watzlawick, que l'Association américaine de psychiatrie, lors de la préparation de la 3ème édition du célèbre DSM (Diagnostic and Statistical Manual of Mental Disorders), et sous la pression de certains groupes influents, a éliminé l'homosexualité de la liste des maladies mentales. On a ainsi, ironise Watzlawick, guéri des milliers de personnes de leur maladie!

Constructivisme et travail social

Les travailleurs sociaux, on le sait, se trouvent placés devant un dilemme qui les fait douter régulièrement de leur identité, de leurs compétences, de la légitimité et de l'efficacité de leurs interventions: «Leur incapacité à communiquer leur expérience à ceux qui les critiquent est un fait sans issue, compte tenu de la structure habituelle du débat sur la nature du service social. Les critiques demandent une réponse «matérialiste», en termes de procédures et d'effets mesurables - ce qui est tout à fait raisonnable dans le débat conventionnel. Les travailleurs sociaux essaient d'y répondre, mais ils le font dans les termes et les concepts usuels dans la profession. Mais l'expérience des uns et le langage des autres ne se rencontrent pas et ils ne changent pas, non plus.»[66] On ne peut s'en sortir que si la construction des connaissances dans le travail social intègre son caractère de mélange de *théorie, analogie, sagesse* et *art,* et abandonne une recherche de légitimité scientifique au sens traditionnel du terme. Il faudrait choisir résolument une perspective de connaissance personnelle, la connaissance tacite qui anime l'action du praticien: «Dans tout acte de connaissance, il y a une contribution tacite et passionnée de la personne qui est en train de connaître ce qui est connu, et (...) ce coefficient n'est pas simplement une imperfection, mais une composante indispensable de toute connaissance.»[67]

Le constructivisme que nous présentons, et dont Watzlawick s'est fait l'ardent défenseur depuis une dizaine d'années, devrait pouvoir nous aider à dépasser le dilemme dénoncé plus haut, précisément parce qu'il est une ouverture incluant dans la connaissance de la réalité sociale les convictions sociales, éthiques et politiques qui dirigent toute action dans la société.

«Le défi de l'action sociale est celui d'agir sans pouvoir compter sur une source de certitude qui la protégerait de son caractère d'exploration dans le jamais complètement connu.»[68]

Dans l'épilogue du livre *L'invention de la réalité,* Watzlawick mentionne les quatre conséquences de l'affirmation selon laquelle on construit entièrement sa propre réalité:

1. *La tolérance*: «Si nous voyons le monde comme notre propre invention, nous devons admettre que tout un chacun en fait autant. Si nous savons que nous ne connaissons jamais la vérité, que notre vision du monde convient seulement plus ou moins, comment pourrions-nous alors considérer les visions des autres comme démentes ou mauvaises.» (p. 351).
2. *La responsabilité*: «Vivre dans un monde constructiviste, c'est se sentir responsable, au sens profondément éthique du terme, non seulement de nos décisions, de nos actes et de nos rêves, mais dans un sens beaucoup plus large, de la réalité que nous inventons» (p. 351).

3. *La liberté*: «Cette totale responsabilité implique une totale liberté. Si nous avions conscience d'être l'architecte de notre propre réalité, nous saurions aussi que nous pouvons toujours en construire une autre, complètement différente» (p. 351).
4. *L'invention de la réalité*: «Le constructivisme n'invente pas ou n'explique pas une réalité indépendante de nous. Il montre au contraire qu'il n'y a ni intérieur, ni extérieur, ni objet, ni sujet, ou plutôt que la distinction radicale entre sujet et objet - à l'origine de la construction d'innombrables «réalités» - n'existe pas, que l'interprétation du monde en fonction de paires de concepts opposés n'est qu'une invention du sujet, et que le paradoxe débouche sur l'autonomie» (p. 354).

On ne peut donc séparer la connaissance de l'action, le connaître de l'agir. Si cela est vrai d'une façon générale (non-séparation des théoriciens et des praticiens), cela est vrai pour l'individu travailleur social, qui ne peut dans son intervention séparer le connaître et l'agir.

Zuniga note deux corollaires à cette perspective:

- La connaissance de la théorie, en travail social, ne peut pas être une abstraction préalable à l'intervention; la théorie s'élabore en développement continu à la faveur de l'expérience sur le terrain;
- cette théorie de l'action est potentiellement différente des discours officiels. «Si le travail social se doit de comprendre son contexte et d'établir un dialogue avec les rationalités officielles des gouvernements et de leur emprise sur les service sociaux et sur les organismes subventionnaires, il se doit aussi de chercher sa propre voie, sa propre rationalité, qui sera le fondement de son autonomie.»[69]

Résumé

L'approche systémique, telle que nous la concevons, s'organise, en tant que modèle de pensée et d'action pour le travail social, sur un fond épistémologique et théorique issu de la théorie du système général, de la théorie de la communication de l'Ecole de Palo Alto et du constructivisme.

1. Au *constructivisme*, nous empruntons les idées-forces suivantes:
- l'être humain - et lui seulement - est responsable de sa pensée, de sa connaissance et de son action. Lui seul sait qu'il sait, pense qu'il pense;
- l'être humain construit la plus grande partie de son monde; apprendre comment il le constitue peut nous aider à faire différemment, peut-être mieux;
- la connaissance ne nous aide pas à connaître un monde objectif, extérieur à nous-mêmes, mais un monde constitué par notre expérience que nous ordonnons et à laquelle nous donnons sens. Nous renonçons alors à la connaissance comme reflet du monde pour une connaissance qui convienne, c'est-à-dire une connaissance qui nous permette de faire des prédictions, de provoquer ou d'éviter tel ou tel phénomène;
- le constructivisme permet aux travailleurs sociaux de renoncer à établir des connaissances exactes et objectives - le vieil idéal scientifique si souvent recherché - pour revendiquer une connaissance personnelle incluant dans la réalité les convictions sociales, éthiques et politiques de l'intervenant-connaissant. Corollaire: on ne sépare plus la connaissance de l'action;
- le constructivisme implique, du point de vue éthique, l'idée de tolérance, de responsabilité et de liberté.

2. De la *théorie de la communication* formalisée par l'Ecole de Palo Alto, nous conservons les idées et concepts suivants:
- l'attention, dans les relations humaines, doit porter sur les effets de la communication sur les comportements, attendu que tout comportement a valeur de communication, qu'il s'agisse de la réalité individuelle, familiale ou sociale;
- la communication est circulaire, de telle sorte que tout comportement est une réponse à un comportement préalable. On ne

cherche donc pas tant les causes que les effets, tour à tour et simultanément causes et effets;

- le sens d'un comportement est donné par le contexte dans lequel il se déroule. L'observateur fait partie du contexte. Le normal et le pathologique sont ainsi des notions relatives caractérisant des processus d'interaction plus que des attributs individuels;
- tout comportement peut s'observer:
  · à deux niveaux de communication: ce que je dis et la façon dont je le dis (indice et ordre);
  · selon deux modes de communication: verbal et non-verbal (digital et analogique);
  · dans deux structures de communication (symétrique et complémentaire);
  · dans une interaction telle que chaque partenaire ne peut que décrire ce qui se passe de son propre point de vue (la ponctuation arbitraire des faits);
- une forme de communication particulièrement efficace, quoique pernicieuse, est la communication paradoxale, où tout se passe par des messages dont la caractéristique est une série d'injonctions simultanées et contradictoires, de manière qu'il est impossible d'obéir sans désobéir, créant ainsi un contexte de confusion et de folie extrêmes.

3. Enfin, la *théorie du système général* va nous permettre de reconnaître, ou de construire la réalité en système, c'est-à-dire en des ensembles d'éléments en interaction, organisés, qui, dans un contexte donné, évoluent, cherchent à atteindre des buts, produisent des activités.
   Les individus, les familles, les groupes sont compris comme des systèmes: chaque élément est relié, influencé et influençant les autres. Il s'ensuit que toute modification d'un élément ou d'un attribut entraîne à la fois des modifications chez les autres éléments et dans le système.
   Autres caractéristiques des systèmes humains:

- ils tendent à la fois à la transformation et à la stabilité; un

système est en crise lorsqu'il n'y a plus un équilibre acceptable entre ces deux tendances, changement et statu quo;
- ils sont relativement ouverts, c'est-à-dire influencés et influençant leur environnement;
- cette ouverture complexifie extrêmement les facteurs intervenant sur leur évolution. De ce fait, tout système humain fonctionne essentiellement dans l'imprévisibilité et l'imprédictibilité.

C'est sur et avec ce corpus théorique, en interaction avec lui, que nous avons tenté d'élaborer un modèle de compréhension et d'intervention systémique pour le travail social.

Chapitre II

Y A-T-IL UNE ÉTHIQUE DE L'INTERVENTION SYSTÉMIQUE EN TRAVAIL SOCIAL?

La préoccupation éthique revient en force au rang des questions à traiter aussi bien dans le cadre du travail social que dans celui de la systémique. Nous voulons donc nous aussi prendre le temps de nous interroger sur cette question: y a-t-il une réflexion éthique particulière à l'intervention systémique en travail social? La systémique donne-t-elle une couleur, un accent, une direction particulière à une éthique du travail social et peut-on en tirer des enseignements, des repères ou des directives? Pour traiter de cette question, nous suivrons l'évolution des réflexions sur l'éthique systémique et dégagerons ensuite quelques propositions.

Evolution de la réflexion éthique en systémique

Du triomphalisme à la complexité

1968, chacun le sait, est une date-clé. Les événements de mai consacrent la conscience de tout un mouvement estudiantin qui perçoit la société dans sa globalité, se préoccupe des enjeux politiques, des solidarités entre étudiants et ouvriers. Encore plus que Paris, Prague ou d'autres villes qui sont bouleversées, au propre comme au figuré, c'est surtout toute une conscience, une manière d'être au monde qui se trouve bousculée dans la tête de beaucoup, dont nous fûmes. 1968, c'est l'avènement d'un espoir renouvelé, la dénonciation d'un aveuglement entretenu, la libération de beaucoup de carcans de pensées et de comportements. Ce n'est pas encore la nouvelle prison de la liberté obligatoire que ce mouvement deviendra pour beaucoup. C'est la mise en mouvement.

1968, avec moins de fracas médiatique, c'est également la publication de la théorie générale des systèmes par Ludwig von Bertalanffy.[1] Il n'est pas le créateur de la pensée systémique. (Bien d'autres avant lui ont cherché, pensé, publié. Notamment Watzlawick[2] publie en 1967 ses propositions de considérer la communication en termes de système.) Mais cette publication marque un tournant dans le regroupement des pensées. La systémique, si elle n'est pas née à ce moment, peut devenir un drapeau commun à des personnes qui dans des domaines très divers se reconnaissent dans une même mouvance de pensée. Les fossés interdisciplinaires trouvent un pont, fragile, à consolider, mais qui aide à relier les réflexions des uns et des autres: physiciens, biologistes, anthropologues, sociologues, psychologues, médecins et bien d'autres vont trouver un langage qui les rassemble au lieu de les opposer. Penser système lève beaucoup de carcans de pensées et de comportements. C'est l'occasion de coordonner divers mouvements.

La conjonction de ces deux événements va donner lieu à deux mouvements contradictoires: d'une part, la prédominance d'un langage des sciences dures présente la systémique comme une pensée scientifique, c'est-à-dire au dessus de toute dispute idéologique; il s'agit de se préoccuper du fonctionnement des systèmes et non de leurs valeurs. Créer des instruments d'observation et d'investigation permet de découvrir des règles de fonctionnement, des lois générales; on peut dégager des prévisions d'évolution des systèmes sur la base des règles observées;

on peut élaborer des stratégies de modifications des règles dysfonctionnelles. La systémique est neutre, elle ne porte comme telle aucune valeur, aucun jugement. Elle observe, elle décrit et elle permet la création de stratégies fondées sur la connaissance du fonctionnement des systèmes observés.

D'autre part, certains se préoccupent de détecter ce dont la systémique est porteuse en termes de valeurs. C'est le cas en particulier de J. de Rosnay, formé au Massachusetts Institute of Technology (MIT), qui oppose ce qu'il nomme l'attitude traditionnelle à l'attitude émergente; l'attitude traditionnelle, c'est le mouvement scientifique dominant qui cherche à décomposer à diviser, à isoler; l'autre, c'est le paradigme systémique. Les tableaux qu'il trace (voir extrait ci-dessous) montrent bien l'influence de la pensée de 68.[3]

Critique de l'autorité	
Attitude traditionnelle	**Attitude émergente**
Autorité fondée sur le pouvoir, la puissance, le savoir non partagé (secret).	Autorité fondée sur le rayonnement, l'influence, la transparence des motifs, la compétence.
Respect de la hiérarchie institutionnelle, dévotion aux institutions établies, sens du devoir et des obligations.	Evaluation permanente d'une hiérarchie fondée sur les compétences, importance de l'innovation institutionnelle, nécessité d'une motivation intérieure.
Elitisme et dogmatisme, centralisation des pouvoirs. Rapport de force.	Participation, ouverture et critiques. Décentralisation des responsabilités, rapports de compétence.

Il étudie ensuite une critique du travail, de la raison, des rapports humains et du projet de société.

Les valeurs émergentes du nouveau modèle de pensée rejoignent l'idéologie prônée par la révolte estudiantine, comme si le modèle systémique joignait enfin l'idéologie et la connaissance.

Dans la même ligne, quelques années plus tard, Durand affirme que «la systémique nous indique, indépendamment de toute idéologie, les voies à suivre pour renforcer et développer la démocratie, celle du développement de centres de décision autonomes à tous les niveaux: entreprises, communes, régions...; celle aussi d'une information objective et largement diffusée»[4]. Le modèle systémique se trouve donc investi d'un projet de société, d'un modèle qui sans être idéologique lui ressemble étrangement! «Penser qu'il soit possible à l'individu, y compris au niveau de ses choix idéologiques, une liberté plus grande, sans passage obligé par quelque conception métaphysique imposée, constitue le pari fondamental qui sous-tend cette approche.»[5] L'idéologie, c'est pour les autres, la systémique propose enfin un modèle ouvert qui «peut nous aider à découvrir, en marge des dogmes politiques ou idéologiques (...) les cheminements les moins périlleux et les plus courts pour parvenir à un monde à la fois plus solidaire et plus diversifié»[6].

Quinze ans plus tard, J. De Rosnay nuance quelque peu ses propos de 1975: «L'approche systémique se concentre sur des systèmes ouverts, traversés par des flux d'énergie et d'information. Elle est ouverte à l'équilibre et aux régulations, plutôt qu'à la croissance et à la conquête. Elle est multidimensionnelle par essence et, surtout, elle s'ouvre à la logique de la complémentarité, à la logique conjonctive.»[7] Que s'est-il passé pour que les affirmations se nuancent, deviennent prudentes, indicatives plus qu'impératives?

Nous y voyons le passage d'une pensée qui se voulait objective à une vision de l'acteur impliqué. L'évolution du contexte scientifique de même que celle du mouvement systémique favorisent la prudence exprimée par ces nuances. C'est ce que nous voulons tenter de montrer.

La revitalisation de l'éthique

Si le débat éthique avait quelque peu disparu de l'avant scène, il est maintenant revenu en force, sous l'impulsion de plusieurs facteurs. Nous en citerons deux:

- Les progrès de la recherche médicale ont amené l'homme à des possibles encore jamais atteints. La procréation assistée, la fécondation in vitro, les perspectives de clonage ont provoqué un nouveau débat de société sur ce qui permet à l'homme de choisir le monde qu'il veut créer. Le génie génétique est source de progrès virtuels énormes, mais également source de dérapages potentiels graves. Au travers des questions liées à ce débat, encore jamais suscité parce qu'impensable auparavant en dehors de la science fiction, c'est toute la question du devenir de l'homme qui est remise sur l'avant de la scène: l'homme au service de la science ou la science au service de l'homme. Posé ainsi, le débat ne peut que s'élargir et englober d'autres découvertes scientifiques.
- Après le boum économique, la crise s'installe: crise des équilibres démographiques, crise des équilibres économiques, crise des équilibres écologiques, crise des équilibres politiques.. L'heure n'est plus à l'euphorie du développement infini et exponentiel, mais à la confrontation avec le prix des croissances: surpopulation et migrations massives, déficits budgétaires croissants et dette internationale, trous de la couche d'ozone et accidents nucléaires, mises en danger des forces de régulation internationales. Tout cela suscite également un vaste débat sur ce que nous voulons pour demain.

Le débat éthique est alimenté par les problèmes rencontrés. Ce que nous appelons débat éthique, c'est toute la question de savoir ce qui va guider nos choix, sur quels critères vont être fondées des orientations qui engagent aussi bien individus que groupes ou sociétés.

L'éthique c'est alors la mise en relation de nos connaissances, nos valeurs, nos finalités, nos modes d'action. Elle est par définition un lieu de confrontations, de connexions, de liens, de confrontations aux incertitudes, de paris.

La systémique n'échappe pas à ce mouvement général: Morin, Jacquard, Atlan, Reeves, Laszlo, Stengers et bien d'autres interrogent leur modèle de pensée, en dénoncent les dérives. Ces réflexions dans diverses disciplines s'alimentent les unes les autres et le monde des soins y participe également. Le mouvement de la thérapie familiale prend part à cette mouvance. Ainsi les thérapeutes eux aussi se donnent un espace de réflexion pour travailler la question éthique dans leurs interventions.[8]

La deuxième cybernétique

Nous l'avons écrit dans le chapitre précédent, le mouvement que l'on a nommé «deuxième cybernétique» a eu des influences décisives sur le modèle systémique. Von Foerster[9] en particulier montre les effets de l'implication de l'observateur dans la construction de la réalité.

Il y a selon lui deux types de réalité: les réalités décidables, assimilables aux machines triviales, si compliquées soient-elles. Face aux questions décidables, après recherches, analyses, études, on parvient à un résultat irréfutable: «un oui ou un non déterminé».

Il y a aussi les questions indécidables, celles pour lesquelles interviennent des facteurs d'incertitude, de complexité. «Le complément de la nécessité n'est pas le hasard mais le choix.»

Si l'observateur n'est pas un «découvreur» mais un «inventeur», cela a pour corollaire qu'il assume son implication dans sa construction du monde. Il n'y a pas de contraintes telles qu'aucun choix ne soit possible. L'impératif éthique, pour lui, c'est «d'augmenter le nombre de choix possibles».

C'est donc à une éthique *du choix et de la responsabilité* que pousse von Foerster.

Cette vision, nous le montrerons plus loin, influencera beaucoup divers thérapeutes, qui d'une part modifient la conception de leur propre rôle dans l'intervention et d'autre part transforment leurs pratiques d'intervention.

Si l'intervenant est pleinement engagé par ce qu'il met en scène, agit, propose, dit ou tait dans ses interventions auprès d'un (système) client, ce dernier est, lui, pleinement responsable des transformations qu'il choisit de réaliser ou non dans son organisation relationnelle. Le thérapeute n'est pas responsable du changement, il en est l'activeur, l'accompagnateur, le déclencheur (in-)volontaire.

De là, les pratiques d'intervention se transforment: la question n'est plus de savoir que faire ou prescrire pour modifier les systèmes familiaux, mais que faire ou que dire pour ouvrir des choix réels et pour favoriser les conditions d'une possibilité de choix. Il ne suffit pas qu'un choix soit théoriquement possible, encore faut-il que les personnes soient en mesure de le voir et de l'assumer.

Du triomphalisme primitif qui indique une direction précise, ce que de Rosnay appelait une «attitude émergente», on passe à une *construction plurielle*. Il n'y a pas une ligne correcte, mais une nécessité: assumer la responsabilité de ses constructions, ouvrir des choix alternatifs qui permettent aussi bien de confirmer que de modifier les pratiques antérieures.

Découvrir amène à se conformer à la richesse de ce que l'on croit exister en dehors de soi, inventer renforce la responsabilité de l'acteur et sa nécessaire interaction avec l'autre. Si je décide de rencontrer l'autre, ni moi ni lui ne pouvons être le centre de l'univers. «Il doit y avoir un tiers qui sert de référence centrale: c'est la relation entre tu et je. Cette relation est l'identité: réalité =communauté.»[10] Ce qui prend la place centrale, c'est donc la relation.

L'émergence de la complexité

Morin en particulier propose de complexifier la pensée. Il ne s'agit pas de repérer les bonnes attitudes, les bonnes orientations, les bonnes idées, les bons choix pour les opposer aux mauvais. La nature comme la société sont des entités complexes; une vision dichotomique est réductrice, mutilante et dangereuse.

Il ne suffit pas non plus de prôner la solidarité pour créer une société viable: l'organisation sociale comporte à la fois rivalité et solidarité. Une société très complexe, c'est une société qui laisse la liberté à ses individus tout en restant société. C'est toute la question de la relation entre le tout et les parties.

Morin a montré comment la devise «liberté, égalité, fraternité», tout en indiquant des intentions tout à fait louables, se trouvait dans des rapports complémentaires, concurrents et antagonistes. Nous pourrions faire de même avec la devise suisse «Un pour tous, tous pour un», prononcée légendairement lors du serment du Grütli. L'un est le régulateur du tout, et le tout est régulateur de l'un. Chaque individu participe à la consolidation et à la régénération du tout, et le tout participe à la régénération et à la consolidation de chacun. Les thérapeutes familiaux ont fait de même avec la compréhension des familles en tant que système. L'appartenance n'a de force et de sens que lorsqu'elle est complémentaire à l'identité. En même temps elles sont fondamentalement antagonistes. Et toutes deux sont actives simultanément (con-c(o)urrentes). Nous reprenons ces points de vue au chapitre III, dans la section «symptôme».

Morin rappelle ainsi que «la totalité est la non-vérité»[11]. Il ne sert à rien de remplacer une pensée réductrice par une autre, un modèle fermé par un nouveau modèle fermé, une idéologie totalisante par une autre prison. «Dans la logique formelle, une contradiction est l'indice d'une défaite, mais dans l'évolution du savoir, elle marque le premier pas du progrès vers la victoire.»[12]

Quelles incidences ces propos ont-ils sur l'éthique? Pour Morin, il n'y a pas de fondement extérieur objectivant les choix, donnant des directions. L'éthique ne peut être que l'engagement de la personne, elle ne peut être qu'une «auto-éthique», à laquelle il pose trois exigences:

- le souci autocritique de l'éthique-pour-soi;

- la conscience de la complexité et des dérives humaines;
- une morale de la compréhension.

Il souligne encore qu'il y a toujours des incertitudes et contradictions éthiques: «...jusqu'où aller dans l'audace, au risque de tout perdre, ou dans la prudence, au risque de ne rien gagner? Ici encore, il faut choisir et parier»[13].

Thérapie familiale et éthique

Nous nous proposons de faire quelques pointages des débats et tendances qui ont marquéla réflexion éthique dans le contexte des thérapies familiales systémiques.

La thérapie de l'éthique relationnelle

Un thérapeute se réclame du drapeau de l'éthique: Boszormenyi Nagy. La notion d'*éthique relationnelle* se situe au centre de son projet. Qu'entend-il par là?

L'éthique pour lui est ce qui chapeaute l'ensemble de son édifice, englobant les faits, la psychologie et le système des transactions.

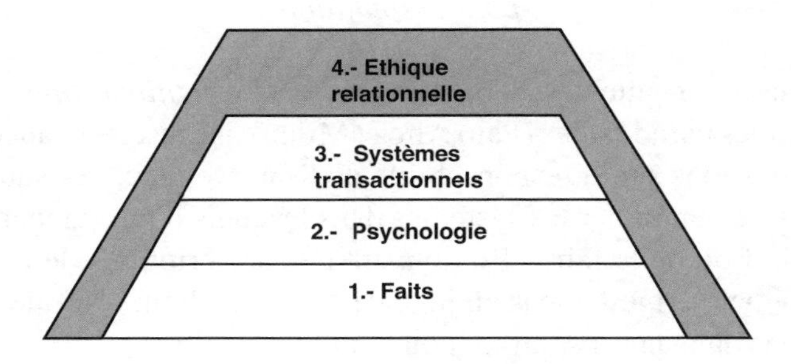

Le fondement de toute relation, c'est la considération mutuelle et la confiance méritée. C'est ce qui permet à chacun de trouver une légitimité à se construire et à conforter le tissu relationnel qui le lie aux autres. L'équilibre du donner et du recevoir alimente cette confiance qui trouve son origine fondamentale dans les liens de filiation: «La notion d'éthique est enracinée dans l'ontologie naturelle et fondamentale de toute créature vivante, c'est-à-dire que la vie est reçue des ascendants, puis transmise à la postérité.»[14]

Ainsi, comme le dit Rigo: «D'un point de vue systémique, cet être humain, sujet d'une relation, est en même temps aussi «objet» pour la responsabilité d'autrui. (..). Parce que l'homme peut être défini comme «être en dialogue», un dialogue structuré sur la base de la justice et de la réciprocité, alors l'éthique naît comme question existentielle de la loyauté de l'individu partenaire de ce dialogue. C'est pourquoi, c'est vers une «éthique relationnelle dynamique» que nous nous acheminons.»[15]

C'est cette reconnaissance de la primauté de l'éthique qui dicte le choix des moyens d'intervention: la partialité multidirectionnelle que propose Boszormenyi Nagy, c'est la mise en scène de cette conviction que chacun a droit à établir des relations de confiance et de considération mutuelles. C'est par elles que peuvent être restaurées les ressources bloquées, que les loyautés cachées peuvent être travaillées et que les dettes peuvent être exonérées.

La manipulation

Citons ensuite les débats autour de la *manipulation*. Les thérapies paradoxales (Palo Alto et Milan) ont suscité beaucoup de questions sur la responsabilité de l'intervenant: ne risque-t-il pas de manipuler les systèmes dans lesquels il intervient et a-t-il le droit de le faire? En donnant des prescriptions, le thérapeute ne s'érige-t-il pas en juge de ce qui est bon, n'influence-t-il pas dans le sens qui lui convient?

Ces questions s'inscrivent notamment dans la ligne des critiques adressées au comportementalisme. Si la systémique est une nouvelle technique d'influence, elle est alors sujette aux mêmes critiques que les théories qui l'ont précédée dans ce sens. Rappelons simplement que dans le cadre de son axiomatique de la communication, Watzlawick[16] pose le postulat qu'on ne peut pas ne pas communiquer. Toute communication est une tentative d'influencer l'autre pour obtenir de lui un comportement qui nous convienne. Wieviorka[17] souligne alors que nous subissons sans cesse toutes sortes d'influences: de notre milieu, notre culture, notre entourage, nos contextes, et celles ajoutées des intervenants sociaux ne sont qu'un élément de plus dans un tableau de pressions multiples. On ne peut pas ne pas influencer, donc on ne peut pas ne pas manipuler affirme, Selvini[18].

La question ne disparaît pas pour autant. Il ne s'agit plus de savoir si l'intervenant peut ou non éviter de manipuler. Il manipule et n'a pas la possibilité de faire autrement. La question alors devient une question non de technique mais d'éthique. Au nom de quoi, dans quel but tente-t-il d'influencer? Y a-t-il des influences acceptables et d'autres qui ne le sont pas? S'agit-il, face aux familles, de défendre une norme, un projet familial, un modèle de fonctionnement? Corchuan répond que la systémique se préoccupe non pas du pourquoi, ce qui serait la question du sens, mais du comment, c'est-à-dire du meilleur fonctionnement possible: «La thérapie systémique ne reconnaît pas comme siennes les catégories du Vrai et du Faux. La vérité dont elle se préoccupe est tout juste une vérité fonctionnelle, «scientifique» et en rien une vérité métaphysique absolue.»[19]

Thérapie et valeurs sous-jacentes

On peut pourtant s'interroger sur les valeurs sous-tendues dans les diverses approches thérapeutiques: que faut-il entendre comme projet pour les familles au travers des diverses définitions de problèmes que proposent les thérapeutes: la non-différenciation de soi chez Bowen, la non-clarté des rôles chez Ackermann, les loyautés invisibles chez Boszormenyi Nagy, la provocation chez Andolfi, l'enchevêtrement des frontières chez Minuchin, la mauvaise estime de soi chez Satir, la double contrainte chez Watzlawick, la double contrainte réciproque chez Elkaïm, l'imbroglio et l'instigation chez Selvini, le deuil chez Norman?..et nous pourrions allonger la liste. Chacune de ces visions propose une manière de construire ce qui fait problème, c'est-à-dire ce qu'il faudrait pour qu'une famille fonctionne mieux. Ce ne sont certes pas des valeurs métaphysiques, mais ces notions qui se veulent opératoires recouvrent toutes un revers de médaille, c'est-à-dire un modèle d'une famille fonctionnelle.

Caillé distingue deux modèles de thérapie[20]: les *modèles de contrôle,* qui considèrent comme fait essentiel le mauvais fonctionnement du système - il faut alors inculquer ou guider la famille vers un nouveau modèle relationnel - et les *modèles de créativité*, qui agissent dans le présent et sont orientés vers le futur.[21] Ils ne proposent ni solution ni schéma, mais mettent en évidence les aspects autoréférentiels et autoorganisationnels des systèmes concernés. Ce deuxième modèle privilégie par conséquent les singularités plutôt que les généralités.

La place de l'intervenant

La question proposée par Corchuan (Cf. note 19) doit être abordée dans la perspective de la deuxième cybernétique: le thérapeute échappe-t-il à la question du sens sous prétexte qu'il ne se préoccupe pas du «pourquoi» mais seulement du «comment»? Si nous refusons de séparer l'observateur de son observation, il est évident que l'intervenant ne peut se soustraire à la responsabilité de sa construction. Il n'est plus dans une lecture objective de l'organisation du système face à laquelle il cherche une technique d'influence en vue de la modifier; il est lui même impliqué dans la construction du sens qu'il propose, sa vision est subjective et il ne peut travailler que dans la rencontre des diverses subjectivités. Il en est donc réduit à choisir les faits et les sens qu'il privilégie dans les situations auxquelles il est confronté, à faire des choix dont il doit assumer la responsabilité.

Cela a-t-il à voir avec la question de l'éthique de l'intervention? Si l'éthique est ce qui doit permettre le choix de l'intervention, la construction du réel que fait l'intervenant en fait forcément partie. L'éthique n'est pas au delà de la construction du problème. Elle englobe l'ensemble de l'intervention. Nous affirmons alors que c'est un choix éthique de construire selon une lecture plutôt qu'une autre.

Le problème de l'éthique se transforme donc à nouveau: il ne s'agit pas de savoir ce que l'intervenant peut ou ne peut pas faire dans son intervention, vers quel modèle plus ou moins normatif il pousse ses clients. L'éthique ne se greffe pas sur un problème construit, elle englobe la construction du problème.

> La question éthique de l'intervention se situe donc à l'intersection du système thérapeutique et du système client.

L'impératif éthique

C'est dans cette optique que se situe Neuburger, dernier auteur que nous évoquerons dans ce paragraphe. Il s'agit de «dénoncer la prétendue liberté du Sujet, qu'elle (s-e: l'épistémologie systémique) ne considère pas non plus pour autant dans la dépendance mais plutôt dans une interdépendance. (..). Il n'y a pas *un* sens de l'histoire familiale, il y a une infinité de sens et il appartient à la famille de déterminer le sens, la direction du changement qu'elle adoptera.» [22] L'impératif éthique proposé par von Foerster est ici repris par Neuburger: *ouvrir des choix.* L'hypothèse sous-jacente à cette manière de voir, c'est que les problèmes surviennent lorsqu'il n'y a plus de possibilité de choix, lorsqu'il y a enfermement dans une manière unique de construire un sens aux événements. C'est ce qui amène cet auteur à proposer ses cinq lectures de causalités, qui offrent des alternatives dans les constructions possibles d'une plus grande variété de choix plausibles et possibles: lecture linéaire, circulaire, systémique, auto-organisationnelle et constructiviste.[23]

L'objectif de la rencontre entre intervenant et client, c'est, dans la rencontre des subjectivités, de construire plusieurs sens possibles aux événements ou comportements problématiques. Le client y participe en amenant sa propre construction et l'intervenant utilise ses compétences pour proposer d'autres lectures alternatives.

Ethique et systémique

Quel sens y a-t-il alors à poser la question éthique en lien avec la systémique? N'est-ce pas finalement la même question que pour n'importe quelle approche? Est-il pertinent de la poser de manière spécifique?

Pour clarifier notre réflexion, nous dirons que la réflexion éthique englobe quatre dimensions: celle de la connaissance, celle des valeurs, celle des finalités et celle de l'action.

La connaissance

La systémique est un paradigme. A ce titre, elle est une proposition d'une manière d'organiser sa pensée pour connaître le monde. Elle est donc méthode et contenu. Morin affirme que: «est universelle l'exigence de principe de la démarche scientifique qui est la vérification. (...) Car elle s'appuie sur le principe de la séparation du sujet et de l'objet: le domaine du sujet, de l'intériorité, de l'introspection, étant réservé pour l'éthique, et le domaine de l'objet (...) étant réservé pour la connaissance scientifique. (...) Cette dissociation ne doit pas nécessairement être disjonction. Certes, on ne peut pas déduire une norme d'une connaissance, mais on peut faire communiquer une connaissance et une norme.»[24]

Nous rejoignons Morin dans son désir de distinguer sans disjoindre, mais nous ne partageons pas le point de vue qui ferait de la connaissance une activité centrée sur l'objet.

Nous ne connaissons que ce que nous construisons et donc nous ne pouvons exclure de l'éthique le champ de la connaissance.

«La question du bien et du mal, autrement dit d'un jugement éthique porté sur tous nos comportements, s'applique alors aussi à nos activités de connaissance: elles sont elles aussi soumises au jugement éthique: la connaissance comme source de bien ou de mal, de bonheur ou de malheur, de construction ou de destruction. (..). La connaissance se veut aussi du bien et du mal»[25], comme l'écrit Atlan.

La connaissance n'est pas une non-valeur ou une valeur neutre.[26]

Choisir de voir la réalité en termes de systèmes implique une manière d'observer, de donner un sens aux événements, de focaliser son attention sur l'organisation entre les éléments, sur ce qui relie. C'est un choix éthique qui doit être revendiqué comme tel. Car privilégier ce type de connaissance se réfère à un système de valeurs.

Les valeurs

Comme l'a fort bien montré Duss von Werdt, chaque modèle de pensée centre son attention sur un objet particulier parce que cela lui semble pertinent de prendre tel aspect en compte plutôt que tel autre. La systémique manifeste que ce qui donne du sens à un événement, c'est son insertion dans un contexte, ce sont les liens entre les personnes, les interactions. Elle décrit chacun comme interdépendant et interindépendant. «Les valeurs qui correspondent à cette vision, affirme-t-il, s'expriment en termes de solidarité, mutualité, tolérance, acceptation et se traduisent dans des actions de coordination et de coopération.»[27]

«La systémique engage ses partisans sous un système spécifique de valeurs. Au *niveau descriptif,* elle implique une vision du monde et une anthropologie qui contredit les valeurs dominant actuellement la vie sociale, la politique et le mythe d'une économie libre. Au *niveau des attitudes* non opportunistes, la systémique se soucie des interdépendances, du circulaire, des rétroactions qui, selon leur qualité, garantissent ou menacent la cohérence du tout, la vie et la survie de chacun, des unités sociales et familiales. Au *niveau des actions*, la systémique favorise la coopération (même dans la compétition) et la coordination au lieu de la concurrence destructive et des initiatives isolées. Elle est l'alliée d'une éthique de justice, de responsabilité, de loyauté et de modestie.»[28]

Duss von Werdt met en évidence de manière convaincante que la systémique n'est pas un modèle neutre, que toute connaissance porte en elle-même un choix de privilégier certaines valeurs au dépens d'autres qu'elle met dans l'ombre. Nous souscrivons à celles qu'il met en avant et y ajouterions volontiers l'idée de relativité de toute construction donc d'acceptation de la différence, de respect, d'anticipation des effets. Duss von Werdt, parce que le modèle s'appuie sur ces valeurs implicites, fait cependant comme si les finalités et la liberté des acteurs étaient automatiquement engagées dans le même mouvement.

Nous partageons son analyse, pour autant que l'on comprenne bien que ces valeurs «aux niveaux descriptifs, des attitudes et des actions», ne peuvent que suggérer des choix mais non les réaliser.[29] On ne peut déduire une norme d'une connaissance, comme le dit Morin.[30] On ne peut non plus faire l'impasse des finalités poursuivies ni des stratégies d'acteurs.

Dans l'intervention, le modèle systémique nous incite à faire des liens, à mettre des événements en regard les uns des autres, à relier des comportements, des événements, des personnes. Mais il n'est pas certain qu'il soit ni utile ni pertinent d'en faire état. Cela peut aider à construire comme cela peut détruire une personne que de relier deux événements qu'elle n'avait pas mis en relation. Il n'est donc pas certain que ce à quoi pousse le modèle du point de vue de la connaissance corresponde à ce à quoi il pousse en terme de finalités.

Les finalités

Tout système est finalisé. Le système client est finalisé. Le système intervenant l'est aussi, de même que le système d'intervention. C'est dire que dans toute rencontre d'aide il y a au moins trois finalités en présence, sans parler des finalités individuelles à l'intérieur de chacun de ces systèmes.

Les finalités de chacun des systèmes orientent les stratégies de connaissance de chacun, les valeurs qu'ils défendent ainsi que leur activité. Il n'est donc pas possible de dissocier les finalités ni de l'activité de connaissance ni des valeurs choisies par les personnes ou les systèmes concernés. Mais les réciproques sont vraies également: les connaissances et les valeurs contribuent à la construction des finalités.

Ce qui donne sens à la connaissance et à l'action, c'est le projet qui les sous-tend. Les finalités sont donc éminemment du domaine de l'éthique. Quelle sorte d'homme, de femme, de famille, de société voulons-nous favoriser?

Qui dit finalité dit inévitablement enjeu. Chaque système en présence a ses propres finalités, parfois complémentaires à celles des autres, parfois contradictoires, mais en tout cas simultanées. Pour tendre vers ce que chacun vise comme but se dégagent des enjeux, tant pour chaque personne à l'intérieur de son système que pour la rencontre des systèmes entre eux. Les enjeux sont donc multiples et souvent contradictoires. Considérer que l'éthique se préoccupe des finalités, c'est affirmer que dans toute situation il y a lieu de prendre en compte les divers *enjeux contradictoires* en présence. Il y a une hiérarchie des finalités à établir, une mise à jour des enjeux individuels et des surdéterminants institutionnels[31]. Cela implique donc un choix éthique.

L'action

Traditionnellement, c'est l'action qui est l'objet de l'éthique. Il faut englober dans ce mot non seulement les comportements, mais également les stratégies, c'est-à-dire l'organisation de l'action et les diverses techniques. Mettre en relation implique que l'on fasse une activité; celle-ci est l'objet d'un choix dans ses modalités de mise en œuvre.

Mais nous ne pouvons dissocier les comportements des autres aspects que nous avons évoqués. L'action est éclairée et induite par les connaissances, elle est en relation avec les valeurs et tend vers les finalités. Mais elle alimente les connaissances, confirme ou infirme les valeurs et conforte ou modifie les finalités. Il faut donc représenter l'interaction entre ces quatre éléments de la manière suivante:

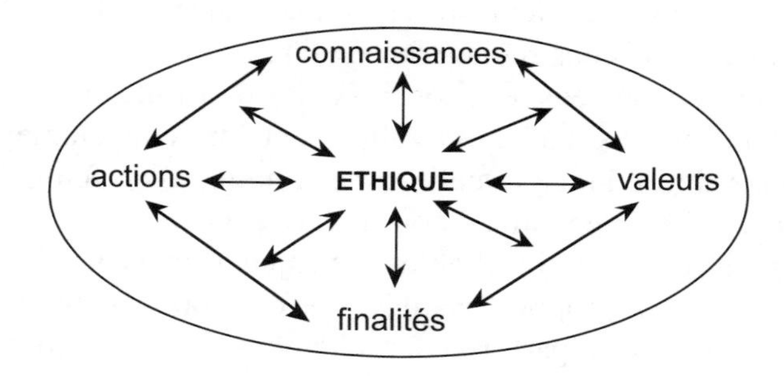

L'éthique ne concerne donc pas seulement ces quatre domaines, mais également la façon avec laquelle ils sont mis en relation, hiérarchisés entre eux, mis en tension. Connaissances, valeurs, finalités et actions sont en relation complémentaires, concurrentes et antagonistes.

> L'éthique, c'est la question de savoir ce qui va guider nos choix, quels critères vont fonder nos orientations, engager nos connaissances, nos valeurs, nos finalités, nos modes d'action et leur mise en relation réciproque; elle est par définition un lieu d'affrontements, de connexions, de liens, de confrontations aux incertitudes, de paris.

La systémique en tant que théorie propose une manière de construire ses connaissances, elle sous-tend également des valeurs, elle suggère encore diverses techniques et stratégies, mais elle n'a pas de discours sur les finalités, qui restent toujours du ressort des acteurs et des structures. Tout au plus, à ce sujet peut-elle prendre acte de ce que les finalités sont multiples et les enjeux souvent contradictoires.

Ethique et intervention systémique en travail social

Nous posions au début de ce chapitre la question de savoir s'il y a une réflexion éthique particulière à l'intervention systémique en travail social, si la systémique lui donne une couleur, un accent, une direction particulière et si nous pouvons en tirer des enseignements, des repères ou des directives.

Partis de la préoccupation: «que doit faire le travailleur social qui se réclame du modèle systémique?», nous avons d'abord élargi cette question: le choix de l'action est lié à la manière de construire le problème. La question devient alors: «Comment l'intervenant peut-il interroger la manière avec laquelle il construit le sens d'une situation, d'un problème?» Le champ éthique est alors situé non plus dans la sphère de responsabilité de l'intervenant, mais dans celle de la rencontre entre le travailleur social et le client, à l'intersection de leurs deux histoires respectives. Nous avons ensuite souligné que le modèle systémique est porteur d'une manière de construire le monde, donc de valeurs spécifiques. De plus l'intervention met en relation connaissances, finalités et enjeux, valeurs et comportements. C'est l'ensemble de ces aspects qui relève du champ éthique.

Que garder de ces réflexions successives? Nous proposons quelques points de repères:

Le travailleur social est un acteur, intervenant, responsable

Il est un *acteur* tout d'abord, c'est-à-dire agi et agissant, créant sa propre interprétation de ce qui est attendu de lui par la structure qui l'emploie. Il n'est réduit ni à n'être qu'une courroie de transmission des visées de son institution, ni à se croire dans une totale liberté qui le laisserait créateur unique de ce qu'il va faire. Il est déterminé et déterminant, institué et instituant.

Intervenant, c'est-à-dire venant se placer *entre*, entre le client et son entourage, entre le client et son problème, entre l'institution et son projet, entre l'institution et le client, «...son influence n'est pas accidentelle, elle est voulue. Il s'agit bien d'un dérangement, d'une perturbation dans quelque chose qui se passe. Venir entre, c'est s'exposer aux critiques mais c'est aussi rendre possible une autre manière d'exister.»[32]

Responsable enfin, car il crée avec le client un sens à une situation, il met en place des moyens, des stratégies, des actions ou des non-actions. Il n'est pas dans une situation d'obligation, mais, parmi les choix possibles, il tranche, il hiérarchise, il privilégie telle option plutôt que telle autre. C'est là sa responsabilité.

Le contexte est toujours spécifique: contexte de connaissances, valeurs, finalités et actions

Tout ce que fait le travailleur social est contextuel: l'épistémologie qui ordonne ses connaissances, les valeurs auxquelles il se réfère et celles du service qui l'emploie, les finalités qu'il s'est données au nom de ses valeurs, ainsi que celles de son institution, les actions, stratégies et comportements qu'il privilégie.

De même en est-il des connaissances, finalités, valeurs et comportements du client.

Un comportement n'a de sens que situé dans son contexte. Or un contexte est limité par une frontière. Une frontière est toujours provisoire, elle est toujours une construction et tout système participe d'un système plus large. Cette vision incite les travailleurs sociaux à prendre en compte aussi bien les frontières intergénérationnelles que celles mises parfois hâtivement autour de l'individu, de la famille, de l'institution, du quartier, de la culture, du savoir.

Au delà de la frontière qui détermine un contexte, la pensée systémique nous rappelle que les frontières qui séparent par exemple le normal du pathologique, le déviant du conforme, la folie de la santé, l'étranger de l'indigène, et d'autres encore, ne sont ni biologiques, ni scientifiques, ni stables, mais qu'elles s'inscrivent dans une histoire en mouvement. Ce qui hier apparaissait comme sujet de troubles psychopathologiques ou sociaux évidents, comme le divorce par exemple, peut changer. La marge bouge et pour des travailleurs sociaux qui sont perpétuellement en contact avec ces marges, cette construction prend une allure d'espoir réjouissant.

Il y a toujours pluralité de sens et de choix

La réalité n'est pas un donné. Il y a des questions décidables, auxquelles les réponses sont claires et précises; le travailleur social y est confronté dans nombre de situations: «Le client a-t-il droit à telle prestation, remplit-il les conditions pour...telle démarche a-t-elle été faite dans les délais prévu?..»

Il y a également les questions indécidables, qui relèvent de la compréhension, de la construction d'un sens.

La responsabilité du travailleur social est de veiller à ne pas s'enfermer, ni à laisser le client s'enfermer, dans une explication unique, paralysante et mutilante qui contribue à entretenir un problème.

Introduire des choix réels, d'une part, les rendre compréhensibles et possibles, d'autre part, contribue à rendre les partenaires d'une rencontre responsables, chacun et ensemble.

Nous vivons dans l'incertitude et la relativité

La vie est complexe, multiple, imprévisible. Il n'est jamais possible de connaître toutes les composantes d'une situation ni tous les effets possibles d'une décision.

Les sens sont multiples et ont parfois des pertinences difficiles à comprendre.

Prendre acte de cette relativité et de cette incertitude pousse à une vigilance permanente quant à l'appréciation des situations et aux stratégies d'intervention mises en place.

Le danger du constructivisme serait de faire croire que toutes les conduites seraient finalement possibles et acceptables puisqu'il n'y a pas de «vérité absolue». Cette relativité pourrait alors mettre le travailleur social dans un danger d'immobilisme et de paralysie. Mais, si toutes les constructions sont en effet possibles, elles s'inscrivent dans une histoire collective qui autorise et limite certains comportements. La voie de recherche n'est pas alors le fatalisme de la relativité, mais l'engagement dans la recherche d'un consensus possible, dans un contexte donné, avec les acteurs individuels et institutionnels en présence.

Il y a toujours des dérives possibles

L'angélisme de la bonne volonté n'est pas le seul concerné ici. Toute action produit des effets, des réactions en chaîne qui peuvent aboutir à des dérives graves.[33] Celles-ci ne sont souvent pas prévisibles. Le travailleur social doit donc se montrer particulièrement attentif aux rétroactions et exercer sa capacité d'anticiper les effets des comportements mis en place. Une mesure bénéfique à court terme peut devenir nocive dans le long terme. La demande d'aide courageuse peut devenir dépendance chronique, le soutien financier dériver en assistance durable, la revendication légitime glisser sur du juridisme tatillon, l'écoute attentive se transformer en confessionnal morbide…

Mais la crainte de la dérive ne doit pas servir à paralyser l'engagement dans l'action ou la décision de stratégie d'intervention.

L'engagement est toujours un pari

Devant la multiplicité des enjeux contradictoires, la complexité des systèmes de connaissances et de décisions, l'impossibilité de prévoir à long terme l'évolution des situations, l'aléatoire des imprévus et des intrusions de facteurs étrangers au contexte choisi, toute décision revêt un caractère de pari.

Il y a un moment où il faut trancher, choisir, s'engager dans une voie. Tout choix est précaire. Certes le travailleur social peut veiller à fonder ce qui l'amène à intervenir dans un sens plutôt que dans un autre; il peut procéder à diverses vérifications; il n'en reste pas moins que, fondamentalement, il est aux prises avec l'incertain. Il doit alors prendre le risque de s'engager dans la voie qu'il a choisie, avec rigueur, ouverture et attention.

Un pari ouvert n'est pas un jeu de hasard, c'est un calcul de probabilité, pesé, assumé.

Ces six repères, on le constate, ne disent en rien ce qu'il y a lieu de faire, parce qu'il n'y a pas de réponse possible à cette question, qui ne peut être abordée qu'en situation.

> L'éthique est une question et un appel. Lorsqu'elle cesse de remplir cette fonction pour devenir réponse, elle contribue à créer un système totalitaire et enfermant.

Chapitre III

LES REPÈRES MÉTHODOLOGIQUES

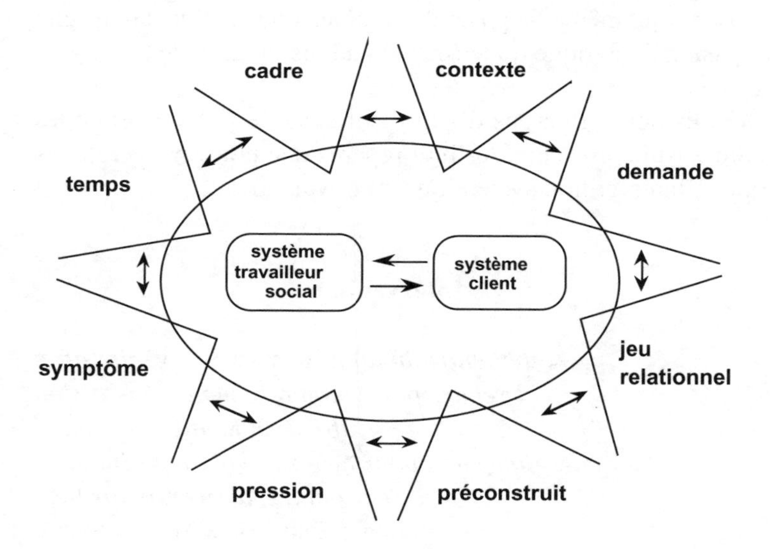

INTRODUCTION

Après avoir posé des repères épistémologiques et des repères pour une réflexion éthique, nous voulons maintenant considérer la question de l'intervention en travail social. Nous aborderons pour cela plusieurs questions:

- Que signifie «intervenir» en travail social?
- Comment est-il possible de passer de la compréhension à l'action? Y-a-t-il lieu de distinguer ces deux aspects pour pouvoir les articuler?
- Poser des repères pour l'intervention équivaut-il à construire un programme? Faut-il lier méthodologie et programme? Et que faire de l'idée de stratégie d'intervention?
- Le projet même de poser des repères nous inclut-il dans une vision analytique ou permet-il une vision globale?

Nous nous situerons d'abord sur ces questions essentielles pour ensuite présenter les huit repères que nous avons retenus pour l'intervention systémique en travail social.

Intervenir

Intervenir: du latin inter venire*: venir entre.*
Prendre part volontairement à une action
afin d'en modifier le cours.
Agir énergiquement pour éviter l'évolution d'un mal.
Se produire, arriver, avoir lieu.
Dictionnaire encyclopédique Larousse

Toute la tension du travail social est présente dans ce mot: le travailleur social est censé «venir entre». Mais entre quoi et quoi?

Les constructions ont varié au cours de l'histoire et nous n'avons pas l'intention ici d'en retracer le cours.[1] Elles ont en effet pris des allures contradictoires au fil des années et plusieurs lectures parallèles se sont développées. Des courants politiques aux courants psychologiques, des lectures économiques aux lectures écologiques, tout contribue à entretenir des disputes idéologiques ou de l'indifférence devant la trop grande complexité. Nous ne voulons pas démêler cet écheveau, ni trancher entre ces diverses lectures. Elles alimenteront cependant les questions que nous nous posons face à notre modèle et dont nous ferons état dans le chapitre final de ce travail.

Cependant le mot même d'intervention reste une interrogation autant qu'une réponse. De notre point de vue, le travailleur social est chargé d'un mandat, explicite ou implicite, et s'inscrit ainsi dans une histoire sociale. Il a une fonction aux yeux de ceux qui le paient, c'est-à-dire, dans la plupart des cas, les collectivités publiques. Mais celles-ci ne forment pas une unité simple: conflits, divergences d'intérêts économiques, culturels, idéologiques, en font des réalités complexes et contradictoires. On ne peut donc réduire le travail social à un contrôle social qui viserait à contenir les risques d'une injustice excessive.

Si, comme nous le croyons, le travail social est un symptôme[2], il vise à maintenir un certain ordre ainsi qu'une forme d'équilibre *et* à proposer des pistes de changement, d'équilibration nouvelle. A ce titre là, ses acteurs sont donc dans une position *et* confortable, privilégiée, puisque sur le front de certains changements, *et* insoutenable puisque toujours pris entre le commanditaire et le client, entre le marteau et l'enclume.

Or le travailleur social se trouve non seulement entre ceux qui le mandatent et le client[3], mais il doit venir «se mettre entre» le client et son problème, le client et son organisation interne, le client et ses réseaux relationnels. On pourrait ajouter d'autres tensions: entre généraliste et spécialiste, entre individuel et collectif[4], entre vie professionnelle et vie familiale, entre technicien et militant; la liste n'est pas exhaustive. C'est dans la mesure où il vient perturber un fonctionnement qui ne convient pas qu'il pense pouvoir «modifier le cours des événements» ou «éviter l'évolution d'un mal», comme le dit le dictionnaire. C'est donc une double position «d'entre deux» qui caractérise l'intervention du travailleur social.

Il nous faut encore ajouter un élément. La perspective du travailleur social comme agent de l'entre deux peut laisser supposer qu'il se trouve dans une position de médiateur, qu'il est en position d'extériorité aussi bien par rapport à ceux qui le mandatent que par rapport à ceux auprès desquels il intervient. Notre position constructiviste nous amène à complexifier cette vision trop simple!

Vis à vis de ceux qui le mandatent, le travailleur social est acteur: non seulement dans ses engagements politiques et dans le fait qu'il participe à mettre en place des élus, mais surtout dans la négociation du sens du mandat qui lui est confié; il n'est pas dans une position d'«acteur joué» par une structure, mais bien d'«acteur joueur» de l'acceptation, la redéfinition, la coconstruction du sens de son action. La stratégie du flou, qui consiste à définir le moins possible le contenu et les objectifs de travail afin d'augmenter les zones d'incertitude[5] et de non-définition, est une stratégie qui présente des limites connues, des coups de semonce brutaux, des revirements probables des lignes d'action et des libertés fragiles. La clandestinité permet de vivre (les étrangers clandestins en Suisse en savent quelque chose!), mais toujours dans la ruse, l'incertitude du lendemain qui empêche de penser à long terme, de finaliser son action.

Vis à vis des clients, la question est la même: le travailleur social n'intervient pas dans une situation connue avec objectivité. Les raisons officielles ou officieuses de son intervention ne sont pas souvent du domaine des faits incontestables, mais bien plutôt de ce que Watzlawick nomme les réalités du deuxième ordre[6], c'est-à-dire du sens que l'on donne aux choses et aux événements. En acceptant d'intervenir à partir de la demande du client, ou du signalement d'un tiers, ou sur mandat d'une autorité, il contribue à proposer une définition de la difficulté, à la rendre officielle, à stigmatiser des personnes, à figer un sens et une compréhension de ce qui fait problème.

Le travailleur social n'est donc pas dans une situation de médiateur entre deux protagonistes, jouant le rôle du sauveur dans le triangle qu'il formerait avec un bourreau et une victime.

Il est acteur d'un jeu dans lequel, qu'il accepte d'intervenir ou non, il consacre, fige ou conteste des rôles, des problèmes, des significations qui pourraient encore évoluer. Il est donc correct à nos yeux de le définir comme un *intervenant* impliqué. Le fait même de se «mettre entre» le rend acteur, consacre qu'il y a lieu d'intervenir, donc qu'il y a problème. Nous pourrions dire que son intervention contribue à faire exister un problème.. Il est acteur de la désignation, et dès le moment où il intervient, il est «dedans». Le fait d'introduire un élément nouveau oblige l'ensemble du système à se réorganiser, que ce soit en renforçant ses mécanismes de régulation ou en les modifiant.

L'intervention est donc un risque. Nous pourrions dire que, selon toute vraisemblance, les effets de l'intervention du travailleur social seront importants: soit dans le sens d'un renforcement du connu, de l'acquis, soit dans le sens d'une nouvelle équilibration possible. Il n'y a pas d'intervention «neutre» par rapport à la régulation d'un système, qu'il soit individuel, familial, institutionnel ou social.

De la compréhension à l'action

Nous proposons dans ce chapitre des repères pour la construction d'une hypothèse de compréhension des situations dans lesquelles le travailleur social intervient. Il y a donc lieu de nous demander quel lien nous faisons entre le fait de comprendre et celui d'agir. Le fait de construire une compréhension dicte-t-il automatiquement ce que nous devons faire? Une théorie qui explique ou propose un sens dicte-t-elle ce qu'il convient de faire à partir de cette compréhension?

Boutinet propose sept constructions possibles pour relier la théorie et l'action.[7] Pour notre part, nous nous situons dans le modèle de la théorie comme analyseur de la pratique: «La théorie entend permettre une élucidation de la pratique, aboutissant à terme à une théorisation de cette pratique. Une telle théorisation va bousculer et reformuler les cadres théoriques initiaux.

«Cette figure est certainement caractéristique de toutes les procédures qui de près ou de loin s'apparentent à la recherche-action. Elle illustre aussi la démarche prise par les adultes lorsque, placés en situation de formation permanente, ils cherchent à élucider leur propre pratique professionnelle. A travers un échange dialectique entre théorie et pratique, s'instaure une sorte de corrélation entre les deux instances, aboutissant à la constitution d'ensembles théorico-pratiques marqués par leur consistance. Cette consistance personnelle ou organisationnelle s'exprimera par le fait que tout écart entre théorie-pratique qui menace la corrélation instituée sera source d'une réorganisation du couple théorie-pratique, soit par un changement de pratique, soit par une reformulation de la théorie.»[8]

Cet aller et retour perpétuel de la pensée à l'action est également souligné par Pluymaekers, pour qui la formation est alimentée par une relecture à posteriori des actions menées, qui alimente la théorie, qui à son tour nourrit l'action.[9]

Les huit repères méthodologiques que nous proposons sont issus de la confrontation de praticiens et de formateurs du travail social: nous en avons vérifié la pertinence et l'utilité et nous avons, à partir de là, construit ce modèle théorique. Cependant, c'est nourris par toutes ces théories élaborées dans d'autres contextes que nous avons orienté notre pratique. Elaboration théorique et expérimentation pratique sont donc en corrélation réciproque.

Faire une hypothèse, dans notre langage, veut donc dire proposer un fil conducteur pour construire une compréhension, mais cette compréhension n'a de sens que dans la perspective d'une action. La compréhension n'est pas un «en soi», mais un «comprendre pour».

> Une hypothèse est donc une proposition de construction du réel qui ne vise pas à dire ce qu'est ce réel mais ce qu'on pourrait y faire.

L'hypothèse informe sur le système client, sur l'intervenant, mais aussi sur leur collaboration, leur possibilité de construire une histoire différente de ce qu'elle a été jusqu'ici autour du problème annoncé.

L'hypothèse en soi ne dit pas ce qu'il convient de faire mais ce qui pourrait être mis en travail. Faut-il favoriser la prise de conscience, le changement de comportement, l'accompagnement éducatif? Nous n'avons pas ici de principes qui pourraient être généralisés. De notre point de vue, ils sont du ressort du style de chacun, d'une part, du style du système client, d'autre part, ainsi que des possibles institutionnels. C'est sans doute là la marge de création de chacun.

Il y a donc une interaction permanente entre comprendre et agir. Le comprendre (l'hypothèse) nous indique sur quoi agir (l'intervention), mais ne nous dit jamais comment. Cela reste du domaine du choix et de la responsabilité, des dons et des techniques de chacun.

Vision analytique ou globale?

Nous proposons huit repères que nous définissons par des mots-clés:

- cadre,
- contexte,
- demande,
- jeu relationnel,
- préconstruit,
- pression,
- symptôme,
- temps.

Nous les présentons chacun en quatre temps:

- le concept,
- idées-clé,
- repère,
- résumé.

Le concept

Nous dégageons en quoi ces mots sont lourds de sens, porteurs de recherches et d'expériences multiples dans les réflexions sur l'intervention systémique. Nous avons tenu à les présenter avec des citations et des notes qui permettent au lecteur de se référer directement aux auteurs que nous avons utilisés. Chaque notion est ainsi présentée comme un tout, s'inscrivant dans une pensée évolutive, parfois contradictoire, toujours complémentaire et concurrente, c'est-à-dire, selon Morin, «qui courent en même temps».

Idées-clés

Nous dégageons ce qui nous paraît le plus intéressant pour l'intervention en travail social. Chacune de ces huit notions est porteuse d'un regard pertinent pour chaque situation: que ce soit une demande d'aide dans un service social, un signalement de mauvais traitement, une assistance à un chômeur en fin de droit, une demande de placement d'enfant, une question de collaboration entre une institution et des parents, une tension dans un groupe éducatif en internat, le colloque d'une équipe pluridisciplinaire dont la dynamique est bloquée, etc.; il est utile de réfléchir au cadre posé, au contexte qui donne sens à l'événement, à la (non-)demande présente, aux jeux relationnels qui sont en action, aux préconstruits relationnels et contextuels, aux pressions subies et exercées, aux symptômes repérables et à la prise en compte du temps ralenti ou accéléré. Chacune de ces notions fait partie du regard que nous portons sur la «réalité» dans laquelle nous évoluons.

Repère

Nous proposons chacune de ces huit notions comme repère, c'est-à-dire comme des notions susceptibles d'aider le travailleur social à ne pas se laisser submerger par les informations, à ne pas courir sans fin après des renseignements qu'il souhaiterait toujours plus complets. Il convient alors de préciser les pistes qu'elles nous ouvrent, en quoi elles peuvent aider à la construction d'une hypothèse de compréhension et d'action.

Résumé

Nous offrons ici un résumé des idées-clés et des pistes formulées sur la base du repère présenté.

Notre intention n'est pas de proposer un catalogue analytique de chaque situation, c'est-à-dire une grille en huit points qu'il serait bon d'examiner chaque fois pour obtenir une vision large et complète. Chacun de ces repères, nous le proposons comme un accès possible à la globalité de la situation. Il est probable que pour une même situation plusieurs repères soient adéquats, qu'ils ouvrent la porte à des constructions différentes qui auront chacune une pertinence. La question n'est pas de savoir quelle est la bonne piste, mais, pour cet intervenant-là en contact avec cette situation-ci, comment tel repère peut-il devenir utile.

En formation par exemple, à partir de la même situation, nous encourageons les étudiants à utiliser le repère qui leur paraît le plus opportun et avec lequel ils se sentent à l'aise pour travailler. Nous examinons alors, en parallèle, les hypothèses qu'ils sont amenés à construire et les pistes d'intervention qu'ils projettent d'utiliser à partir de cette vision. Il n'y a pas une seule réalité qu'il s'agit de découvrir, mais plusieurs que nous pouvons construire.

Cela ne veut pas dire non plus que ces repères sont interchangeables et que finalement un ou deux suffiraient. Nous pourrions dire qu'il s'agit pour nous d'un vocabulaire; certes on peut se débrouiller dans une terre étrangère avec peu de mots, mais on ne peut guère échanger que des informations sommaires et relativement banales. Plus le vocabulaire devient riche, plus on élargit sa capacité de comprendre les gens du pays et de parler avec eux.

Chaque situation entre en résonance avec un intervenant particulier et l'amène à privilégier tel repère plutôt que tel autre. Cette proximité peut devenir ressource mais non pas oreiller de paresse. Il appartient à chacun de conquérir d'autres possibles, d'élargir son vocabulaire et ses possibilités d'échanger pour coconstruire.

Ainsi donc, chacun de ces huit repères propose à la fois un aspect particulier, qu'il y a lieu de prendre en compte dans chaque situation, et une porte d'entrée privilégiée pour l'accès à la compréhension du tout: «Le tout est dans la partie qui est dans le tout.»[10] C'est un aller et retour perpétuel.

Programme ou stratégie?

Les huit repères que nous proposons ne servent pas à construire un programme. Morin propose de différencier programme et stratégie.[11] Le programme est un ensemble d'opérations fixées à l'avance qui sert à guider l'action de manière prévisible. Construire un programme, c'est considérer l'objet que nous programmons comme une machine triviale, incapable ou peu capable d'autonomie. Les réactions étant prévisibles, le modélisateur peut les anticiper. Si les circonstances amènent de l'imprévu, le programme est mis en danger, voire capote. L'avantage du programme, c'est qu'il permet une économie, une reproduction à de multiples exemplaires, une certaine automatisation.

Faire de nos repères un programme amènerait à en faire une grille de lecture figée, proposant des structures de lecture et d'intervention stables et régulières, peu ouvertes à l'imprévu. Or, nous le savons, les travailleurs sociaux sont confrontés à des systèmes vivants, imprévisibles, aux réactions surprenantes, aux régulations aléatoires s'inscrivant peu dans leur logique et leur culture. Si les clients étaient des êtres totalement prévisibles, ils se montreraient capables de stabilité dans la régulation et ne seraient peut-être pas dans les situations précaires dans lesquelles ils se trouvent. Nous savons tout au plus que les systèmes rigides ont une souplesse d'adaptation réduite et que les systèmes chaotiques ont une capacité de stabilisation paralysée. Mais cela ne suffit pas à en faire des systèmes prévisibles.

La notion de stratégie selon Morin s'oppose à celle de programme. La stratégie est faite de la capacité de prévoir et de prendre en compte les événements internes ou externes imprévisibles et de modifier son action en fonction des informations fournies en cours de route. C'est composer avec l'aléatoire tout en restant clair sur l'objectif poursuivi. C'est la finalité qui dicte la stratégie et lui évite de se perdre dans des adaptations successives. Lemoigne parle «d'organiser des projets plutôt que des structures»[12].

Nous considérons nos repères comme des éléments qui aident à construire la stratégie d'intervention. Ce sont des aides pour construire le projet, c'est-à-dire pour construire un problème, donner un sens à ce qu'il convient de travailler dans une situation donnée de souffrance; mais, nous le répétons, ce ne sont pas des guides du «comment faire» au sens de quel programme établir. Nous espérons qu'ils pourront par contre aider à construire une stratégie souple et adaptative.

Huit repères, pourquoi?

Il n'y a rien de définitif ni d'exhaustif dans notre choix de fixer à huit le nombre de repères servant notre modèle d'intervention. Notre pratique de formateurs, confrontée à celles des travailleurs sociaux en formation, nous a amenés à en rajouter plusieurs, dont certains, à l'usage, n'ont pas paru pertinents. Les huit repères que nous proposons nous paraissent suffisants et pertinents pour notre projet de donner aux travailleurs sociaux des outils de compréhension et d'intervention, un modèle fiable.

Nous avons représenté graphiquement ces repères, à des fins pédagogiques, pour en faciliter l'assimilation, et en voir et la globalité et le fait que chacun donne accès à l'ensemble de ce qui se passe dans la rencontre entre le travailleur social et le client. Chaque repère est une entrée dans la globalité d'une situation et, en même temps, il est porteur d'un angle de vue, d'une attention particulière qui fait construire un sens plutôt qu'un autre. Tous nos repères sont en lien avec les autres, tous sont porteurs de la situation et intriqués dans un tissu de relations complexes.

Nous allons voir de plus près en quoi ils consistent.

CADRE

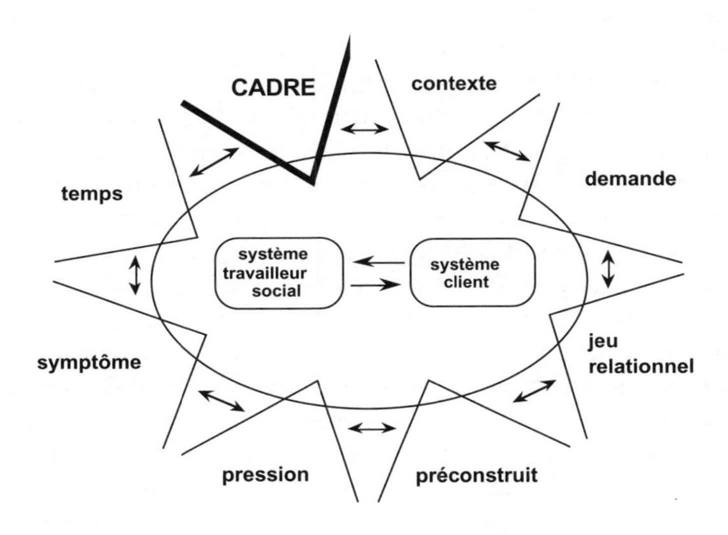

La notion de cadre est particulière: soit elle est considérée comme tellement évidente qu'elle n'est pas ou peu traitée, soit elle est assimilée avec celle de contexte, soit encore elle est envisagée dans une perspective qui ne correspond pas au contexte du travail social. Il vaut donc la peine de retracer comment elle a été traitée et de définir ce que nous y mettons.

Le concept

Cadre et psychanalyse

La notion de cadre a été posée dans les milieux psychanalytiques depuis longtemps déjà. De Freud à Anzieu, en passant par Klein, Winnicott, Bleger ou Gilléron, elle a été mise en relation avec les notions d'enveloppes psychiques et/ou avec l'idée de *«seeting»*, et désigne en général ce qui est autour du travail thérapeutique lui-même: l'espace géographique, le temps, les finances, par exemple. Le lien entre le cadre et la thérapie peut être défini comme analogique ou comme appartenant à un autre domaine. De Saussure, par exemple, propose de «privilégier deux moments qui sont aussi deux éléments essentiels de la psychothérapie, soit la mise en place du *«seeting»* considéré comme un contenant, et l'instauration du cadre considéré comme un conteneur, comme le sein est le conteneur du lait alors qu'un pot est un contenant pouvant contenir entre autres du lait».[13]

M. Grossen et A.-N. Perret-Clermont[14] soulignent l'interaction constante entre cadre, espace et contexte et proposent en particulier de voir le cadre comme des «limites, frontières qui délimitent l'espace dans lequel patient et thérapeute interagissent». Le thérapeute est alors le garant de ce lieu qui contient les affects. L'instauration de ce cadre contenant «permet aussi la construction d'une matrice relationnelle dans laquelle peuvent se rapprocher des éléments clivés, se tisser des rapports entre événements perçus jusqu'alors dans la discontinuité, s'élaborer la mémoire qui donne sens à la trajectoire personnelle».

Cadre et thérapie familiale

Dans la littérature de thérapie familiale, ce sont surtout les concepts de «définition de la relation»[15] et de «contrat»[16] qui traitent de cette notion de cadre. Toutefois, on trouve quelques écrits qui traitent de la question spécifique du cadre.

Une mention particulière doit être faite de Kauffmann, qui a élaboré un modèle dit de «l'encadrement»[17] dans lequel il définit la relation thérapeute-patient comme analogue à l'échange qui peut s'établir entre parent et enfant. Le système encadrant a alors pour fonction d'organiser un contexte favorable au développement du système encadré, gardant une position à la fois suffisamment constante et suffisamment souple pour s'adapter à l'évolution du système encadré. La notion de cadre est à nouveau celle d'un contenant, matrice de la définition et de l'évolution de la relation.

Signalons encore les recherches de Caillé[18], qui propose de créer un cadre particulier, un espace intermédiaire qui n'est ni celui du système client ni celui du thérapeute, mais un espace où ils pourront ensemble coconstruire une histoire nouvelle et originale.

Cadre et travail social

En ce qui concerne le travail social, c'est plus particulièrement Lebbe-Berrier qui a travaillé à cette notion[19]: elle en fait le fil conducteur de toute la construction de l'intervention, c'est-à-dire l'axe autour duquel vont s'ordonner les différentes attentions qu'elle propose. Trois étapes jalonnent sa construction:
- elle prend le cadre dans le sens de «ce qui entoure», à l'image du cadre d'un tableau. Il s'agit alors de poser le contour du cadre en identifiant les demandes, les pressions, les contraintes, les attentes des partenaires et les téléguideurs de la demande;
- ensuite vient l'étape qu'elle nomme «débroussaillage» qui vise à identifier ce qui vient du client lui-même et ce qui vient des autres;
- enfin, il s'agit de créer un espace de travail, c'est-à-dire un «espace d'engagement, pour tenter d'élaborer avec eux (les clients) ce qui est important parmi toute la masse des possibles».

Nous ne partageons que partiellement le point de vue de Lebbe-Berrier dans le sens où nous ne faisons pas du cadre un repère plus important que les autres. Il s'agit pour nous d'une porte d'entrée parmi d'autres possibles et non de la ligne de construction privilégiée de l'intervention. Toutefois, l'attention qu'elle porte à la pose d'un cadre de travail nous paraît légitime et la démarche qu'elle propose est sans aucun doute une proposition constructive d'une méthodologie adaptée au travail social.

Que faut-il inclure dans cette notion de cadre? Nous distinguerons ce qu'elle comprend et ce qu'elle permet.

• Niveau institutionnel

Posons d'abord qu'être attentif au cadre, c'est prendre en compte le *niveau institutionnel* de la situation: le travailleur social s'inscrit dans une institution; il appartient à une structure qui a des objectifs, un mandat social, un financement public ou privé. Il ne peut se permettre n'importe quoi, il n'est pas habilité à intervenir dans n'importe quelle situation; il devra rendre des comptes à son employeur sur le sens de ce qu'il a fait, le temps qu'il a investi, les contacts qu'il a pris, l'argent qu'il aura éventuellement alloué. Il dispose d'une marge de décision qui est définie dans son cahier des charges et il ne peut s'en écarter de son propre chef. Il est appelé à collaborer avec d'autres professionnels dans le même service ou dans des services voisins. Il est enfin inclus dans une hiérarchie dans laquelle il occupe une place spécifique. Poser un cadre amène donc à situer la rencontre et le sens du travail commun accompli dans cette définition institutionnelle. La pose du cadre d'intervention sera articulée avec la clarification du contexte de la rencontre: s'agit-il de l'exercice d'un mandat, d'une enquête, d'un soutien financier, d'un appui éducatif, d'un encadrement dans une tâche particulière?...

Cette préoccupation amène aussi aux clarifications suivantes:

- Un dossier, des enregistrements, un rapport, sont-ils effectués?
- Si oui, dans quel but et quel usage en est-il fait?
- Qui en aura connaissance?
- Le client y aura-t-il accès et pourra-t-il s'exprimer à leur sujet?
- que deviendront ces documents après la fin de l'intervention?

Cette clarification du cadre institutionnel revêt un aspect beaucoup plus important dans un contexte de travail social que dans un contexte thérapeutique, qui contient dans sa définition même la notion de secret: c'est ce que l'on nomme la «protection de la sphère thérapeutique». Les travailleurs sociaux ne bénéficient pas de cette protection et ont à clarifier ce qui restera confidentiel et ce dont ils auront à rendre compte.

- Cohérence et compatibilité

Il y a donc, dans le souci de la pose du cadre, une attention particulière à garder sur la *cohérence et la compatibilité* entre, d'une part, les objectifs du service ou de l'institution, le mandat confié explicitement ou implicitement au travailleur social, les objectifs personnels de l'intervenant et, d'autre part, les attentes, demandes et objectifs du système client.

- Contrat

Le troisième élément de la pose du cadre est la clarification d'un contrat: cette notion est à double tranchant.

D'une part, elle permet de poser des bases explicites à un travail commun; en ce sens, elle est une ressource précieuse. De Robertis propose que son contenu soit «d'établir des objectifs communs, de définir les problèmes et les buts à atteindre, d'élaborer le plan de travail et le structurer dans le temps», et de lui donner un aspect formel qui favorise l'engagement et la «mobilisation du client, décourage la dépendance, sécurise, permette d'obtenir des résultats rapides et serve à mesurer le chemin parcouru»[20].

D'autre part, le danger du contrat réside dans son application rigide et mécanique. Il risque en effet de se retourner contre le client lui-même dans la mesure où les clauses du contrat n'ont pas pu être respectées.[21] Beaucoup de clients ont précisément des difficultés dans le respect d'un contrat, d'une parole donnée, de l'engagement dans la durée. En ce sens, le contrat n'appartient pas à leur langue, ou du moins pas dans le même sens que dans le langage du travailleur social.

L'objectif d'un contrat n'est pas de rigidifier les problèmes, les interactions et les rôles, mais d'en donner une définition qui devra au besoin être retravaillée, redéfinie. Dans les cas où ce qui a été convenu n'a pas été réalisé, il aide à métacommuniquer sur ce fait et à s'adapter en conséquence. Le contrat n'empêche pas les bifurcations, mais rend possible et nécessaire de les repérer, les nommer, les choisir.

Faire un contrat suppose donc que l'on établisse un accord sur la définition du problème qui va être traité et sur les objectifs que l'on souhaite atteindre. De plus, le contrat implique également les quatrième et cinquième éléments ci-dessous:

- Règles de collaboration

Le quatrième élément de la pose du cadre est la définition des règles de collaboration. Il s'agira de définir les exigences réciproques du travailleur social et du système client: Qui est en mesure d'attendre quoi de qui et qui est habilité à offrir quoi à qui? En particulier, le travailleur social devra préciser ce qu'il a l'intention et la possibilité d'aborder, d'offrir, de traiter, en fonction du mandat que lui confie son institution et de ce que lui demande le client. Il est pertinent également de traiter dès que possible des questions relatives aux réseaux impliqués. Sera-t-il possible de faire venir d'autres personnes: membres de l'entourage, autres travailleurs sociaux, hiérarchie, autres personnes impliquées, et cela à quelles conditions et dans quel but? Outre le fait que cette question clarifie la définition du problème, elle pose ainsi des repères éthiques à l'intervention, une précision sur ce qui est considéré comme frontière du système-problème concerné.

Il sera également particulièrement utile de repérer ce qui ne va pas être abordé, les limites de ce qui sera partagé et de ce qui ne le sera pas. Non seulement cela aide le travailleur social à ne pas se laisser envahir par l'avalanche des questions qui pourraient être traitées, mais cela donne une indication analogique précieuse au client sur le fait qu'il est d'emblée considéré comme capable de régler un certain nombre de questions par lui-même et que le travailleur social n'est pas en situation d'omnipotence: il est limité, et c'est une chance autant pour lui-même que pour le client!

Cette question de clarification des règles de collaboration, pas plus que les autres aspects de la pose du cadre, n'est résolue une fois pour toutes. La situation évolue et le travailleur social devra prendre en compte de nouvelles données, un changement ou un non-changement dans la situation, l'apparition de nouvelles personnes impliquées ou autres événements imprévisibles au départ.

- Logistique

Enfin le cinquième élément de la pose du cadre, ce sont les questions logistiques: Où se voir, quand, à quel rythme, pour quelle durée, à quel coût?

Ces questions visent d'abord à protéger le client qui sait ainsi à quoi il s'engage, ce qui est attendu de lui, jusqu'où il aura à investir temps, force, énergie et argent. Elles servent également à protéger le travailleur social, qui peut évaluer s'il peut tenir ce qu'il offre et refuser d'offrir plus lorsqu'il est confronté à des tentatives d'envahissement!

Idées-clés

D'abord une *définition*: le «cadre» c'est l'espace à l'intérieur duquel se déroule la rencontre entre le travailleur social et le client. Cet espace est prédéterminé par le contexte institutionnel au service duquel travaille l'intervenant. Il implique un travail de mise en accord sur le sens de cette rencontre, ses objectifs et ses modalités. Ce travail de définition d'un contrat de collaboration sert de matrice relationnelle au déroulement de l'intervention et de sa coévolution. Les questions concrètes d'espace et de temps s'inscrivent dans ce contrat.

A quoi sert-il de définir ainsi le cadre de l'intervention? Nous citerons trois aspects:

1. Sécurité

Poser un cadre repérable permet d'offrir à chaque partenaire une sécurité: par la définition commune du problème et des objectifs, des questions logistiques, de l'insertion professionnelle du travailleur social et de ses rapports avec les autres partenaires (référents, téléguideurs, hiérarchie), chacun sait dans quelle histoire il s'engage, à quoi il peut s'attendre, comment il sera respecté, soutenu, contrôlé, réprimé.

2. Marge de manoeuvre
   Poser un cadre permet d'être attentif à la possibilité d'une marge de manœuvre aussi bien pour le travailleur social que pour le client. En particulier, le cadre rend explicite le travail sur les pressions[22] et la nécessité de trouver pour chacun un espace de responsabilités. Sans la création de cet espace, chacun risque de réagir dans l'urgence, la dépendance, l'activisme fébrile ou l'apathie paralysante.
3. Définition de la relation
   Poser un cadre est une proposition de définition de la relation. C'est le travailleur social qui a la responsabilité de poser le cadre. C'est à lui qu'incombe de veiller à ce que ce travail d'élaboration soit fait de manière claire et compréhensible. Cela ne veut pas dire qu'il doive poser seul ce cadre! C'est un travail de coconstruction dans lequel il porte le double souci de clarifier sa position et de permettre au client d'exprimer, voire d'élaborer la sienne. La pose du cadre devient ainsi un espace intermédiaire où peut se métacommuniquer la relation qui est en train de s'établir. Cette définition de relation permettra aussi la définition des rôles de chacun, partenaires directs de la rencontre ou partenaires absents (autres membres de l'entourage, juges, hiérarchie de l'institution, etc.).

Repère

En quoi cette notion de cadre est-elle un repère pour l'établissement d'une hypothèse? Commençons par un exemple:

Marlène a 18 ans. Ses parents ont fait pour elle une demande d'admission dans un foyer d'apprentissage. Le lieu du rendez-vous a été fixé, selon l'habitude du foyer, dans un bureau extérieur à l'institution elle-même. Les parents se trompent d'adresse et se rendent directement à l'institution. Là, contrairement aux habitudes, ils sont reçus par le directeur, qui, contrairement aux usages, procède à l'admission tandis que ses deux collègues attendent dans le bureau extérieur..(Ils viennent d'une autre ville et on peut comprendre qu'ils se soient trompés d'adresse!)

Une date d'entrée est convenue. D'ici là, Marlène doit faire les démarches auprès d'un service officiel pour obtenir la garantie financière de son séjour, comme le foyer l'exige toujours en cas de demande de placement volontaire. Au jour fixé, Marlène se présente avec deux heures de retard: elle n'a pas fait les démarches, arrive sans ses affaires et sent l'alcool. Ses parents, qui devaient l'accompagner, ne viennent pas, sans s'excuser. Ils apparaissent par contre, sans avertir, pendant le week-end suivant demandant un entretien avec les éducateurs de référence.

Après deux semaines, Marlène est renvoyée chez elle pour avoir gravement contrevenu aux règles de la maison en ce qui concerne l'alcool. Elle peut revenir quand elle le veut, à condition qu'elle écrive une lettre dans laquelle elle motive sa demande de réadmission. Ses parents sont avertis du retour de leur fille. Deux jours après, Marlène se présente pour sa réadmission au foyer, sans lettre de motivations. Elle n'est pas retournée chez ses parents, qui n'en ont rien dit. Le directeur accepte le retour de Marlène...

De manière évidente, dans cette situation aucun des aspects du cadre n'est clair: les questions logistiques sont sans cesse bouleversées, les exigences institutionnelles sont contredites par les membres de l'institution eux-mêmes tout comme par Marlène et ses parents, tous les aspects du contrat sont transgressés sans effets repérables, aucune définition de collaboration ne peut être posée, ni par conséquent tenue..Il est évident qu'il y a un problème que l'on peut définir en terme de cadre.

La plupart du temps dans des situations de ce type, ce sont les questions logistiques qui frappent d'abord: lieu, horaire ou autres conditions concrètes qui ne sont pas précisées, ou qui sont contestées, ou acceptées mais non respectées. On s'aperçoit alors que ces conditions matérielles ne sont au fond que la mise en scène d'un non-accord ou d'une non clarification sur les modalités de collaboration comme sur la coconstruction de ce qui fait problème.

Faire une hypothèse à partir de ce repère nous amène, au delà du constat qu'aucun cadre ne semble pouvoir être posé de manière claire, à nous demander ce qui se passe pour que tout cadre soit bouleversé. A quoi cela sert-il dans cette histoire de ne jamais pouvoir poser quelque chose de fiable? Qu'est ce que cela permet, empêche, évite aussi bien dans le système client que dans le système du travailleur social?

Cadre nié:
lutte pour le pouvoir

La première piste nous est inspirée par les systèmes dans lesquels il n'y a pas de contestation ouverte du cadre: le fait qu'il ne soit pas respecté ne fait pas l'objet de commentaires ou de plaintes. Personne, ou presque, ne parle de cadre. Ce n'est pas le non-respect de ce qui a été convenu qui fait l'objet de plaintes, mais d'autres comportements. *Le cadre est nié*. Dans ces systèmes, l'impossibilité de clarifier un cadre est un signe de *la lutte souterraine pour le pouvoir*, en particulier pour la définition unilatérale du jeu relationnel. Elle se déroule en négatif: il ne s'agit pas tant d'affirmer sa propre autorité que de disqualifier celle de l'autre. L'arme suprême, c'est d'agir de telle manière que le point de vue ou l'exigence de l'autre ne soit pas respecté, sans même qu'il y ait besoin de faire un commentaire à ce sujet. Pour le cas où cette disqualification est mise en évidence, elle est elle-même disqualifiée au nom d'événements sur lesquels il est bien évident que personne n'a prise: ce seront aussi bien les malentendus que les accusations contre le comportement inadéquat de l'autre qui seront invoqués pour disqualifier la disqualification.

Il y a donc une confusion constante, dans ces situations, entre le contenu et la relation. Tout, et en particulier la clarté du cadre, est exprimé en termes de contenus et le niveau relationnel est perpétuellement nié, incompris. L'agacement qui peut en résulter pour celui qui est ainsi disqualifié est à son tour disqualifié par la moquerie, l'accusation de «chercher la petite bête», éventuellement par une autoaccusation artificielle: «Ah, je m'excuse, je n'avais pas compris que cela avait de l'importance.. pour vous!»

Le travailleur social qui tente de faire respecter un cadre et qui par là même se trouve disqualifié risque soit de renoncer à poser des exigences repérables et par conséquent de s'empêcher de travailler, soit de maintenir ses exigences et de se retrouver avec le sentiment d'être borné et rigide, incapable de souplesse et de compréhension, et ainsi de s'autodisqualifier à ses propres yeux...Tout se passe alors comme si toute possibilité de faire confiance à quelqu'un d'autre était absente: «Seule ma manière de voir est possible. Les autres sont un danger. Entrer dans leur jeu risque de détruire le mien.» Méfiance et défiance sont présentes en permanence.

Les pistes d'intervention dans ces cas-là nous paraissent pouvoir aller dans le sens d'une métacommunication sur la fiabilité de ce qui va être convenu. L'attention constante à métacommuniquer sur la relation permettra d'une part de poser le cadre, mais aussi de définir le problème et de donner un sens au contexte. Le questionnement circulaire[23] aidera à sortir du jeu de disqualification perpétuelle à l'œuvre dans ces situations. Si la mise en échec du cadre est un signe de l'impossibilité de développer une relation fiable, il faudra donc traiter cette question en priorité. Il est inutile de chercher à entreprendre quoi que ce soit si cela est de toute façon voué à être mis en échec. L'axe prioritaire du travail va donc consister à coconstruire les conditions auxquelles chacun pourra établir un minimum de confiance. Cela ne veut pas dire que l'on doive faire preuve de naïveté en déclarant toutes sortes de bonnes intentions («je vais faire un effort», «je ne ferai plus..», «j'essayerai d'y penser»..), mais il s'agit plutôt d'envisager de manière réaliste quelles tentatives infructueuses ont été tentées jusqu'ici et à quel signe chacun pourrait reconnaître des autres que quelque chose a changé dans les règles du jeu en place. La négociation de ce cadre constitue souvent la phase la plus importante de l'intervention. Si d'autres règles relationnelles peuvent se mettre en place, le système pourra aussi se montrer créatif pour aborder autrement le problème auquel il était confronté.

Cadre contesté: mieux vaut un conflit que rien du tout

Dans d'autres systèmes, ce dont on parle le plus, c'est précisément du non-respect du cadre, de la non-fiabilité du ou des partenaires. Tout est objet de disputes, et les arrangements pris ne sont jamais respectés, malgré les tentatives de clarification. Il y a sans cesse des accusations ouvertes et réciproques. La relation est annoncée comme impossible à cause de la non-crédibilité de l'autre.

La fonction de la contestation du cadre nous apparaît comme différente. Tout se passe comme s'*il valait mieux être en conflit que de n'être plus en relation.* La mort du conflit, c'est la mort de la relation. *Le non-respect du cadre*, c'est alors le bois qui alimente le feu de la dispute: *il est nécessaire à la survie de la relation.*

Certains services ont construit leur ligne de conduite à partir de ce constat. Ainsi, par exemple, certains «Point Rencontre»[24] partent du constat que l'interruption ou la non-application de l'exercice du droit de visite établi est un non-respect du cadre prescrit par le juge pour préserver le droit de l'enfant à garder des relations avec ses deux parents. Ils acceptent alors de servir de lieu qui encadre la reprise de ce droit de visite interrompu, mais le font exclusivement sur la base de l'ordonnance d'un juge. Le constat des intervenants est que la perspective d'un droit non seulement prescrit mais aussi exercé sous le contrôle d'une autre instance, provoque un certain nombre de résistances qui retardent la mise en oeuvre effective du droit de visite encadré, comme si cette disposition enlevait au couple le peu de relation qui lui reste encore: s'il n'y a plus de disputes à ce sujet, auront-ils encore quelque chose à se dire, tiendront-ils encore la place si centrale qu'ils pensent occuper dans l'esprit de l'autre? Les intervenants constatent alors la tentative de l'un, voire des deux ex-conjoints, de faire une alliance exclusive avec eux, proposant ainsi l'établissement d'une coalition contre l'autre parent. Maintenir une alliance avec les deux parents se révèle alors indispensable. Dans un premier temps, les intervenants constatent que l'enfant, qui exprime souvent des loyautés fortes à l'égard du parent avec lequel il vit, se montre soulagé d'un sentiment de culpabilité, lié à la peur de trahir ce parent dans la mesure où la décision de nouer contact avec l'autre parent a été prise par le juge. Il peut alors, souvent, s'autoriser à vivre cette rencontre et à renouer une relation, parfois disparue depuis de nombreux mois, voire des années.

Il est intéressant de remarquer que dans les multiples aspects du travail social il y a là une tentative relativement nouvelle. Le respect du cadre posé est le canal obligé de la relation. Sans respect du cadre, il n'y a relation ni avec les travailleurs sociaux ni avec l'enfant, et c'est devant le juge que devront se donner des explications.

Longtemps, au nom de la primauté de la relation, les travailleurs sociaux ont fait passer la clarté du cadre au second plan, privilégiant «la relation». Les rendez-vous manqués, les exigences non respectées étaient certes ennuyeuses mais ne mettaient pas en cause la poursuite du travail commun, au contraire: si les clients ne pouvaient pas respecter le cadre, c'était traduit comme une explication quasi suffisante à la poursuite de l'intervention du travailleur social. Le ton agressif avec lequel les clients se plaignaient de ce que «le(s) partenaire(s)» de la relation ne respectait/aient pas ce qui avait été fixé, a fait craindre aux travailleurs sociaux que l'exigence d'un cadre précis ne mette en danger la possibilité d'aider de tels clients. Il valait donc mieux souffrir pour pouvoir aider que de risquer de poser des exigences qui mettraient fin à la relation.

Cette façon de concevoir la pose d'un cadre d'intervention subit aujourd'hui quelques coups de butoirs importants. Certains «Point Rencontre» tels qu'évoqués ci-dessus, mais aussi les réflexions des personnes qui interviennent dans les cas de mauvais traitements[25], ainsi que celles qui travaillent avec des mandats judiciaires, amènent à ne plus opposer cadre clair, voire contrainte, et intervention sociale.

En termes d'intervention, face à des situations dans lesquelles les personnes non seulement ne respectent pas le cadre, mais se disputent sans cesse à son sujet, il nous paraît opportun de casser ce jeu de symétrie incessant en se posant comme tiers exigeant: la question n'est plus de savoir qui va tenter d'imposer un cadre à l'autre et qui va tenter de le transgresser. C'est le travailleur social qui pose les conditions de la collaboration de manière ferme et obligatoire et qui est responsable du maintien de l'alliance avec chacun des partenaires. Le cadre posé permettra alors peut-être d'aborder ce qui fait problème dans la situation. Il s'agit désormais de passer *du cadre-écran au cadre garant.*

Résumé

La notion de cadre se situe à deux niveaux:

- D'une part comme *concept*:

Définition: le cadre c'est l'espace à l'intérieur duquel se déroule la rencontre entre le travailleur social et le client. Cet espace est prédéterminé par le contexte institutionnel au service duquel travaille l'intervenant. Il implique un travail de mise en accord sur le sens de cette rencontre, ses objectifs et ses modalités. Ce travail de définition d'un contrat de collaboration sert de matrice relationnelle au déroulement de l'intervention et de sa coévolution. Les questions concrètes d'espace et de temps s'inscrivent dans ce contrat:

1. Poser un cadre repérable offre à chacun une *sécurité*: chacun sait dans quelle histoire il s'engage, à quoi il peut s'attendre, comment il sera respecté, soutenu, contrôlé, réprimé.
2. Poser un cadre définit une *marge de manœuvre* aussi bien pour le travailleur social que pour le client. Sans la création de cet espace, chacun risque de réagir dans l'urgence, la dépendance, l'activisme fébrile ou l'apathie paralysante.
3. Poser un cadre est une proposition de *définition de la relation*. C'est le travailleur social qui a la responsabilité de poser le cadre, qui devient ainsi un espace intermédiaire où peut se métacommuniquer la définition des rôles de chacun.

- D'autre part comme *repère* et *piste d'intervention*:

1. *Le cadre est nié*. Dans ces systèmes, l'impossibilité de clarifier un cadre est un signe de *la lutte souterraine pour le pouvoir*; il y a confusion constante dans ces situations entre le contenu et la relation. Tout, et en particulier la clarté du cadre, est exprimé en terme de contenu et le niveau relationnel est perpétuellement nié, incompris. Travailler la définition du cadre permet d'entrer dans une *coconstruction du cadre comme matrice privilégiée d'une redéfinition relationnelle*.
2. *Le cadre est central et contesté*, comme s'*il valait mieux être en conflit que de n'être plus en relation*. La mort du conflit, c'est la mort de la relation. Le non-respect du cadre, c'est alors le bois qui alimente le feu de la dispute: il est nécessaire à la survie de la relation.
   Il nous paraît opportun de casser ce jeu de symétrie incessant en se posant comme tiers exigeant. Le travailleur social peut alors *imposer un cadre comme exigence*. Cela permettra alors peut-être d'aborder ce qui fait problème dans la situation. Il s'agit désormais de passer *du cadre-écran au cadre garant*.

CONTEXTE

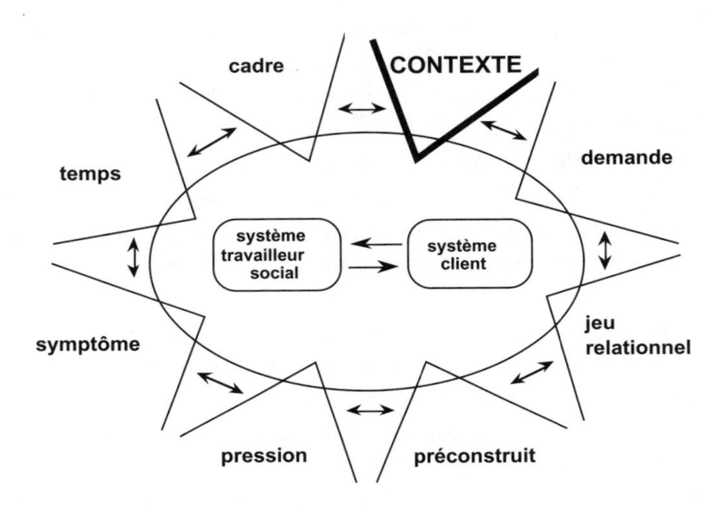

Cette notion de contexte est omniprésente dans les écrits qui traitent de systémique. Non seulement personne ne conteste sa pertinence, mais chacun l'aborde comme si elle était claire et univoque. Elle sert aussi bien:

- à justifier la présentation de l'institution dans laquelle la personne travaille: «pour comprendre ce qui suit, voici une brève description du contexte de travail dans lequel se déroule l'action.»;
- à évoquer le climat dans lequel se déroule la rencontre: «tout cela se déroule dans un contexte chaleureux»;
- à expliciter le sens de la rencontre: «il s'agit là d'un contexte judiciaire dans lequel je suis chargé d'un mandat par le juge des enfants»;
- ou encore à évoquer les frontières du système concerné: «quel est le contexte pertinent pour traiter de cette question, est-ce la famille d'origine ou la famille reconstituée?»;

- enfin elle peut évoquer la trame intergénérationnelle: «il faut ici prendre en compte le contexte de cette jeune fille dont les aïeux étaient considérés soit comme des fous soit comme des malhonnêtes».

Cette multiplicité de sens contribue à faire de cette notion un fourre-tout dans lequel chacun peut mettre ce qu'il veut tout en pensant que les autres vont le comprendre.

Nous tenterons d'abord d'éclaircir cette pluralité de sens pour aborder ensuite en quoi cette notion constitue à nos yeux un repère pertinent pour l'intervention en travail social.

Le concept

G. Bateson

Il est impossible d'attribuer la paternité de cette notion à une personne précise, puisque cette idée apparaît dans toutes les sciences et à chaque époque. Mais dans les écrits récents que nous avons repérés, nous devons tout particulièrement à Bateson de l'avoir éclaircie. Nous retiendrons trois aspects essentiels à la compréhension de ce qu'il faut entendre par «contexte».

- Le contexte donne sens

Tout d'abord, un événement n'est compréhensible que s'il est situé dans l'environnement dans lequel il se produit. Le même comportement situé dans des contextes différents prendra un sens parfois opposé: «puis-je savoir ce que tu as fait samedi soir dernier?» n'aura pas le même sens si c'est un juge qui s'adresse à un adolescent, une personne qui interroge son voisin du dessus, ou un homme politique qui rencontre son collègue après une réunion de parti...De plus, le même événement ne sera pas rapporté dans les mêmes termes selon le destinataire du récit: «annoncer que l'on a, en état d'ébriété, démoli la voiture contre une barrière» ne se dit pas de la même manière à son épouse, à ses copains de bistrot, ou au juge. Il est donc nécessaire, pour comprendre un événement ou un message, de le situer dans un contexte, un environnement qui lui donne sens. Bateson souligne que «dès leur plus jeune âge, on apprend aux enfants à définir une chose par ce qu'elle est censée être et non pas par ses relations avec les autres éléments»[26]. C'est donc à une conversion de la pensée qu'il invite: penser en terme de relation plutôt que d'état. Cette préoccupation amène à se demander: «en relation avec qui?», donc à construire le contexte pertinent pour la compréhension de l'événement. Watzlawick reprend cette idée lorsqu'il affirme qu'«un phénomène demeure incompréhensible tant que le champ d'observation n'est pas suffisamment large pour qu'y soit inclus le contexte dans lequel ledit phénomène se produit»[27]. Pour que la signification d'un phénomène soit compréhensible, Birdwhistell et Scheflen proposent de faire une «analyse de contexte» par opposition à une analyse de contenu.[28]

- Contexte d'émission et contexte de réception

Deuxièmement, Bateson souligne que la construction du contexte n'appartient pas à une personne seule. Si l'émetteur d'un message situe ce qu'il dit ou fait dans un contexte, le destinataire, lui, va le décoder en le situant dans le contexte qui lui paraît pertinent, sans qu'il soit forcément conforme à celui que sous-entendait l'émetteur. Ainsi, même «la lettre qu'on n'écrit pas, les excuses qu'on ne présente pas, la nourriture qu'on ne donne pas au chat: voilà des messages qui peuvent être suffisants et efficaces parce que zéro, en contexte, peut être significatif; et c'est le destinataire du message qui crée le contexte. Cette faculté de créer le contexte, c'est l'aptitude du destinataire: une fois acquise, elle forme à elle seule la moitié de la coévolution.»[29] C'est donc toujours à la lumière des expériences antérieures que l'émetteur d'un message aussi bien que son récepteur vont lui donner un sens et le classer dans leur construction du monde.

- Hiérarchisation des contextes

Enfin, il souligne qu'il y a une pluralité de contextes simultanément ainsi qu'une hiérarchisation de ces contextes: «..toute communication nécessite un contexte; sans contexte il n'y a pas de sens, et les contextes confèrent le sens parce qu'il y a une classification des contextes»[30]. Dans le même instant, un assistant social qui reçoit une jeune femme dans son bureau peut se trouver dans une relation d'aide, dans un mandat de contrôle, dans un jeu de séduction, dans des rapports de voisinage, dans une situation d'accompagnement de stagiaire qui assiste également à l'entretien, dans un climat de tension dans le cadre de son service ou sur le point d'être appelé pour l'accouchement de sa femme.. Il aura à opérer une hiérarchie de tous ces contextes pour en déterminer leur pertinence effective: lesquels devront être mis dans l'ombre, comment cette hiérarchisation pourra être comprise, reçue ou contestée par les autres partenaires de la rencontre. C'est la capacité à hiérarchiser les contextes qui permet la clarification de la situation.[31]

E. Morin: contexte et frontière

Morin quant à lui précise que parler de «contexte», c'est distinguer ce qui est dedans de ce qui est autour. Parler de contexte, c'est donc parler de frontière. D'ordinaire, celle-ci est considérée comme la limite extérieure qui marque ce qui est exclu, ce qui n'appartient pas au texte et dont il est pertinent de ne pas tenir compte. Morin propose de considérer que «le mot frontière révèle l'unité de la double identité qui est à la fois distinction et appartenance. La frontière est à la fois ouverture et fermeture. C'est à la frontière que s'effectuent la distinction et la liaison avec l'environnement. Toute frontière, y compris la membrane des êtres vivants, y compris la frontière des nations, est, en même temps que barrière, le lieu de la communication et de l'échange. Elle est le lieu de la dissociation et de l'association, de la séparation et de l'articulation. Elle est le filtre qui à la fois refoule et laisse passer.»[32] Cet aspect de la notion de contexte a été, à notre sens, peu pris en compte et les efforts de clarification ont porté, comme nous allons le voir, plus sur la compréhension du contexte délimité par les frontières que sur l'interrogation des frontières elles-mêmes. Cette distinction, à nos yeux, est particulièrement importante pour le travail social.

M. Selvini

A l'inverse de la position de Morin, les réflexions de l'équipe de Selvini illustrent la prise en compte des frontières comme membrane de délimitation plutôt que de liaison: la famille est posée comme contexte d'intervention. Les frontières sont données: pour comprendre un événement, il faut prendre en compte la famille nucléaire, voire la famille élargie sur trois générations.

C'est à partir de cette définition que Selvini va réfléchir sur la question de comment donner sens à ce qui se passe à l'intérieur de cette frontière: «Un contexte se constitue à l'intérieur d'une situation précise qui implique une finalité déterminée et une certaine distribution des rôles.»[33] Nous garderons trois points importants des apports de Selvini.

- Le contexte, clé de lecture d'une situation

Tout d'abord, elle souligne que si un contexte donne la clé de lecture d'une situation, c'est donc lui qui permet de savoir comment il convient de se comporter, d'être en relation: «La caractéristique de chaque contexte est de donner, implicitement ou explicitement, une règle (ou des règles) à la relation; par voie de conséquence, si le contexte change, les règles qui le caractérisent changent également.»[34]

C'est en ce sens qu'elle parlera alors d'un contexte de jugement, d'un contexte thérapeutique ou d'un contexte de consultation pédagogique.[35] C'est ce que nous affirmons également en disant que le passage du contexte de la thérapie à celui du travail social change les règles.

Il peut donc arriver que la compréhension du contexte dans lequel on se trouve ne soit pas interprétée de la même manière par les divers partenaires de la rencontre. C'est ce qui nous amène au deuxième point que nous gardons ici de Selvini.

- Les idées de*marqueurs* de contexte, de *confusion* de contexte et de *glissement* de contexte.

Ce que Selvini appelle *marqueurs de contexte*, ce sont les indices qui permettent de savoir dans quelle histoire nous sommes inscrits: le lieu dans lequel se passe la rencontre, la disposition du bureau, le vouvoiement, la pose du cadre, l'horaire, le fait de devoir prendre rendez-vous ou non.. pour un service social; la table partagée, l'âge, la succession des intervenants, le lieu des discussions... pour un internat éducatif; le rideau rouge, l'alignement des sièges, l'obscurcissement de la salle.. pour un théâtre. Tous ces signes, qui ne sont pas en eux-mêmes absolus ou univoques, aident chaque partenaire à comprendre dans quelle histoire il s'inscrit.[36] Lorsque les marques de contexte ne sont pas suffisamment compréhensibles ou qu'elles donnent des indications trompeuses, les règles de comportement deviennent du même coup inadéquates, non adaptées.

La *confusion de contexte*, c'est le fait de croire que l'on se situe dans un contexte de relation amicale, par exemple, ou de soutien, alors que l'on se trouve dans une autre définition, par exemple de contrôle ou d'enquête.

«Rester dans la confusion des contextes, équivaut à rester dans la confusion des significations.»[37]

Paul, 17 ans, est amené par deux gendarmes à l'institution d'où il a fugué. Surpris par eux, transféré chez le juge qui l'a interrogé, il est renvoyé, en attendant la suite de l'enquête, dans le foyer dans lequel il est placé. L'éducateur qui travaille ce soir là l'accueille et lui pose beaucoup de questions: «Alors, que s'est-il passé, où étais-tu, que faisais-tu, as-tu mangé, tes parents sont-ils au courant, et ton patron, qu'as-tu fait pour que les gendarmes t'attrapent?..» Plus il interroge, plus Paul s'enferme dans son mutisme. Il vient de passer deux heures au commissariat où on lui a posé les mêmes questions pour tenter de lui faire «cracher le morceau». L'éducateur qui veut montrer de l'intérêt, de la chaleur et du soutien passe pour un flic amateur. Quant au mutisme de Paul, parfaitement adapté à la lecture qu'il fait du contexte présent, il passe pour profondément inadéquat aux yeux de l'éducateur, qui le lira comme un comportement de blocage, de dépression ou de culpabilité.

Enfin, Selvini nomme *glissement de contexte* le fait de passer de manière clandestine d'une définition de contexte à une autre. L'exemple qu'elle en donne est celui des débats télévisés qui passent d'une confrontation d'idées pour que chacun puisse progresser dans sa réflexion à un affrontement où chacun tente de détruire les arguments de l'autre pour consolider sa propre position. On reconnaît aisément ce glissement dans quelques colloques d'équipes de travail social.

- La notion de métacontexte

Selvini propose, par rapport à ces risques de confusion ou de glissement de contexte, la notion de métacontexte, qui signifie «connaître et faire connaître explicitement le contexte»[38]. Il s'agit en fait d'une métacommunication sur le contexte qui permet l'ajustement des partenaires, afin que chacun soit engagé dans la même histoire.[39]

Ces réflexions amèneront progressivement Selvini et son équipe à travailler sur cette idée de définition de contexte, qui peu à peu se traduira en terme de *jeu*[40]. La métaphore du jeu l'emportera sur la préoccupation du contexte: puisque le contexte détermine quelles sont les règles du jeu, le passage se fera naturellement de l'un à l'autre. Non que le contexte se réduise au jeu relationnel, mais peu à peu Selvini se centrera sur la définition du «contexte» pour désigner l'espace thérapeutique et parlera du «jeu» pour ce qui se passe à l'intérieur des familles.[41]

Pour notre part, nous reprendrons cette idée lorsque nous parlerons du repère «jeu relationnel».

Y. Boszormenyi Nagy: la toile des interdépendances

Enfin, avant d'aborder les réflexions sur le travail social, nous devons évoquer la notion de contexte telle qu'elle est envisagée par la «thérapie contextuelle» proposée par Boszormenyi Nagy. La définition qu'il donne du *contexte* dans son glossaire est la suivante:

«Par contexte, on entend le fil organique, entre ceux qui donnent et ceux qui reçoivent, qui forme une toile de confiance et d'interdépendance. Le contexte humain embrasse les relations actuelles d'une personne autant que son passé et son avenir. Il est constitué de la totalité de tous les grands livres d'équité dans lesquels les mérites et les obligations de telle personne sont enregistrés. Son critère dynamique relève de la considération due et non de la réciprocité de donner et de recevoir.

«Du point de vue éthique et existentiel, ce contexte n'est pas simplement le tissu d'un environnement particulier: il est la matrice des motivations, des options et des droits. Il constitue une notion syncrétique plutôt que particulière. Dans le contexte, différentes fonctions fusionnent; il recèle une multitude d'aspects. Il appartient à la nature du contexte d'être orienté vers les conséquences.»[42]

Cette compréhension du concept de contexte en fait une notion englobante qui inclut l'ensemble des acteurs, dans le temps et dans les interactions. Le contexte serait alors un «métaconcept», incluant la perspective éthique chère à Boszormenyi Nagy. Si cette manière de voir propose une conception globale de l'intervention («thérapie contextuelle»), elle devient alors plus difficile à utiliser comme repère.

Travail social

Reste encore à aborder ce qu'il en est des réflexions autour du travail social.

Nous affirmions dans un écrit antérieur[43] que, d'un point de vue épistémologique, le travail social est un contexte particulier, traversé par plusieurs paradigmes, dont la systémique, et que le paradigme systémique traverse plusieurs contextes, dont celui du travail social. Il convient de rappeler cette multiplicité que l'on ne peut réduire: le travail social n'est pas univoque. Mais pour aller plus loin, que dire de cette notion de contexte en travail social?

- P. Lebbe-Berrier: Mythe du travailleur social

Lebbe-Berrier propose dans ses premiers écrits[44] un amalgame des notions de cadre et de contexte: «Etablir un contexte, c'est créer un espace intermédiaire». Elle reprendra cette idée plus tard[45] pour parler de la pose du cadre. Dans le même article, elle propose de repérer les mythes du travail social, que nous pourrions appeler les règles implicites et qui contiennent autant de fermeture que d'ouverture: elle parle alors des «mythes de neutralité, d'objectivité, de non-directivité, de non-implication; le mythe de l'«impuissance/toute-puissance», en lien étroit avec ceux de la «bonne relation» et de la «bonne solution»; le mythe de la compétence (obligatoire) et le mythe de la ressemblance». Ce repérage des mythes actifs chez les travailleurs sociaux donne un éclairage tout à fait intéressant des règles qu'ils mettent en œuvre et que les clients exploitent intuitivement! Non pas que les mythes soient en eux-mêmes des règles, mais leur mise en œuvre se traduit par un certain nombre de règles, d'attitudes, de comportements que Lebbe-Berrier illustre bien. Elle contribue ainsi à repérer en quoi le travail social constitue un contexte particulier, mettant en scène ses propres règles. Pourtant, dans cette élaboration du contexte, elle se centre sur le travailleur social plus que sur la rencontre.

- A. Chemin: mandat et commande

C'est Chemin qui fera à nos yeux un pas de plus en recadrant cette notion de contexte dans la rencontre entre le travailleur social et le client: «Les modèles de thérapie familiale avaient été développés en fonction de contextes et de problématiques particulières, nous avons donc dû, nous aussi, inventer une méthodologie spécifique à l'intervention systémique en fonction de notre contexte de mandat et des problématiques des familles suivies. Après avoir travaillé quelques années sur les problèmes de la famille, nous avons compris petit à petit que notre première intervention n'était pas sur le fonctionnement de la famille mais sur la fonction du mandat, de la «commande», sur le modèle relationnel.»[46]

Ainsi donc, pour Chemin, ce qui caractérise le travail social, c'est le mandat, la commande. Certes, il faut souligner qu'il travaille dans une équipe de milieu ouvert qui reçoit beaucoup de mandats judiciaires. Mais il nous paraît légitime de situer la plupart des actions de travail social sous cet aspect: pour qu'il y ait intervention d'un travailleur social, il y a en général un mandat ou une commande. Le *mandat* revêt un caractère judiciaire formel; il est prononcé par une instance judiciaire ou administrative et a valeur d'obligation. La *commande* est un mandat formalisé autrement: elle prend souvent la forme d'un conseil; suggestion, recommandation ou envoi par un autre professionnel. Nous incluons également dans cette notion les placements en institution, qui, s'ils ne résultent pas forcément d'un mandat judiciaire, sont tout de même décidés par un service placeur avec une commande implicite et/ou explicite. Dès le moment où il y a intervention financière, l'acte de travail social implique une instance administrative et s'inscrit dans un mandat dont il devra rendre compte.

De surcroît, le quadrillage social étant suffisamment dense, il est de plus en plus fréquent qu'une même situation implique plusieurs travailleurs sociaux, dans le présent et dans le passé. Cela amène Chemin à dresser «une carte de contexte» qui inclut chronologiquement l'ensemble des intervenants passés et présents et leur mode de relation avec la famille et chacun de ses membres et avec les autres intervenants. Cette carte du terrain nous permet de faire des hypothèses sur la fonction de la commande, la place où nous risquons d'être programmés.[47]

- J.-P. Mugnier: signalement

Cette même prise en compte du contexte est également soulignée par Mugnier, qui, également dans un service d'AEMO, réfléchit aux situations de signalement et constate que «la fonction du signalement l'emporte sur le contenu». De là, il redéfinit le contexte du travailleur social comme une «approche centrée sur la fonction du signalement et qui permettrait une redéfinition des relations entre le groupe familial et son environnement»[48].

Le travail social est ainsi à nouveau replacé dans son insertion institutionnelle, comme partie intégrante de la machine sociale qui à la fois brise les personnes et les soutient. Signalement, mandat, prestations d'assistance, placement, démarches de recherche d'emploi, de logement, de fonds, soutien éducatif, soutien par rapport à des difficultés scolaires, familiales, conjugales, préparation de sortie d'établissement psychiatrique, tout cela repose sur une «commande» et fonde l'action du travailleur social. C'est là à nos yeux la principale caractéristique de ce contexte de travail social.

Idées-clés

En ce qui concerne le travail social, voici ce que nous proposons de garder prioritairement pour cette notion de contexte:

Définition: nous nommons contexte l'ensemble des circonstances et des relations qui accompagnent un événement (texte). Le contexte est ce qui donne sens au texte, qui indique comment il convient de se comporter et de donner un sens à ce qui se passe.

Contexte et événement sont distingués et reliés par une frontière.

Texte et contexte sont dans des rapports souvent ambigus et la frontière entre eux est une construction provisoire. De même que celle entre le travailleur social qui intervient et le client, ainsi que celles qui les relient et les distinguent de leurs systèmes d'appartenance respectifs.

De plus, nous pouvons ajouter:

1. L'attention au contexte a permis de dés-isoler l'individu, de le situer en relation avec un entourage, de l'inscrire dans une histoire relationnelle plutôt que de le figer dans une problématique. Cette appartenance à une histoire concerne aussi bien le client que le travailleur social, qui lui aussi n'est pas isolé et appartient à une histoire personnelle et institutionnelle. Leur rencontre n'est donc pas tellement celle de deux personnes que de deux contextes.
2. Ce champ élargi donne sens notamment à la commande ou au mandat qui parvient au travailleur social.
3. Il permet également de cadrer la difficulté apportée et de la considérer comme adaptée au contexte relationnel dans lequel elle survient, ainsi que de comprendre la commande sociale comme étape d'un jeu qui a commencé bien avant l'intervention du travailleur social.
4. La définition de la commande permet de redéfinir le contexte et d'éviter ainsi glissement ou confusion de contexte. Il est utile de veiller à ce que des marqueurs de contexte facilitent la compréhension de cette redéfinition.
5. Enfin, nous conservons une attention particulière à la manière avec laquelle sont posées les frontières de la situation, à ce qu'elles établissent comme ouverture et fermeture à l'environnement, ainsi qu'à la fonction de l'établissement de ces frontières. Il va de soi que lorsque nous évoquons ces frontières, ce sont aussi bien celles du système client que celles du système intervenant, et bien entendu celles de la rencontre entre ces deux systèmes.[49]

Repère

Il nous faut encore examiner en quoi cette notion de contexte est pertinente comme repère pour l'établissement d'une hypothèse et la construction d'une piste d'intervention.

Les frontières ne sont pas claires: confusion de contexte

Caroline, 7 ans, est placée d'urgence dans un foyer suite à la demande de la famille d'accueil dans laquelle elle avait été placée à la journée: son comportement était trop perturbé et la famille était épuisée. Le foyer doit alors étudier la situation pour faire des propositions pour l'avenir de Caroline. L'investigation de la situation s'avère difficile car les informations sont embrouillées: la mère a eu Caroline d'une seconde union. De la première union elle avait eu deux filles, Marthe et Suzanne, qui ont été placées dans un foyer. Elle vit actuellement avec un nouvel ami, qui n'est pas le père de Caroline. Marthe, sa fille aînée, est devenue la concubine du père de Caroline. La tension entre Marthe et sa mère est grande et Marthe a pour projet d'adopter sa demi-sœur. A chaque rencontre, aussi bien la mère que Marthe prennent l'éducateur à partie pour obtenir son appui dans cette histoire. L'assistant social du service placeur est lui aussi objet de triangulation de même que l'institution dans laquelle Marthe a été placée.

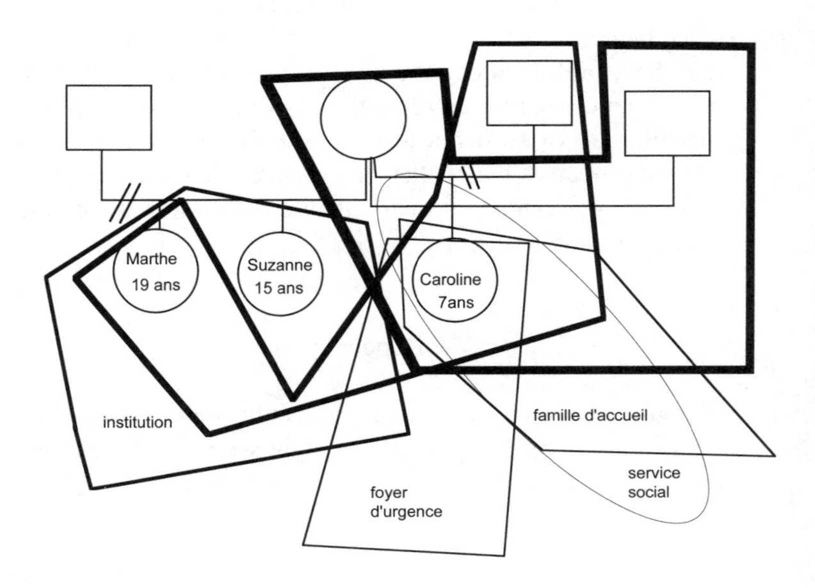

Cette histoire permet d'illustrer la difficulté de clarifier où sont les frontières pertinentes pour élaborer une compréhension de cette situation; non-clarté du système familial concerné: faut-il inclure le premier mari et/ou le troisième? Quel est le système d'appartenance de Caroline? Y a-t-il confusion dans les frontières intergénérationnelles? Quel est le système intervenant: le service social, le foyer, la famille d'accueil? Faut-il inclure dans la réflexion le foyer dans lequel Marthe avait été placée? Faut-il prendre en compte Suzanne, qui ne se mêle pas de cette histoire et reste bien sagement dans le foyer où elle réside encore? De toute évidence, la pose des frontières est complexe. Le dessin ci-dessus montre bien l'imbrication des différentes frontières. Suivant le choix que va faire l'intervenant, il posera un problème de nature différente: problème de couple, de couples, de frontières intergénérationnelles, d'inceste, de comportement perturbé, de famille d'accueil débordée, d'assistant social envahi, de réseau d'intervenants non coordonné...

Faire une hypothèse en terme de contexte part en général de cette difficulté à établir de manière compréhensible les frontières du ou des systèmes concernés. Si les frontières ne sont pas claires, il est difficile de comprendre quel est le contexte qui donne sens à l'événement.

Il est alors utile de prendre le temps de dessiner une carte de contexte telle que la propose Chemin, afin de rendre visibles les divers acteurs concernés. Sluzki propose également une cartographie qui aide à différencier les divers types de liens entre les personnes impliquées.[50]

Ne pas être clair sur les frontières du système envisagé non seulement entretient le flou, mais empêche la construction d'un sens cohérent et obstrue la possibilité de réfléchir à ce double aspect que nous avons souligné à la suite de Morin: la frontière qui distingue et qui relie.

Les hypothèses liées à cette non-clarté des frontières, à cette confusion, soit dans les frontières externes du système (où sont les limites du système concerné du côté du système client comme de celui du système des intervenants?), soit dans des frontières internes (non-clarté entre les générations, non-clarté sur les niveaux hiérarchiques et la responsabilité des divers acteurs intervenants) vont aller dans deux directions: la *protection* ou (et/ou) la tentative de *changement*.

Premièrement, l'une des fonctions de cette confusion (de frontières et donc de contexte) pourra être de *protéger*, pour l'intervenant aussi bien que pour le client, un membre du système qui, sans cette confusion, apparaîtrait comme faible, inadéquat, fautif. Introduire de la confusion brouille les cartes et présente de grandes chances de décourager toute investigation plus précise. Il sera utile alors de prendre le temps de dessiner la carte de contexte, de chercher à construire avec le système concerné (clients et intervenants) les frontières pertinentes du système en fonction du problème présenté, ce faisant de reconstruire le problème ensemble. Examiner ce qui se passerait si l'on traçait les frontières autrement permet de révéler qui a, aux yeux des divers acteurs concernés, besoin d'être protégé. Ce travail de reconstruction de frontières peut être long et aide, au travers d'un outil simple (la réalisation d'une carte), à opérer une redéfinition du contexte qui facilite ensuite la pose d'un cadre de travail.

Une autre fonction de cette confusion pourra être vue comme un essai de *modifier une frontière* inamovible, ou en tout cas insatisfaisante, ou au contraire d'empêcher qu'elle ne bouge; ce sera souvent le cas dans des situations de familles recomposées, lorsque par exemple un enfant s'évertue à réunir ses parents et tente d'empêcher l'arrivée d'un(e) nouvel(le) ami(e) auprès d'un de ses parents. Là aussi la construction d'une carte de contexte permettra de redéfinir le contexte, et ainsi le problème.

Enfin, cette confusion peut être souvent signe de la tentative de *modifier l'action des intervenants précédents,* en particulier face à des familles multiassistées[51]. S'adresser à de nouveaux travailleurs sociaux permet de perpétuer un jeu qui sans cette manœuvre aurait probablement été contraint d'évoluer.

La *piste* que nous suggérons alors, c'est de prendre le temps de mettre en lumière cet imbroglio des frontières: dessiner une carte, faire une sculpture, représenter les diverses personnes impliquées avec des figurines aide chacun à construire une définition commune, concrète et visuelle de la situation.

L'avantage d'une représentation concrète est de faire apparaître aussi bien le système client que le ou les système(s) intervenant(s).

Le travail d'exploration des frontières pertinentes révèle ainsi progressivement le problème en cause, les enjeux multiples et contradictoires dans les divers contextes, et les tensions entre les contextes différents: ce qui dans un contexte est adéquat peut ne pas l'être dans un autre; ce qui est considéré comme bon ou juste peut nuire dans un autre.

Si le contexte est ce qui donne sens (ce qui indique les règles de comportement et d'interprétation des événements), faire apparaître la multiplicité des contextes fait également émerger la pluralité des sens. C'est donc un travail d'ouverture des possibles, d'anticipation des effets probables, de choix des priorités en fonction des enjeux en présence.

Les frontières sont claires et pourtant il y a confusion de contexte

Les travailleurs sociaux sont souvent confrontés à des situations dans lesquelles les frontières internes et externes du système sont claires. Pourtant il est pertinent de construire le problème signalé, la «commande», en termes de contexte.

L'illustration la plus simple en est la situation des familles de réfugiés qui mettent en scène des modes de vie incompatibles avec les usages du pays qui les accueille, ou qui attendent des autres des réactions conformes à leur culture mais inconnues ici:

Cette femme battue sauvagement par son mari, qui affirmait qu'elle ne pourrait pas respecter son époux s'il ne l'avait pas fait, car cela aurait été la démonstration qu'il n'était pas vraiment un homme.

Cette petite fille de 6 ans qui tous les après-midi à l'école faisait une sieste en classe. Après recherches, on découvrit qu'elle était seule à midi et que ses parents lui laissaient sur la table ce qui constituait un repas normal: pain, fromage, viande froide et vin rouge. Habituellement, les parents pouvaient couper son vin avec de l'eau et surveiller sa consommation. Seule, la fillette buvait un grand verre à sirop de vin, et l'après-midi... elle cuvait.

Cette jeune fille n'accepte pas de se laisser examiner les cheveux par l'infirmière scolaire qui vérifie s'il y a des poux. Refusant de se laisser observer, elle éveille des soupçons. Il s'avérera que le problème est qu'elle ne peut défaire ses cheveux en présence d'un homme, en l'occurrence l'enseignant.

Ce jeune homme en foyer éducatif se montre extrêmement vulgaire avec les filles, leur témoignant ce qui est compris comme mépris, méchanceté, voire violence. Réprimandé par les éducateurs, qui lui demandent de se comporter comme un grand, il alterne entre dépression et violence jusqu'à ce que puisse être éclairci le sens de son attitude: les garçons de son pays, les grands, agissaient de cette manière et c'était cela, pour lui, la signification «se comporter comme un grand».

Nous pourrions multiplier les exemples de ce type. Nous pouvons également élargir ces situations à toutes celles où les comportements présentés ne correspondent pas à ceux généralement admis, révélant ainsi une sous-culture non reconnue. C'est souvent le cas de familles très défavorisées qui doivent traiter avec un travailleur social qui a d'autres normes de comportements, proches par exemple de celles des voisins qui ont dénoncé la situation...

Ces situations sont donc des histoires de contexte: non que les frontières ne soient pas claires, mais il y a conflit entre le contexte de référence pour le système client et le système social dans lequel ils vivent. Ils se sont trompés d'histoire, ou plutôt ils ne racontent pas la bonne histoire au bon endroit.

La *piste* d'intervention que nous proposons tend alors à aider à différencier les deux contextes en reconnaissant la pertinence des comportements (jugés inadéquats ici) dans leur contexte d'origine. Au lieu de se sentir perpétuellement en décalage[52] entre sa culture (ou sa sous-culture) et les comportements dits socialement adéquats, il y a un espace à créer pour identifier ce qui est attendu dans l'une et dans l'autre culture. Pour passer du «cul entre deux chaises» au «être bien assis entre deux chaises»[53], il faut commencer par distinguer les deux cultures en question: différencier sans séparer. Il ne s'agit pas de juger de l'une ou de l'autre mais de les faire exister toutes deux dans leurs particularités. C'est sur cette base que des choix deviennent possibles, en dehors de la condamnation d'un système de pensée ou d'un autre.

Là aussi, la mise en scène spatiale, visuelle, est aidante: faire exister deux lieux dans la rencontre: deux chaises, deux angles de vue, deux locaux, deux côtés de bureau; cela aide et l'intervenant et le client à reconnaître les différences. Ce n'est qu'au travers de cette reconnaissance qu'il pourra y avoir écoute d'autres normes.

Face aux risques de minimisation ou de déni («Il n'y a pas de problème, ils n'ont qu'à m'accepter comme je suis, c'est vous qui êtes spéciaux, vous n'avez qu'à ne pas vous en mêler.»), il sera aidant d'utiliser le mandat ou la commande comme pression[54].

Glissement ou désaccord sur la définition du contexte

Enfin, nous évoquons les situations dans lesquelles le client et le travailleur social ne sont pas engagés dans la même histoire: l'un se croit chez le juge quand l'autre pense soutenir, l'un se croit à un guichet de fonctionnaire quand l'autre pense être dans un confessionnal, l'un s'adresse à un adulte alors que l'autre se croit un enfant, l'un règle ses comptes comme avec son père alors que l'autre est convaincu d'être dans une relation amicale...ou encore, tous deux étaient bien d'accord pour construire une relation d'aide, mais très vite elle a tourné au pugilat, on a commencé par un travail éducatif pour se retrouver dans une relation de contrôle.

Ces situations, qui concernent l'évolution de la relation du travailleur social avec le client, sont des illustrations soit de confusion, soit de glissement de contexte. En ce qui concerne les désaccords sur la définition du contexte d'aide, c'est le travail sur la commande ou le mandat qui permet de redéfinir ensemble le sens de l'intervention du travailleur social. Nous abordons cette question dans la section sur la pression.

Face aux glissements de contexte, si fréquents dans les situations de travail social, c'est l'attention à métacommuniquer sur la définition du contexte d'intervention qui permet de ne pas s'enfermer dans le glissement. Métacommuniquer, outre le fait que cela aide les partenaires de la rencontre à redéfinir le sens de ce qu'ils font ensemble, augmente la confiance dans la collaboration et fait expérimenter à chacun la possibilité de faire évoluer une situation inconfortable, en passe de se rigidifier.

Résumé

La notion de contexte se situe à deux niveaux:

- D'une part comme *concept*:

Définition: nous nommons contexte l'ensemble des circonstances et des relations qui accompagnent un événement (texte). Le contexte est ce qui donne sens au texte, qui indique comment il convient de se comporter et de donner un sens à ce qui se passe.

Contexte et événement sont distingués et reliés par une frontière.

Texte et contexte sont dans des rapports souvent ambigus et la frontière entre eux est une construction provisoire. De même que celle entre le travailleur social qui intervient et le client, ainsi que celles qui les relient et les distinguent de leurs systèmes d'appartenance respectifs.

Prendre en compte le contexte:
- relie des personnes et les dés-isole en les incluant dans un réseau de relations et de significations,
- donne sens à la commande ou au mandat qui est confié au travailleur social,
- situe la commande dans une histoire, tant pour le client que pour le travailleur social;
- la frontière, c'est ce qui distingue l'événement, la personne ou le système de son environnement. Elle est non seulement ce qui différencie de l'environnement, mais aussi ce qui relie à lui.

- D'autre part comme *repère* et comme *piste d'intervention*:

1. *Les frontières ne sont pas claires* et provoquent une confusion des contextes, ce qui permet de protéger quelqu'un, de modifier ou d'empêcher la modification d'une frontière ou d'annuler l'action des intervenants précédents. Prendre le temps de *mettre en lumière cet imbroglio des frontières* aide chacun à construire une définition commune, concrète et visuelle de la situation et fait apparaître progressivement le problème en cause, les enjeux multiples et contradictoires dans les divers contextes, et les tensions entre les contextes différents. Faire apparaître la multiplicité des contextes fait également émerger la pluralité des sens. C'est donc un travail d'ouverture des possibles, d'anticipation des effets probables, de choix des priorités en fonction des enjeux en présence.
2. *Les frontières sont claires*, mais il y a confusion de contextes: l'illustration la plus claire est celle des situations biculturelles. Commencer alors par distinguer les deux cultures en présence, *différencier sans séparer*. Il ne s'agit pas de juger l'une ou l'autre, mais de les faire exister toutes deux dans leurs particularités. C'est sur cette base que des choix deviennent possibles, en dehors de la condamnation d'un système de pensée ou d'un autre.
3. Il y a *désaccord sur la définition du contexte ou glissement du contexte* d'intervention; c'est l'attention à *métacommuniquer*

sur la définition du contexte d'intervention qui permet de ne pas s'enfermer dans ce glissement. Métacommuniquer, outre le fait que cela aide les partenaires de la rencontre à redéfinir le sens de ce qu'ils font ensemble, augmente la confiance dans la collaboration et fait expérimenter à chacun la possibilité de faire évoluer une situation inconfortable, en passe de se rigidifier.

DEMANDE

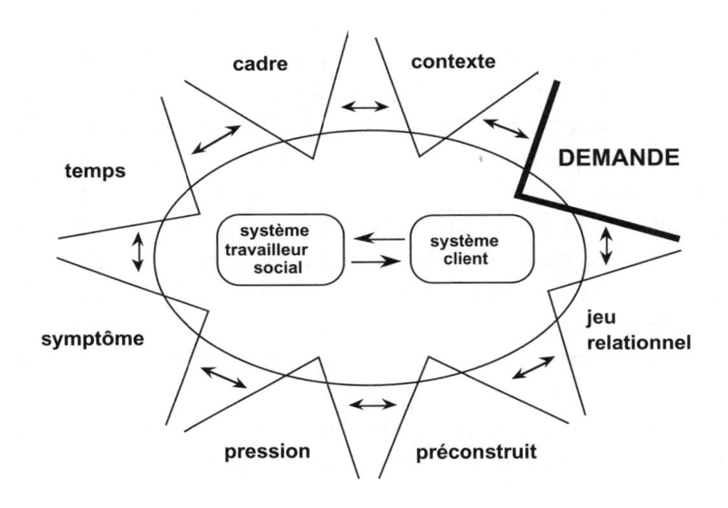

Le concept

- Un pilier indispensable?

Le concept de demande est familier au travail social aussi bien qu'au monde de la thérapie. La psychanalyse se construit essentiellement à partir d'une demande. Sans elle, le moteur du travail d'introspection se perd.

Dans le domaine de la formation des travailleurs sociaux, on retrouve les mêmes convictions, par exemple au sujet de la supervision: on ne peut vraiment se livrer à un travail de réflexion et de transformation que lorsqu'il y a demande, désir de prendre du recul, désir de changement. Certes la demande est parfois peu claire; elle devrait être travaillée, épurée, éclaircie, étoffée; cependant tout le travail se construit à partir de cette prémisse: clarifier la demande. Ce dogme importé de la psychiatrie est pourtant soumis à rude épreuve pour les travailleurs sociaux, qui doivent intervenir sur mandat, pour enquête, par décision judiciaire, sur dénonciation, ou par mesure de protection d'une personne en danger.

Pourtant, comme le soulignent Cirillo et Di Blasio, il n'est pas si évident de discuter de «la thèse selon laquelle l'absence de demande d'aide indique toujours et de toute façon l'absence de toute motivation au changement»[55]. En particulier, comme le soulignent ces auteurs, la population à laquelle les travailleurs sociaux sont le plus confrontés, ne connaît pas l'entretien psychologique comme ressource et n'est pas habituée au fait que l'on puisse résoudre une difficulté par la communication verbale. Les solutions passent par des actes, par des démarches, par des subsides. Le reste est facilement considéré comme du verbiage, d'autant plus qu'ils connaissent bien l'intrication constante des contextes judiciaires, administratifs et médicaux. Parler peut être dangereux, exprimer une difficulté, c'est se condamner ou en tout cas donner des bâtons pour se faire battre.

- Sémantique

Pourtant cette notion de demande paraît peu ambiguë en elle-même, assez directement compréhensible. Demander, c'est «faire savoir ce qu'on souhaite obtenir de quelqu'un, solliciter une réponse à une question»[56]. Cependant, à la réflexion, le sens de ce mot n'est pas aussi clair qu'il y paraît et les questions que nous avons à nous poser sont liées à deux aspects:

D'une part, les synonymes introduisent toutes sortes de nuances: exiger, implorer, mendier, prier, quémander, quêter, désirer, souhaiter, solliciter, revendiquer, requérir, réclamer, prescrire, exiger, enjoindre, sommer, commander, mais aussi interroger, questionner, s'informer.. Ces distinctions mettent l'accent d'abord sur la proposition de relation qui est faite au travers de la demande et ensuite sur deux grandes orientations autour de ce terme: poser une question ou solliciter de l'aide, qui nous amèneront à rappeler la distinction entre difficulté et problème.

D'autre part, c'est dans le lien entre cette notion de demande et d'autres notions que vont surgir plusieurs questions. Nous en garderons trois:

- Premièrement, la «demande» est-elle une condition du travail d'aide? Que penser des situations que l'on appelle d'«aide contrainte», celles dans lesquelles il n'y a pas de demande, ou demande d'un tiers, ou demande du service employeur du travailleur social? La non-demande est-elle une demande cachée ou y a-t-il des situations d'intervention dans lesquelles il y a un travail possible sans demande? Belpaire[57], par exemple, propose de distinguer la *demande*, c'est-à-dire ce qui provient du client lui-même, la *commande*, soit une demande qui vient d'un tiers (un voisin, un membre de la famille, etc.) et le *mandat*, c'est-à-dire un ordre donné par une instance habilitée à contraindre le travailleur social à intervenir (un juge, une instance administrative, un autre service social, une mission de l'institution). Et que dire des situations dans lesquelles les membres d'un même système (famille, institution, etc.) n'ont pas la même demande, la même commande, le même mandat? Est-il donc correct d'opposer demande à non-demande?
- Deuxièmement, faut-il distinguer *demande* et *plainte*? Une personne qui se plaint demande-t-elle forcément quelque chose? Toute demande est-elle une plainte et toute plainte est-elle une demande? La demande est-elle liée à un problème, ou la demande est-elle le problème, ou le problème est-il d'une autre nature que la demande? Comment donc faut-il relier ces deux notions de demande/plainte et de problème?
- Troisièmement, s'il y a demande, est-ce le signe qu'il y a crise ou menace de crise? Peut-il y avoir demande sans crise - qu'est-ce que la crise? Dire qu'il y a demande, est-ce dire qu'il y a attente ou espoir d'un changement? Faut-il lier demande et changement, crise et changement? Et alors, de quel changement parlons-nous?

Nous devons clarifier ces liens entre des notions qui sont peut-être voisines, interdépendantes et concurrentes dans le sens où l'utilise Morin, c'est-à-dire qui courent ensemble. Nous procéderons par conséquent à une visite de divers concepts qui gravitent autour de cette notion de demande, repérant quelques apports de la littérature systémique; ensuite nous reprendrons ces questions pour dégager notre position, et enfin nous dégagerons en quoi cette notion de demande est pertinente comme repère pour l'établissement d'une hypothèse et pour la construction de l'intervention du travailleur social.

L'offre et la demande

L'idée de mettre en relation offre et demande est peu coutumière aux travailleurs sociaux: c'est là un langage commercial et le travail social ne s'inscrit pas dans cette logique. A la rigueur, cette préoccupation est judicieuse de la part des décideurs, des politiques qui doivent inscrire le travail social dans une justification de dépenses bien placées, elle peut se concevoir dans une optique de prévention, mais que diable en faire face à la maltraitance, à la souffrance, à la précarité? L'offre, c'est ce qui attire les clients dans la précarisation: les produits qui font envie, les petits crédits accessibles, la violence comme produit de distraction offert par la télévision, bref, les travailleurs sociaux sont les réparateurs de l'offre absurde de la société commercialisée…

Pourtant plusieurs auteurs ont décodé la demande qui est faite aux soignants comme liée à l'offre que font ceux-ci: «La demande est fréquemment construite en fonction du service auquel elle s'adresse, c'est-à-dire qu'elle se calque sur le type de prestations traditionnellement offertes par ce service.» [58] De même, Colas définira le champ de la démence sénile comme une interaction entre les besoins du système des patients, qui suscitent une réponse médicale hospitalière, et l'offre hospitalière, qui suscite l'apparition d'une lecture des troubles dans les termes de la réponse proposée: «La population vieillissante, la Société qui en organise l'existence et les Institutions qui assument les fonctions nécessaires à sa vie peuvent être vues dans une interdépendance régulée.»[59] Schweizer souligne également que deux logiques s'affrontent: celle de la nécessité et celle du besoin, chacune véhiculant sa propre cohérence et ses propres pièges.[60]

Ces mêmes réflexions peuvent être faites pour le travail social: lorsqu'un besoin nouveau est formulé et aboutit à la création d'une structure de prise en charge (pour femmes battues, toxicomanes, enfants maltraités, etc.) l'existence même de cette structure fait apparaître des «clients». Puis, lorsque des places deviennent disponibles, la structure assouplit ses critères d'admission pour remplir ses places.. Le besoin crée la structure et la structure crée le besoin.

Ainsi, la demande n'est pas une donnée en soi. Elle est liée à ce qui est annoncé comme offre d'aide. Répondre sans autre à la demande, c'est faire comme si un service était là pour répondre à un besoin et que ces deux aspects (offre et demande) étaient indépendants des personnes concernées et de leur histoire.

Au moment de la rencontre, le client se présente avec une demande, ou plus précisément avec des attentes qui lui paraissent légitimes en fonction de ses préconstruits[61] sur le lieu auquel il s'adresse. Cependant «demande et réponse ne sont pas données a priori mais se définissent comme résultat d'une interaction réciproque»[62].

Parler de la demande ne peut donc être dissocié de parler de la réponse présumée. La demande est liée aux «préconstruits» sur l'offre.

Un mythe répandu chez les travailleurs sociaux serait que le client présente une demande explicite qui en cache souvent une autre, implicite. Le client présenterait ainsi une première demande, mais en fait en aurait une autre, cachée, que le travailleur social devrait découvrir; ou alors il en aurait une autre, mais dont il ne serait même pas conscient et qu'il pourrait découvrir grâce à l'écoute et aux techniques d'entretien de l'intervenant. Le travailleur social se lance par conséquent dans une tâche de découvreur, d'explorateur des cachotteries ou de l'inconscient, de l'informulé du client. Cette position qui fait du travailleur social quelqu'un d'extérieur à la demande est bien discutable. Si le client se présente au travailleur social avec une préconstruction de ce qu'il est convenable de demander, le travailleur social de son côté aborde lui aussi cette rencontre avec ses propres préconstruits sur ce qu'un client est en mesure de lui demander. La demande alors n'est pas un point de départ, mais le résultat d'une rencontre, d'une coconstruction entre ce que le client présente comme demande et ce que le travailleur social construit avec lui comme problème.

Ainsi donc, si la demande présentée est «d'abord une question posée à l'intervenant»[63], c'est-à-dire: «Partagez-vous ma définition de ce qui me pose problème?», l'intervenant répond: «Partagez-vous ma définition de ce que je suis en mesure de vous offrir?» C'est de cette confrontation que peut naître ce que Mugnier appelle la création d'un espace cognitif commun[64], c'est-à-dire d'un lieu intermédiaire où se négocie quelque chose de nouveau, d'original, d'imprévu, fruit de la rencontre entre ces deux positions.

La demande est une construction et non un donné, non pas un point de départ du travail commun mais l'étape importante d'un chemin commun sur lequel travailleur social et client sont engagés depuis le début de leur rencontre.

Le langage de la demande

La personne qui rencontre un travailleur social va lui présenter une demande. Tout comme l'ensemble de ce qui va se passer entre ces protagonistes, cette demande est formulée d'une certaine manière, dans un certain langage. Or, pour se comprendre, il vaut mieux parler la même langue. Si, de plus en plus, les travailleurs sociaux sont confrontés à d'autres cultures, si de plus en plus il leur arrive de devoir mener des entretiens aidés par un interprète, ce qui ne va pas sans difficultés, ce n'est pourtant pas tellement de ce langage là que nous voulons parler ici. Certes, la culture et la langue sont le véhicule d'une construction du réel. Ne pas respecter les formes en usage dans une culture peut amener à commettre des actes incompréhensibles, voire contraires à leur intention.[65]

C'est bien plutôt des questions culturelles à l'intérieur de la même langue, de la même nationalité que nous voulons parler. Chaque famille, chaque personne a son style, sa manière de s'exprimer, de se positionner dans l'existence. C'est ce que soulignent Fisch et ses collaborateurs[66] en parlant de la «position du patient», c'est-à-dire de «la notion de valeur à laquelle le client est attaché et dont il fait état, exactement comme une personnalité peut faire connaître publiquement ses «prises de position.»

Il s'agit donc d'évaluer la position du client, de repérer s'il est pressé de changer ou non, s'il est optimiste ou défaitiste quant à la possibilité d'obtenir un changement, s'il pense devoir prendre part au changement ou attendre tranquillement que l'intervenant fasse son travail, s'il est plutôt motivé par un défi, effrayé à l'idée de se mettre en avant ou s'il pense qu'il va devoir souffrir, si c'est lui qui est la personne qui doit changer ou s'il vient demander pour quelqu'un d'autre.. C'est sur cette base que l'intervenant va se servir de la position du client pour l'amener à un changement en évitant ses résistances et en accroissant sa coopération.

Ces propositions de l'équipe de Palo Alto, malgré leur aspect provocateur, en particulier en ce qui concerne le rôle du thérapeute, grand ordonnateur et seul responsable du changement des clients, restent intéressantes. Ces auteurs nous rendent attentifs au fait qu'il est essentiel de parler la même langue que les clients pour se faire comprendre et que la construction de la demande va devoir s'appuyer sur cette construction du monde.

Alors que nous prônons une coconstruction de la demande, ces auteurs se demandent «comment on peut, en se servant au mieux de la technique de la persuasion, parvenir à «utiliser» la position du patient de manière à l'amener plus facilement à coopérer et aider ainsi la résolution du problème»[67]. Néanmoins, l'attention qu'ils portent au langage des clients est tout à fait pertinente à nos yeux.

C'est une même préoccupation qui amène Ausloos à parler des langages familiaux[68]: chaque famille non seulement développe son propre style de comportement les uns à l'égard des autres, mais trouve une manière de s'exprimer qui lui correspond. Ainsi il propose de distinguer six langages différents, qu'il nomme «langage du paradoxe, du secret, de la méfiance, du sacrifice, du corps, de l'agir». Chacun d'eux est porteur d'un type de rapport, d'un type de symptôme, d'une proposition de relation avec les intervenants.

On peut regretter qu'Ausloos n'ait pas proposé quelques langages qui pourraient apparaître comme «non pathogènes», comme le langage de la confiance, du respect, de la congruence... mais son intention est de repérer ce qu'il rencontre dans sa pratique thérapeutique. Sans doute y a-t-il quelques langages qui ne conduisent pas chez les thérapeutes!

La demande est donc aussi l'expression d'un langage et, en suivant Ausloos, le même contenu prendra des allures bien diverses selon qu'il sera formulé:

- dans le langage du paradoxe: «J'ai toujours été assisté; pouvez-vous me donner de l'argent pour que j'apprenne à devenir autonome?»;
- dans le langage du secret: «Si vous êtes compétent, vous savez la vraie raison pour laquelle je viens vous voir et il vaut mieux que je ne vous la dise pas.»;
- dans le langage de la méfiance: «Que pouvez-vous m'offrir pour que je sache si je suis en mesure de vous faire une demande?»;
- dans le langage du sacrifice: «Je suis prêt à faire tout ce que vous voudrez pour que vous puissiez m'aider et je sais déjà que ce sera très dur, mais je suis capable de me priver»;
- dans le langage du corps: «J'ai des maux de tête terribles et le médecin m'a dit de venir vous voir pour trouver une solution financière qui me convienne»;
- dans le langage de l'agir: «Je vous ai apporté des factures et l'épicier va vous téléphoner cet après-midi pour mon cas»...

Le travailleur social a ainsi un travail de déchiffrage, de décodage à faire pour entrer dans le langage du client et parler de manière à être compris et à ne pas alimenter une paralysie due à la «langue». On peut notamment s'interroger sur les demandes qui sont adressées dans les services sociaux, qui sont bien souvent des demandes matérielles (argent travail, logement, etc.). On peut les lire de deux manières:

D'une part, certains systèmes n'ont appris à ne parler que de choses concrètes: on ne sait pas parler de relation, de souci, de tendresse, mais on donne ou on prend. La relation passe au travers de la chose. Demander ne peut alors se traduire autrement que matériellement. On n'imagine même pas qu'il y ait une autre manière de faire.

D'autre part, ces demandes matérielles peuvent être liées à l'image que les clients ont des services sociaux: ce sont des endroits où l'on peut demander «des choses». Demander de l'aide n'est donc pas adéquat et il convient de traduire ce que l'on pense pouvoir obtenir en termes de prestations matérielles: «Pouvez-vous trouver une colonie pour mon fils?» au lieu de «Je suis fatigué de nos disputes incessantes; pouvez-vous nous aider à nous battre moins?»

Enfin, Neuburger parle des «formes de la demande»[69], introduisant déjà ce qui deviendra sa construction des divers modèles explicatifs[70].

Sans nous arrêter à ces diverses formes, relevons un élément important, qui est le fait que la demande soit liée à une explication de la situation: «Je vous demande cela parce que.» Comprendre la demande, c'est donc aussi entrer dans un registre explicatif, dans une manière de construire le problème dont la demande est un résultat.

Nous pourrions donc dire que la demande est l'expression de la position du client, qu'elle est exprimée dans un langage spécifique, qu'elle est liée à une formulation de ce qui fait problème et de son origine.

Le circuit de la demande

Ce que Lebbe-Berrier nomme «circuit de la demande»[71], c'est le fait que celle-ci n'émane pas forcément et pas uniquement du client qui rencontre le travailleur social. Nous évoquons cette question en parlant du référent et des diverses pressions auxquelles sont soumis aussi bien clients que travailleurs sociaux.[72] Nous ne reprendrons donc pas ici le fait que ces «demandes, commandes ou mandats» exercent des pressions sur le travail à construire et qu'il est nécessaire de se créer un espace de travail. Mais il nous paraît important, dans le cadre de cette réflexion sur la «demande», de prendre en compte la proposition de Lebbe-Berrier de dessiner une carte qui retrace le circuit de la demande: à qui est-elle est adressée, de qui vient-elle, qui concerne-t-elle, que vise-t-elle?[73]

Il apparaît d'ores et déjà que, bien souvent, le travailleur social n'est pas confronté à une seule demande (nous reprendrons plus loin la question de son exploration): plusieurs personnes souhaitent des choses différentes, avec des attentes différentes, des objectifs pas forcément compatibles et des explications parfois divergentes. C'est pourquoi la représentation graphique, à l'image de ce que nous proposons dans les sections sur les pressions, les jeux relationnels et le contexte, nous apparaît comme un outil utile. Elle permet au client, en interaction avec le travailleur social, de construire sa propre demande, en la différenciant de toutes celles des autres qui veulent pour lui; elle permettra également de fixer des priorités, de mettre en relation ces diverses demandes.

Etablir le circuit des demandes ne revient pas à établir la carte des pressions. Bien sûr certaines demandes peuvent exercer des pressions très fortes et sont également des contraintes que le travailleur social ne peut ignorer, mais toutes les pressions ne sont pas des demandes et toutes les demandes n'exercent pas des pressions importantes. Une carte peut aider également à différencier les demandes et les pressions.

L'établissement de la carte fait partie de ce travail d'élaboration de la demande, de construction d'une définition nouvelle issue de la rencontre entre le travailleur social et le client.

La fonction de la demande

Partant des situations dans lesquelles une même famille, un même client, présente des demandes multiples: (aide financière, aide éducative, soutien moral, etc. - que ces aides soient simultanées ou successives), Mugnier propose de les voir comme remplissant finalement une «fonction commune»[74]:, celle de la perpétuation d'un jeu sans fin entre les clients et les services d'aide.[75] Cette question suscite deux réflexions:

1. Tout d'abord, considérer que la demande remplit une fonction c'est la comprendre comme un symptôme et permet d'envisager son aspect de contenu et celui de processus. Certes la demande est une demande de quelque chose (matériel ou relationnel); elle a un contenu, mais surtout elle s'inscrit dans un processus. Qu'est-ce qui fait que la demande est faite maintenant et pas avant, ni après? Voir la fonction de la demande permet de ne pas s'enfermer dans le contenu. Nous y reviendrons dans le paragraphe sur l'élaboration de la demande.
2. Ensuite, considérer la demande comme exerçant une fonction nous amène à explorer les liens de la demande avec une situation de crise et avec le désir de changement.
   S'il y a demande, est-ce le signe qu'il y a crise?

Beaucoup de textes traitent d'une vision systémique de la crise et on ne peut aborder ici le point de vue de la crise individuelle, familiale et institutionnelle. Pour plus d'informations, la bibliographie en note donne quelques pistes de réflexion.[76] Mais ce qui nous intéresse ici, ce sont surtout les liens entre la crise et la demande, plus précisément entre la crise et la demande de changement. Nous retiendrons pour cela quatre points de vue: ceux de Watzlawick, Selvini, Caillé et Morin.

- P. Watzlawick: difficulté et problème

Watzlawick[77] propose de distinguer ce qu'il appelle «difficulté» de ce qu'il nomme «problème». Une difficulté est un imprévu dans le cours des événements qui demande une réponse corrective de l'ordre du bon sens: rajouter quand il manque, enlever quand il y a trop, faire un détour quand il y a un obstacle. Face à une difficulté, on produit un changement (plus, moins, autre) qui se situe à l'intérieur même de la logique de la difficulté perçue: c'est ce qu'il appelle un «changement 1».

Se fondant sur la théorie des niveaux logiques, il propose d'appeler «changement 2» l'opération qui consiste à opérer un changement qui transforme la donnée du problème, qui modifie le système lui-même. Le changement 2 devient nécessaire lorsqu'une réponse inappropriée amène à une nouvelle réponse, qui va dans le même sens que la première: le «toujours plus de la même chose» devient ainsi l'origine des «problèmes». Puisque ces tentatives de solutions ne résolvent pas la difficulté, c'est donc qu'il faut changer la perception du problème, modifier le cadre conceptuel dans lequel il est posé, c'est-à-dire faire un recadrage qui correspond à un changement de niveau 2. Cette distinction a été largement divulguée.

Pourtant dans le cadre du travail social, il est particulièrement important de se souvenir qu'il existe des difficultés qui nécessitent un changement de niveau 1: beaucoup de clients ont besoin d'aide parce qu'ils ne connaissent pas leurs droits, ne connaissent pas les filières utiles, sont dans un besoin et demandent à ce titre une aide, un correctif ponctuel qui leur permettra de résoudre leur difficulté puis de disparaître des services qu'ils ont consultés. Il n'y a pas lieu alors ni de recadrer, ni de traduire leur difficulté en terme de problème...

La demande adressée aux travailleurs sociaux est la plupart du temps formulée sous forme de difficultés. C'est finalement bien par l'exploration des tentatives de solutions apportées avant la rencontre avec lui que le travailleur social pourra percevoir s'il doit aider à gérer une difficulté ou s'il est pertinent de travailler à la définition d'un problème «recadré». Nous devons souligner que l'effet séduisant de ces deux niveaux de changements a eu pour effet d'induire très souvent un soupçon sur la demande des clients: «S'ils viennent, c'est qu'ils ont un problème et non une difficulté.» Ce soupçon a souvent amené les travailleurs sociaux à traiter les situations à un niveau non adéquat.

- M. Selvini: demande de disculpation et de non-changement

Selvini[78] et son équipe s'inscrivent dans le prolongement de cette pensée. Travaillant avec des familles qu'elle nomme «à transaction schizophrénique», elle va cadrer la demande en lui donnant un sens de manœuvre dans le jeu relationnel familial. Les systèmes familiaux avec lesquels elle travaille sont des systèmes rigides dont un des membres présente en général une symptomatologie grave. La manière avec laquelle elle lit la demande est inspirée par la construction qu'en avait fait Bateson: celle du double lien; la demande est double: «changez celui qui dans notre famille est le malade désigné, mais ne nous changez pas nous dans notre organisation, c'est-à-dire dans la non-définition de nos relations». Quelques années plus tard, Matteo Selvini souligne que l'envoi à un centre privé de thérapie familiale constitue très souvent «l'objet de lourdes accusations» et les patients «demandent la thérapie pour obtenir leur acquittement»[79]. L'existence même de la thérapie familiale alimente l'idée que la pathologie n'est pas le propre de l'individu, mais qu'elle est liée aux modalités relationnelles de la famille. Cela amène Selvini a repenser le rôle de l'intervention du thérapeute non plus comme un «chasseur», inducteur de crise, ni comme un «éleveur», pédagogue du changement, mais comme une synthèse entre ces deux positions. L'intervenant est d'abord dans une accentuation du pôle «chasseur», puis, ayant amené les parents à devenir des cothérapeutes, le rôle d'«éleveur» prend le dessus.[80]

La demande, dans cette optique, est donc à la fois une demande de disculpation et une demande de non-changement. L'intervenant peut alors reconnaître ces deux aspects pour centrer ses efforts sur l'engagement de la responsabilité de chacun dans la nécessité d'un changement, pour éviter la chronicisation d'un jeu qui emprisonne chacun.

- P. Caillé: panne et crise

Caillé[81] propose de distinguer «panne» et «crise». La panne est décrite comme une situation qui déresponsabilise entièrement le client, qui confie à l'intervenant le soin de réparer le dysfonctionnement: il y a délégation. La demande «panne» est donc une demande qui s'inscrit en général dans une causalité linéaire: «Trouvez la cause de cette panne et réparez!..» Les questions du client sont donc de l'ordre de: «Combien de temps va durer la réparation, combien est-ce que ça me coûtera?» L'issue de la réparation est le retour à la situation antérieure. On reconnaît la définition que Watzlawick donne du «changement 1». A cette vision de la «panne», Caillé oppose celle de la «crise», c'est-à-dire l'étape nécessaire pour passer d'une étape à une autre: la crise, c'est le passage incertain, effrayant, source de peur, de risque de déstructuration, mais également source de maturation, d'innovation, de création. L'issue de la crise peut être la création de quelque chose qui ne pouvait être prévu avant: mieux ou pire, mais différent. Notamment face à l'évolution du cycle de la vie tant individuelle que familiale, il y a des crises de maturation nécessaires. Le rôle de l'intervenant est de travailler à ce que la situation définie en termes de panne puisse être reconstruite en termes de crise.

Ainsi, si la demande est une délégation, une pression et un mandat donné à l'intervenant pour qu'il répare, c'est ce même intervenant qui a la responsabilité de travailler à la transformation de cette demande: il devient alors un «activeur de crise», un accompagnant d'un processus de maturation, d'un remodelage de la situation relationnelle.

- E. Morin: organisation et désintégration

Morin enfin, propose une vision plus complexe de la crise[82]. Il s'intéresse à la crise sociale et souligne que pour que se constitue un système et pour qu'il vive, il faut qu'il y ait des antagonismes, sinon tout se ressemblerait. Un système se constitue donc à partir d'éléments qui à la fois se ressemblent et se complètent et à la fois s'opposent et se combattent. Un système a une identité lorsque les éléments de ressemblance sont mis en avant, actualisés, tandis que les éléments d'antagonisme sont mis plus ou moins fortement dans l'ombre, virtualisés. Il y a donc un antagonisme latent entre ce qui est actualisé et ce qui est virtualisé, et les complémentarités systémiques sont indissociables des antagonismes. Lorsqu'il y a crise, les antagonismes font irruption et ils font crise lorsqu'ils sont en éruption. Organisation et désintégration sont à la fois complémentaires, concurrentes et antagonistes.

Morin ne traite pas de la demande d'aide puisque ce n'est pas son objet et qu'on ne peut calquer le niveau sociétal sur les niveaux individuels ou familiaux. Néanmoins, ses réflexions nous incitent à interroger les remarques qui précèdent:

Watzlawick et Selvini parlent de systèmes qui sont en état d'équilibre et qui, par leur demande, tentent de préserver l'équilibre connu et acquis. Caillé introduit la perspective de systèmes familiaux amenés à un point de rupture d'équilibre et qui, passant de la panne à la crise, sont remis en mouvement hors de leurs frontières connues. Morin va mettre ces deux visions en circuit. Il ne pose pas équilibre et déséquilibre comme des états que l'on peut atteindre, mais comme une relation constante où complémentarités et antagonismes sont toujours présents, les uns actualisés et les autres virtualisés. L'équilibre entre «actuel» et «virtuel» peut changer aussi bien sous l'effet de variations internes que par les événements externes au système et bousculer ainsi les accords passés, les conventions apparemment conclues, les définitions de relation proposées. La demande peut alors être définie comme la nécessité de reconstruire un accord sur ce qui doit être actualisé et ce qui doit être virtualisé. La question, dès ce moment, est moins de savoir si l'on va retourner à un état antérieur ou à un état nouveau que de prendre en compte la modification des accords sur l'actualisé et le virtualisé; on peut ainsi, par exemple, renégocier un accord sur les mêmes bases (en intégrant des éléments nouveaux) ou modifier plus fondamentalement ce qui justifie l'appartenance commune. De cette manière, l'idée de crise n'est pas forcément liée à celle de changement; il y a des changements sans crise et des crises sans changement. De même, il y a des demandes sans crise et des crises sans demande.

Ces nuances nous paraissent importantes pour le travail social; lier demande et crise d'une part, et crise et changement d'autre part, risque d'induire une vision de la demande qui traque l'inadéquat, qui suspecte la rigidité de l'organisation du système, qui soupçonne la difficulté d'évolution.

Certes, il y a beaucoup de situations dans lesquelles la demande est liée à une crise, laquelle est alimentée par la crainte d'évoluer, de passer à une organisation différente, mais ce ne sont pas les seules situations de demande en travail social.

Dire que la demande a une fonction nous paraît donc justifié. Si quelqu'un demande quelque chose, c'est bien en vue d'obtenir quelque chose: que ce soit ce qui est demandé ou autre chose. S'interroger sur la fonction de la demande est nécessaire. En revanche, on ne peut automatiquement en déduire que la demande est au service du changement ou du non-changement, ni qu'elle est liée à une crise par laquelle passerait le système concerné.

L'élaboration de la demande

E. Tilmans-Ostyn[83] propose de distinguer la «demande» et la «plainte». Par ces termes elle veut parler de ce dont le patient se plaint, ce qui lui est pénible, ce qui a provoqué qu'il s'adresse à quelqu'un. La plainte est donc liée à une situation générale mise en lumière par un événement particulier, par la goutte d'eau qui fait déborder le vase…

De même Fisch[84] parle du «plaignant» pour différencier la personne qui s'adresse au thérapeute de celle qui est porteuse du symptôme. Le plaignant n'est pas forcément celui qui est annoncé comme problème. Ce peut être une épouse qui demande de l'aide pour l'alcoolisme de son mari, un père en souci pour les comportements délictueux de son fils, un directeur d'institution qui se montre préoccupé par le manque de conscience professionnelle de ses employés...

Dans le cadre du travail social, le mot «plainte» est à prendre dans un sens double: exprimer sa souffrance et accuser.

Beaucoup de clients se présentent pour dire à quel point la situation dans laquelle ils se trouvent est pénible, lourde et accablante. Cela ne signifie pas pour autant qu'ils demandent quelque chose; souvent dans leur idée la situation est ainsi et ils ne pensent pas qu'il puisse en être autrement. La demande implicite est alors: «Plaignez-moi, reconnaissez à quel point je souffre» et non pas «Faites quelque chose». Qu'on leur demande ce qu'ils attendent les surprend, cela peut même leur donner l'impression qu'ils n'ont pas été entendus.

D'autres viennent se plaindre de quelqu'un: ils l'accusent d'être insupportable, d'être la source de tous leurs maux, d'être responsable de leur situation difficile, de leurs droits négligés ou bafoués. Ils traitent le travailleur social comme s'il était un juge appelé à rendre un verdict ou un avocat mandaté pour instaurer un procès.

Il y a donc lieu de différencier «plainte» et «demande». A la plainte peut être associée une demande magique: au «Que puis-je pour vous?» correspond par exemple «Que vous le changiez, qu'il arrête de boire, qu'il change son comportement, qu'il renonce à exiger sa dette.» Se précipiter dans la «plainte» sans explorer la «demande» risque donc de mener dans des impasses.

De même, distinguer «plaignant» et «personne-problème» nous paraît légitime. Fisch souligne que la personne qui se plaint est probablement celle qui se sent la plus responsable de faire quelque chose, peut-être celle qui souffre le plus. Le plaignant est la porte d'entrée dans la situation: «Si vous ne faites pas partie du problème, vous faites sans doute partie de la solution»[85] suggèrnt Wittezaele et Garcia comme manière de mobiliser le plaignant pour la résolution du problème.

Différencier «plainte» et «demande» amène donc à créer un espace qui permette l'exploration et aide à mobiliser la personne présente comme ressource, à la mettre en position de collaboration. Entendre la plainte et la reformuler ouvre un espace pour formuler une demande.

De même la «demande» n'émane pas forcément de la personne qui se présente. Celle-ci ne veut parfois rien du tout, elle est là parce que quelqu'un d'autre demande pour elle, ou à son sujet. Différencier «qui demande quoi et pour qui» permettra donc d'évaluer qui peut être mobilisé dans cette histoire particulière.

Tilmans souligne encore que le lieu dans lequel la demande est adressée contribue à lui donner un sens[86]: s'adresser à un service de protection de l'enfance pour traiter de l'alcoolisme de son conjoint, ou à un service de désendettement pour évoquer ses problèmes éducatifs ou de couple, indique ce que le demandeur d'aide est disposé à aborder, comment il définit son problème. C'est également une indication sur le contrôle qu'il entend pouvoir exercer sur l'action du travailleur social; s'il n'y a pas eu clarification et négociation, il pourra mettre le travailleur social dans un rôle intrusif, dépassant les limites de son mandat, en lui rappelant que ce n'est pas pour cela qu'il est venu le voir.

Il nous faut également rappeler que la demande s'exprime généralement en termes de contenus: on vient solliciter quelque chose. Or ce contenu est inscrit dans un processus évolutif. Hormis les questions de langage, que nous avons évoquées plus haut, et celles de différence entre «difficulté» et «problème» qu'il y a toujours lieu de traiter, une demande s'inscrit dans une histoire; aussi bien face à une difficulté que face à un problème, elle s'exprime à un moment donné, en lien avec un événement particulier, passé ou futur; ce peut être aussi bien: «nous nous sommes disputés hier soir» que «j'ai perdu mon travail» que «le délai est dans une semaine» ou «les examens sont dans six mois». Inscrire la demande dans le temps oblige travailleur social et client à prendre en compte le fait que la demande vise à favoriser le maintien d'une situation ou sa transformation. Ce n'est pas la même chose d'être sollicité pour éviter qu'une situation n'évolue ou pour permettre qu'elle se transforme.

Le travailleur social est donc responsable de travailler à l'élaboration de la demande pour l'inscrire dans un processus, en examiner les enjeux, les possibilités et les limites, la fonction dans l'histoire du système concerné. Comme nous l'avons écrit plus haut, la demande n'est pas un donné de départ. Elle est le fruit d'une élaboration qui prend en compte:

- les acteurs concernés tant dans l'entourage de la personne que dans le cercle des autres professionnels;
- la plainte, ou l'objet de la demande;
- les objectifs poursuivis par le fait de demander;
- le contexte dans lequel elle est posée, ce qu'il permet et ce qu'il empêche;
- les diverses tentatives de solutions déjà essayées;
- les résultats attendus et leurs effets relationnels et situationnels;
- l'intervenant, qui contribue à donner sens à ce qu'il entend, conforte le processus de désignation ou le modifie;
- les obstacles ou contraintes prévisibles.

C'est l'examen de tout cela qui va permettre de construire la demande et ce qui pourra s'élaborer entre travailleur social et client.

L'exploration de la demande

La demande est le point de contact entre le travailleur social et le client. C'est elle qui explique la rencontre et autorise à une exploration de la situation. Qu'il y ait demande, commande ou mandat, il est normal que le travailleur social cherche à comprendre ce que l'on attend de lui et comment il va pouvoir ou devoir intervenir.

La plupart des auteurs de livres sur la thérapie familiale présentent des extraits d'entretiens et exposent ainsi leurs techniques de questionnement et d'exploration de la demande[87].

Nous distinguerons d'abord quatre types de questionnement:

- *Le questionnement direct*: Comment voyez-vous votre problème? Pourquoi réagissez-vous par la colère? Etes-vous inquiet pour votre fille?
- *Le questionnement indirect*: Comment votre épouse voit-elle le problème? Lorsque votre mari réagit ainsi, pensez-vous qu'il est en colère? Votre épouse est-elle inquiète en ce moment?
- *Le questionnement circulaire*: Au mari: Qui peut le mieux m'expliquer le problème, votre épouse ou votre fille? A la fille: Que fait votre mère lorsque votre papa se met en colère? A l'épouse: Lorsque votre mari montre son inquiétude, comment votre fille réagit-elle?
- *Le questionnement à tout le système*: Qui peut m'expliquer le problème? Qui peut me dire ce qui met monsieur en colère? Qui se fait du souci dans votre famille et pour qui?

Chacun de ces questionnements donne accès à des renseignements en termes de contenus. Mais au niveau relationnel, ils donnent accès à des informations chaque fois plus complexes. Le questionnement direct informe sur la relation de la personne avec le problème évoqué, sur sa propre ponctuation. Le questionnement indirect informe sur des relations dyadiques; il mobilise non seulement la personne interrogée mais également celle au sujet de laquelle il parle; le contenu exprimé est intéressant essentiellement en tant que définition relationnelle et les rétroactions de la personne dont on parle sont essentielles. Le questionnement circulaire fait passer à la triade et augmente la circulation de l'information. L'ensemble des personnes présentes est ainsi mobilisé par ce niveau totalement inhabituel de réflexions. Enfin le questionnement à tout le système informe sur l'organisation du système: qui a le droit de s'exprimer en premier, au nom des autres; qui doit demander l'autorisation de parler?

Nous proposons, en nous inspirant largement de Bériot[88], un tableau qui peut aider à guider l'exploration de la demande et de ses diverses facettes. Sans avoir rien de normatif ni d'exhaustif,

L'EXPLORATION DE LA DEMANDE

NATURE DES INFORMATIONS À RECUEILLIR	EXEMPLES DE QUESTIONS À POSER
ACTEURS CONCERNÉS	- Qui fait une demande? - Qui se plaint de qui ou de quoi? - Qui souffre le plus dans cette situation? - En faveur de qui faudrait-il intervenir? - Quelles sont les personnes concernées par la situation? - Qui ne demande rien et n'est pas concerné?
OBJET DE LA DEMANDE	- Que demandez-vous? - Que voulez-vous obtenir? - Quel est votre problème? Pouvez-vous me le décrire de manière concrète?
OBJECTIFS DE LA DEMANDE	- Qu'aimeriez-vous obtenir par cette demande? - Que cherchez-vous à atteindre? - Dans quel but avez-vous besoin de ce que vous demandez?
CONTEXTE DE LA DEMANDE	- Pourquoi faites-vous cette demande maintenant? - Quel événement vous a décidé à venir ici maintenant? - Comment en êtes-vous arrivé à demander de l'aide?
ENJEUX DE LA DEMANDE	- Que se passerait-il si vous n'obteniez pas ce que vous demandez? - Au cas où vous pourriez obtenir ce que vous demandez, qu'est-ce que cela changerait? - Qui va gagner quoi et qui va perdre quoi?
RÉSEAU CONCERNÉ	- Qui d'autre que vous est concerné par cette demande dans votre entourage? - A qui d'autre avez-vous déjà parlé de cette question et avec quels effets? - D'autres professionnels ont-ils été contactés? - Sur qui pouvez-vous compter dans cette situation et sur qui ne pouvez-vous pas compter, et qu'est-ce qui vous fait dire cela?

ACTIONS DÉJÀ TENTÉES	- Qu'avez-vous déjà tenté pour résoudre cette question et avec quels effets? - Et quoi d'autre? - Que n'avez-vous pas tenté et pourquoi?
RÉSULTATS INDICATEURS	- Quels résultats pensez-vous pouvoir obtenir? - A quoi verriez-vous que vous avez atteint vos objectifs? - Qu'est-ce qui pour vous serait le signe d'un échec dans votre demande?
RÔLE ATTENDU DE L'INTERVENANT	- Qui vous a envoyé vers moi, vers mon institution ou service? - Qu'attendez-vous de moi? - En quoi pensez-vous que je puisse vous être utile? - Que penseriez-vous de moi si nous ne réussissions pas ensemble? Et que penseriez-vous de vous si nous y parvenions? - Comment pensez-vous que nous pourrions collaborer?
OBSTACLES ET CONTRAINTES PRÉVISIBLES	- Qui pourrait freiner ou empêcher la réalisation de cette demande? - Qu'est-ce qui vous a empêché d'obtenir ou de mettre en oeuvre ce que vous vouliez? - Y a-t-il des délais ou des règles à observer? - De quelles ressources disposons-nous et desquelles ne disposons-nous pas? - Quelle évolution de votre environnement devons-nous prendre en compte? - Quels obstacles risquons-nous de rencontrer? - Qui a le pouvoir de décision dans cette affaire?
REDÉFINITION DU PROBLÈME ET DE LA COLLABORATION	- A la lumière de tout ce que vous m'avez dit, pourrions-nous redéfinir votre demande ainsi?... - Et notre collaboration ainsi?...
RÉGULATIONS À ENVISAGER	- Avec qui devrons-nous prendre contact pour coordonner ce que nous allons faire et à quel moment? - Que devons-nous traiter absolument avec d'autres partenaires et selon quelles modalités? - Comment allons-nous garder ensemble une attention constante au sens de ce que nous allons faire ensemble?

nous pensons qu'il peut aider à défricher aussi bien le contenu de la demande que sa fonction et fournir ainsi du matériel pour la transformation éventuelle de la définition du problème.

Bien évidemment, un tel tableau n'est pas à utiliser dans le sens d'un questionnaire qui devrait être suivi, réduisant ainsi l'entretien à un interrogatoire insupportable. Il a pour objectif d'aider à repérer comment débroussailler une demande qui parfois embarrasse l'intervenant et d'explorer le sens de l'histoire dans laquelle le travailleur social est amené à intervenir. C'est ce qui va permettre l'élaboration de la demande, sa reconstruction, et la mise sur pied d'un contrat de collaboration.[89]

Idées-clés

Reprenons nos interrogations du début de cette section et résumons ce que nous conservons de toutes les questions traitées:

1. Il convient de distinguer la *demande*, c'est-à-dire ce qui provient du client lui-même; la *commande*, soit une demande qui vient d'un tiers (un voisin, un membre de la famille); et le mandat, c'est-à-dire un ordre donné par une instance habilitée à contraindre le travailleur social à intervenir (un juge, une instance administrative, un autre service social, une mission de l'institution...).
2. La *demande* est en lien avec l'*offre*: le besoin crée la structure et la structure crée le besoin.
   Demande et réponse ne sont pas alors données indépendamment l'une de l'autre, prédéfinies, mais doivent être vues comme le résultat d'une interaction réciproque. La demande est une construction et non un donné, non pas un point de départ du travail commun, mais une étape importante d'un chemin commun sur lequel travailleur social et client sont engagés depuis déjà quelques temps...
3. La demande appartient à un *langage,* c'est-à-dire à une manière de se percevoir et de se dire dans son propre contexte. Elle est l'expression d'une manière d'être au monde. Le

travailleur social a ainsi un travail de déchiffrage, de décodage à faire pour entrer dans le langage du client et le rejoindre là où il est.

4. Nous considérons qu'il y a toujours demande dès qu'il y a intervention d'un travailleur social. La question n'est pas alors seulement de savoir quelle est cette demande, mais aussi à qui elle est adressée, de qui elle vient, qui elle concerne, ce qu'elle vise. Il s'agit donc de tracer le *circuit de la demande* dont il est utile de dessiner la carte.
5. Nous considérons que la demande remplit une *fonction,* ce qui permet d'envisager tant son aspect de contenu que celui de processus. Elle peut servir aussi bien à favoriser qu'à empêcher un changement.
6. Demande ne veut pas dire forcément *crise*. Lier demande et crise d'une part, et crise et changement d'autre part, risque d'induire une vision de la demande qui traque l'inadéquat, qui suspecte la rigidité de l'organisation du système, qui suspecte la difficulté d'évolution. Certes, il y a beaucoup de situations dans lesquelles la demande est liée à une crise, laquelle est alimentée par la crainte d'évoluer, de passer à une organisation différente; mais ce ne sont pas les seules situations de demande en travail social. Il importe alors de centrer ses efforts sur l'engagement de la responsabilité de chacun dans la nécessité d'un changement, pour éviter la chronicisation d'un jeu qui emprisonne chacun.
   L'intervenant a la responsabilité de travailler à la transformation de la demande; il devient alors un accompagnant d'un processus de maturation, d'un remodelage de la situation relationnelle.
7. Il convient de différencier la *plainte* (à prendre dans le double sens d'exprimer sa souffrance et d'accuser) et la *demande*, de même que celui qui se plaint et celui qui demande. Se plaindre ne veut pas dire que l'on demande, et la différenciation doit se faire non seulement au niveau des acteurs mais aussi à celui des contenus. Entendre la plainte et la reformuler ouvre un espace pour formuler une demande.

8. *Elaborer la demande*, c'est prendre en compte:
- les acteurs concernés tant dans l'entourage de la personne que dans le cercle des autres professionnels;
- la plainte, ou l'objet de la demande;
- les objectifs poursuivis par le fait de demander;
- le contexte dans lequel elle est posée, ce qu'il permet et ce qu'il empêche;
- les diverses tentatives de solutions déjà essayées;
- les résultats attendus et leurs effets relationnels et situationnels;
- l'intervenant, qui contribue à donner sens à ce qu'il entend, conforte le processus de désignation ou le modifie;
- les obstacles ou contraintes prévisibles.

9. *Demande et non-demande* ne sont pas en opposition: la demande des uns peut alimenter la (non-)demande d'autres, la demande des uns peut également alimenter une autre demande de la part d'autres. On ne peut donc répondre seulement à la question: «Qui demande?», car cette question implique immédiatement la suivante: «Qui ne demande pas?»

10. Les *quatre types de questionnement*: direct, indirect, circulaire et à tout le système, diversifient et nourrissent le processus de construction de la demande et aident à prendre en compte le niveau relationnel autant que le contenu.

11. *L'exploration de la demande* pourra utilement s'intéresser aux acteurs concernés, à l'objet de la demande et à ses objectifs, au contexte de la demande et à ses enjeux, au réseau concerné, aux diverses tentatives de solutions déjà tentées, à la formulation de ce que serait une évolution, au rôle attendu de l'intervenant, aux contraintes et obstacles prévisibles, aux régulations à envisager. C'est sur cette base qu'un contrat de collaboration peut être construit et maintenu vivant.

Repère

Deux aspects importants de la demande considérée comme repère sont traités dans d'autres sections de ce chapitre:

Il s'agit tout d'abord des situations dans lesquelles la demande ne vient pas du client lui-même mais d'un tiers. Nous traitons de cette question dans la section sur les pressions.

D'autre part, nous avons évoqué le fait que la demande est toujours présentée dans un certain langage, lequel nous permet de comprendre la «position du client» par rapport à son problème; de plus ce langage nous donne des indications sur la relation que le client propose à l'intervenant face à cette position.

Dans ce sens, le langage renvoie à ce que nous développons dans la section sur les jeux relationnels. Nous ne reprendrons donc pas ces deux questions ici.

Nous proposerons trois pistes pour l'établissement d'hypothèses à partir de la demande:

Protection contre le rejet

La première piste que nous proposons part des situations dans lesquelles la demande n'est pas formulée de manière claire, ou dans lesquelles le travailleur social ne perçoit pas s'il s'agit d'une demande ou d'une déclaration. Souvent, même les tentatives de vérification n'aboutissent pas, ou mènent à une confirmation de l'incertitude.

Dans l'institution des Alouettes, pour enfants ayant des troubles du comportement, Marc (10 ans) s'adresse à son éducateur de référence:

– Samedi, mes copains d'école vont skier avec le prof de sport.
– Ils ont de la chance. Sais-tu où ils vont?
– Non mais je sais qu'ils partent avec le bus de l'école et qu'ils reviennent le soir vers 18 heures.
– J'espère pour eux qu'ils auront une belle journée.

Le dimanche soir, Marc, de mauvaise humeur:

– Tu ne me permets jamais rien. Même ce week-end, tu ne m'as pas permis d'aller skier avec mes copains…
– Mais tu ne m'as pas dit que tu aurais pu y aller…

Service social communal. L'assistante sociale rencontre Mme B. pour régler des questions financières:
– Alors madame B., vous m'avez apporté ces papiers?
– Oui, les voilà. Mais vous savez je suis bien inquiète: mon fils n'est pas rentré cette nuit et je ne sais pas où il est.
– Quel âge a-t-il?
– 15 ans.
– Est-ce que cela vous inquiète beaucoup? Aimeriez-vous que nous en parlions?
– Non non, ça va, et puis vous n'avez pas beaucoup de temps et il faut que nous regardions ces factures.
– C'est vrai qu'il y a là des délais auxquels il faut que nous soyons attentifs.
– Vous avez raison. Voici les papiers.

L'assistante sociale, quinze jours plus tard:
– Vous n'avez pas l'air dans votre assiette. Y a-t-il quelque chose qui ne va pas?
– Non, et puis cela ne vous intéresserait pas.
– Puis-je quelque chose pour vous?
– Non, de toute façon vous ne vous intéressez qu'aux questions d'argent.
– Je ne comprends pas.
– Mon fils n'est toujours pas rentré, mais quand j'ai voulu vous en parler, vous avez quitté le sujet pour parler des papiers que je vous avais apportés…

Epstein propose de différencier le fait que les demandes peuvent être claires ou obscures, directes ou indirectes. Les demandes claires et directes ne sont de toute évidence pas les plus fréquentes et le travailleur social se trouve le plus souvent face à des demandes obscures et en tout cas indirectes.

Dans les deux exemples que nous citons, il y a une confusion entre déclaration et demande ou entre plainte et demande, comme si déclarer quelque chose ou s'en plaindre équivalait à demander.

Evoquons également les situations dans lesquelles les clients viennent demander quelque chose pour quelqu'un d'autre:
- Pouvez-vous aider mon mari à retrouver du travail?
- Pourriez-vous raisonner mon épouse pour qu'elle se fasse moins de souci?
- Pourriez-vous convaincre mon fils qu'il ne faut pas qu'il arrête son apprentissage?»

Ces demandes indirectes sont comme des masques qui cachent la personne: ce n'est pas pour moi que je demande, c'est pour un autre...

Nous pouvons alors nous interroger sur ce qui rend impossible la formulation d'une demande claire et directe. Lorsque le travailleur social tente de clarifier une demande obscure ou de rendre directe une demande indirecte, il se heurte à un mur ou à un brouillard épais qui le perd.

Selvini souligne[90] que le «jeu psychotique» se présente comme une lutte constante pour la définition unilatérale de la relation. Se définir, c'est courir le risque de se mettre à la merci de l'autre et donc de se laisser définir par l'autre. Demander de manière claire, ce serait alors courir le risque de se livrer au bon vouloir du travailleur social, de se rendre «objectivable», de se réduire par conséquent à un objet, bref de se perdre. Il est dangereux de demander clairement; cela signifie donner à l'autre le pouvoir de contrôler unilatéralement la situation.

La lecture que propose Selvini concerne les jeux psychotiques et met donc en lumière, dans ces contextes précis, un sens possible à la non-définition de la demande. Mais la plupart des situations auxquelles sont confrontés les travailleurs sociaux ne sont pas de ce type. La peur de se laisser définir par l'autre joue un rôle important, mais nous préférons explorer une piste complémentaire (peut-être concurrente et antagoniste).

La difficulté à demander nous paraît fréquemment liée à la peur d'essuyer un refus; ne pas demander, c'est s'éviter le risque de s'entendre dire non. Mieux vaut ne pas obtenir ce que l'on souhaite parce qu'on ne le demande pas plutôt que de s'exposer au danger de demander et de devoir gérer une déception.

> La non-demande serait alors une manœuvre de protection de soi, protection contre ce qui apparaît comme une blessure pire: le rejet.

Le fait de ne pas demander permet ensuite de reprocher à l'autre de n'avoir pas deviné, de n'avoir pas compris le message pourtant tellement évident.. Dans le langage de Satir [91] nous pourrions dire qu'il peut y avoir passage de la position de soumis (celui qui cherche à obtenir l'attention de l'autre par la séduction et l'«à-plat-ventrisme») à celle de blâmant (celui qui se défend de l'autre par l'attaque et la destruction). Satir présente ces «modèles de communication», qu'elle appelle aussi positions de survie, comme des stratégies relationnelles qui permettent de passer au travers de la tempête émotionnelle liée à la peur du rejet ou de l'abandon, ou de faire face aux moments où l'estime de soi est gravement menacée.

Quelle *piste d'intervention* proposons-nous alors à partir de cette lecture? Si demander comporte le risque de s'exposer à la blessure du refus, il convient alors d'explorer les expériences qui ont nourri cette construction du monde: Qu'est-ce qui blesse, qu'est-ce qui se passe quand on est blessé, qui est en mesure de rejoindre la solitude du blessé, qui peut entourer, consoler, comprendre? Ce travail peut se faire aussi bien dans une situation à deux que dans un contexte familial ou de petit groupe. L'objectif n'est pas tellement de faire de l'introspection ou la recherche d'événements traumatisants dans le passé que de mettre en travail ce qui peut aider à se sentir lié, à expérimenter des solidarités, à prendre des risques accompagnés pour utiliser des ressources relationnelles existantes.

On peut développer la capacité de repérer ces ressources en construisant une carte relationnelle avec la(les) personne(s) concernée(s), en identifiant ce qui doit être vérifié dans la construction relationnelle du monde du client, ce qui peut être recadré, expérimenté, reconstruit. Finalement, il s'agira peut-être d'affronter des deuils, mais auxquels on peut survivre.

Tentative d'empêcher une évolution

Nous avons évoqué le lien possible, mais non nécessaire, entre la demande et une situation de crise. Les travailleurs sociaux sont souvent confrontés à des situations dans lesquelles l'organisation du système concerné devrait prendre un tournant important: évolution dans les étapes du cycle de la vie familiale, déménagement, perspective de retour dans le pays d'origine, annonce d'expulsion, par exemple, suite à un rejet d'une demande d'asile, changement de profession, rupture de la cellule familiale par séparation ou divorce, accident invalidant, prison pour une longue durée, faillite, maladie incurable, etc., toutes situations qui impliquent que la vie ne se déroulera plus après comme jusqu'ici. Ces circonstances impliquent une transformation des conditions d'existence et des modalités relationnelles mises en place jusqu'alors.

La demande d'aide adressée alors au travailleur social peut être celle d'un soutien face à ces transformations: soutien logistique, éducatif, relationnel, psychologique. La demande peut être claire, la difficulté repérée, la souffrance vécue et affrontée. Ce n'est pas parce que les personnes sont face à une difficulté qu'elles n'ont pas besoin d'aide! Il n'y a alors pas de «problème»[92]! Le soutien demandé est adéquat, il accompagne cette nécessaire évolution; le temps est pris en compte: on vient de quelque part et on va ailleurs…

Il y a en revanche les autres situations, dans lesquelles la demande adressée au travailleur social est en fait une tentative de ne pas voir l'évolution, peut-être même de la stopper, de l'empêcher, de la détourner. Ce sont les situations dans lesquelles le système *se met en panne* et cherche un *réparateur*, pour reprendre le langage de Caillé. Le temps s'arrête et se fige dans des comportements et des réactions répétitives ou, au contraire, s'accélère dans une agitation désordonnée.

Dans ce type de situations, la demande est exprimée avec beaucoup de tension émotionnelle, elle est pressante, se traduit souvent par des plaintes au sujet de comportements inacceptés;

elle concerne souvent un tiers qu'il y aurait lieu de changer (un patient désigné); elle est répétitive et, même en changeant d'objet, elle vise toujours à maintenir le passé que l'on connaît, comme si l'on voulait éviter l'inconnu vers lequel on ne veut pas aller.

Il semble donc préférable d'affronter le risque de s'exposer à un inconnu en lui adressant une demande, de se rendre vulnérable à ses yeux, que de perdre le fonctionnement relationnel connu jusqu'ici. Ce qui est en cause, ce n'est donc pas le fait d'avouer une mauvaise image de soi: elle est vécue avec intensité et ne cherche pas à se camoufler, mais il s'agit de reconquérir un fonctionnement, fût-il mythique, conforme à ce qui a été vécu ou qui aurait dû l'être. L'image idéalisée de ce qui a été ou de ce qui aurait dû être est le moteur de la demande. L'écart entre la version officielle de ce que devrait être la vie ensemble et la manière avec laquelle elle est vécue quotidiennement est trop grand.

Caillé propose de remettre en mouvement l'organisation du système en faisant réexister ce qu'il appelle le tiers exclu de la relation: *le mythe fondateur*, *l'absolu de la relation*, organisateur des interactions et du jeu relationnel. Travailler à s'approprier ce mythe permet de le questionner, de le faire évoluer, voire d'y renoncer pour en construire un autre ou mettre fin à l'existence du système concerné.

La préoccupation du travailleur social est de réintroduire le temps, de resituer la difficulté rencontrée dans un processus évolutif: le jeu de l'oie de Caillé[93], les sculptures évolutives de Onnis[94] se révèlent être des outils utiles pour élaborer ensemble une histoire qui se déroule et évolue.

Le temps bloqué, c'est aussi l'élaboration d'un deuil. Nous développons cet aspect dans la section sur le temps.

Le point d'ancrage privilégié du travailleur social, c'est sa propre intervention. La question du *«Pourquoi maintenant* vous adressez-vous *à moi?»* est une porte d'entrée prioritaire pour élaborer avec le client un sens à sa demande. Examiner les risques encourus pour qu'une demande soit nécessaire, de même qu'envisager ce qui pourrait arriver si la demande n'avait pas été faite ou n'aboutissait pas, aide à construire un processus évolutif. Le travailleur social n'est pas alors un observateur extérieur, mais il participe à une histoire dans laquelle il devient acteur à part entière. Réfléchir ensemble à l'évolution possible du travail commun crée un espace intermédiaire, une métaphore de l'évolution nécessaire et de la transformation des relations avec le temps.

Proposition de coalition

Beaucoup de demandes adressées aux travailleurs sociaux se présentent également comme des propositions d'arbitrage dans un conflit ou des tentatives de coalition contre une autre personne du système d'appartenance ou contre un autre intervenant:
- Vous rendez-vous compte, mon médecin voudrait que...
- Mon mari prétend que je devrais travailler. Mais ce n'est pas possible et je lui ai dit que vous seriez sans doute d'accord de déposer une demande de rente invalidité...
- L'assistant social dit que je devrais quitter l'institution dans un mois, mais vous devez lui dire que je ne suis pas prêt....
- Leur père voudrait obtenir la garde de mes enfants, mais il n'a jamais été capable de s'en occuper, alors que moi je m'en suis occupée tous les jours. Pouvez-vous intervenir auprès du juge pour le lui expliquer?...

Dans ces propositions d'arbitrage, le travailleur social est pris en tenaille entre deux intérêts contradictoires et inconciliables. Ce n'est pas son aide qui est demandée, c'est une prise de position en faveur de celui qui le sollicite.

Selvini[95] proposait, dans le cadre des grandes organisations qui font appel à un psychologue, de considérer que celui-ci «est engagé dans l'organisation à l'initiative du perdant avec une offre implicite de coalition contre quelqu'un». Le travailleur social se trouve également dans cette situation. Qu'il soit pris à témoin, sollicité de prendre parti n'a en soi rien de très novateur. L'intérêt de la proposition de Selvini réside dans l'idée que cette demande survient à l'initiative de celui qui dans le conflit se sent perdant, indépendamment de sa position, de ses avantages, des faits analysables.

La demande peut même être adressée par celui ou celle qui donne l'impression d'avoir une position dominante ou d'être celui qui finalement a la meilleure part dans le conflit, comme par exemple une femme divorcée qui a la garde de ses enfants et se plaint de ce que son ex-mari voudrait les voir; un assistant social chevronné qui demande de l'aide face à un jeune nouveau collègue; un adolescent en apprentissage face à un père alcoolique, etc. Le travailleur social utilisé comme témoin est implicitement sollicité à prendre parti contre l'autre partenaire.

Il s'agit bien d'une manœuvre d'un jeu souterrain, en général nié par les partenaires. La demande au travailleur social vise la défaite que devrait subir l'autre. Un tel acharnement ne peut se comprendre qu'en lien avec un sentiment d'amertume très grand, une défaite encore présente ou ravivée, un projet de vie qui a échoué, une blessure non cicatrisée.

S'il y a proposition de coalition, il faut la lire comme le signal d'un sentiment de défaite, d'une peur d'être perdant dans le conflit exprimé ou sous-jacent.

La piste d'intervention que nous proposons consiste alors à explorer *l'enjeu de la demande*. Le questionnement circulaire aide particulièrement à percevoir les jeux relationnels en présence et à clarifier le rôle que l'on veut faire jouer à l'intervenant. Il s'agit pour le travailleur social de se créer un espace de travail pour ne pas être prisonnier de cette coalition. Il lui faut alors comprendre s'il est confronté à un système qui fonctionne essentiellement par propositions de coalitions: que permettent-elles et qu'empêchent-elles, que se passerait-il si elles cessaient?

Si les propositions de coalitions participent à entretenir une rivalité constante et jamais assouvie, c'est à la mise en mouvement de ce jeu-là que le travailleur social peut travailler plutôt qu'à la prolongation sans fin de cette lutte. Il s'agit de reconstruire le sens d'une demande possible qui soit une aide pour sortir de ce jeu épuisant plutôt qu'une manœuvre supplémentaire qui l'entretienne.

Circulariser les enjeux de la demande amène à se préoccuper de la recherche d'une solution qui soit également acceptable pour les deux parties. Neutralité, partialité multidirectionnelle ou médiation, peu importe l'appellation qu'on lui donne, l'objectif visé est proche: il s'agit de ne pas alimenter un conflit sans fin, en permettant aux deux parties d'avoir droit à autant d'égards et de respect l'un que l'autre.

Considérer que la personne qui demande est celle qui se sent en position d'infériorité dans le conflit aide à rejoindre sa demande et à explorer les craintes et les blessures qu'elle camoufle.

Résumé

La notion de demande se situe à deux niveaux:

- D'une part comme *concept*:

Définition: nous nommons *demande* ce qui provient du client lui-même, *commande* une demande qui vient d'un tiers et *mandat* un ordre donné par une instance habilitée à contraindre le travailleur social à intervenir.

- La *demande* est en lien avec l'*offre*: le besoin crée la structure et la structure crée le besoin.
- La demande appartient à un *langage*.
- Il est utile de dessiner la carte *du circuit de la demande*.
- La demande remplit une *fonction*.
- Demande ne veut pas dire forcément *crise*.
- L'intervenant a la responsabilité de travailler à la transformation de la demande.
- Il convient de différencier la *plainte* et la *demande*.
- La demande doit être élaborée. Ce n'est pas un donné mais une construction.
- Demande et non-demande ne sont pas en opposition.

- Divers questionnements diversifient et nourrissent le processus de construction de la demande. C'est sur la base d'une exploration qu'un contrat de collaboration peut être construit.

• D'autre part comme *repère* et comme *piste d'intervention*:

1. La demande n'est pas claire, elle est mal formulée, comme s'il *valait mieux ne pas demander qu'essuyer un refus ou un rejet.* Il est utile alors d'explorer quelles expériences nourrissent cette construction du monde et d'identifier ce qui doit être vérifié, expérimenté, recadré. Une carte relationnelle est utile pour cela.
2. La demande est claire et s'inscrit dans une situation de crise. C'est une demande qui vise à *empêcher une évolution*, à maintenir un fonctionnement antérieur réel ou idéalisé. Il faut alors réintroduire le temps en le centrant sur l'évolution de la relation de travail entre le client et le travailleur social.
3. La demande est une *proposition d'arbitrage dans un conflit ou une proposition de coalition contre un tiers.* Il s'agit alors d'explorer l'enjeu de la demande pour créer un espace dans lequel travailler le jeu perpétuel de rivalité - jeu entretenu par les propositions de coalitions. Rejoindre les blessures, craintes et projets que le combat perpétuel ne laisse plus apparaître.

JEUX RELATIONNELS

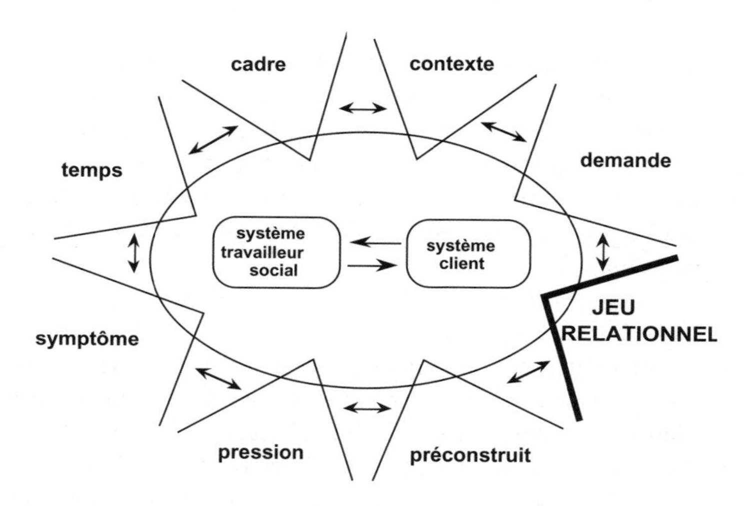

Ce concept, lui aussi, est un macroconcept! Toute la littérature systémique l'emploie fréquemment, dans des sens divers, parfois contradictoires. Nous tenterons donc d'abord de retracer ces divers sens pour dégager ensuite ce que nous retiendrons de cette notion et finalement en quoi elle est pertinente comme repère pour l'établissement d'une hypothèse et pour la construction de l'intervention du travailleur social.

Le concept

Le concept de jeu présente en lui-même une ambiguïté. Bateson déjà, préoccupé par la distinction entre les différents niveaux logiques, souligne que le jeu comporte deux aspects qu'il importe de distinguer: un contenu, c'est-à-dire une action qu'une ou plusieurs personnes accomplissent d'une certaine manière, et un cadre métacommunicatif qui indique que ce qui se passe ne vaut pas pour ce que cela représente, ce qu'il traduit par «ceci est un jeu»[96]. «Il en arrive ainsi à une classification des signaux en trois catégories: d'une part, ceux qui dénotent un dérangement physiologique interne et sont perceptibles de l'extérieur (rougissement, larmes, etc.); ensuite, la simulation de ces signaux dans certains contextes tels que le jeu, le rituel, l'humour; enfin, il doit y avoir une possibilité de savoir si les signaux envoyés sont du premier ou du second type; il faut donc faire l'hypothèse de signaux d'un troisième type, indiquant par exemple que *ceci est un jeu.*»[97]

La définition d'une interaction en terme de «jeu» donne un cadre de compréhension pour tout ce qui va se passer à l'intérieur de ce cadre. Le même mot sert, en français, à désigner à la fois l'action de jouer et le cadre qui donne sens à ce qui se passe, d'où les risques de confusion de niveaux et de paradoxe.

L'ensemble du problème est ainsi posé: Lorsque nous parlons de jeu, parlons-nous d'un cadre de compréhension qui donne un sens à ce qui se passe, ou du contenu de ce qui se déroule entre les personnes en présence? Nous retrouvons chez divers auteurs ces deux sens: certains développent des réflexions sur l'espace intermédiaire que représente l'action de jouer (Andolfi, Caillé) et d'autres prennent le jeu comme métaphore ou comme modèle de construction de la compréhension (Selvini). Pour certains, c'est l'idée d'«acteur» qui prédomine (le métier d'un acteur est de jouer la comédie, la tragédie), d'autres parlent de «rôle» (jeu de rôle). Il nous faut donc examiner de plus près ces constructions.

Status, statut, rôle, fonction...

Du Ranquet[98] propose de distinguer «status» et «rôle».

Le *status*, est la position relationnelle occupée par une personne qui la «caractérise par un ensemble de droits et d'obligations qui règlent son interaction avec ceux qui occupent d'autres status»; par exemple, pour la même personne: mère, épouse, fille, belle-sœur, assistante sociale, syndicaliste; changer de contexte, c'est changer de status. Certains sont acquis (on naît fille ou garçon), d'autres sont construits (assistante sociale, syndicaliste), certains sont durables, d'autres momentanés, certains sont facteurs de chance ou de malchance.[99]

On pourrait dire alors que le *statut* est la traduction juridique du status qui détermine les droits et devoirs de la personne qui se trouve dans un status donné. On parlera dans ce sens du statut de la fonction publique, du statut de saisonnier ou de réfugié, du statut de formateur. On peut encore dire qu'il y a des status sans statut, c'est-à-dire sans que soit définie une position juridique précise, traduite dans une loi, un règlement ou un cahier des charges; il n'y a pas de statut de belle-mère, de protecteur, de traître, de passionné d'art ou de skieur de fond...

A partir de ce status et ce statut, on attend que la personne remplisse un *rôle*; celui-ci est à l'intersection du psychologique et du social: c'est «un modèle organisé de conduites relatif à une certaine position de l'individu dans un ensemble interactionnel»[100]. Ainsi, par exemple, on attend du status d'une mère qu'elle assure soin et protection à ses enfants, d'un assistant social qu'il offre écoute et efficacité à ses clients, d'un patron qu'il dirige avec justice, etc.

S'appuyant sur cette définition du rôle, Du Ranquet se réfère à Spiegel et Kluckhon et met en évidence trois sources de problèmes:

- la tension dans un système à cause d'une structure de rôle instable;
- des définitions ou attentes ambiguës;
- le manque de complémentarité entre les rôles, en particulier le désaccord entre les partenaires:
  . au niveau du rôle perçu,
  . au niveau du rôle attendu,
  . au niveau du rôle assumé,
  . au niveau du rôle joué,
  . au niveau des valeurs culturelles.

Il nous faut encore aborder le flou qui règne autour de la notion de *fonction*: certains auteurs appellent rôle ce que d'autres nomment fonction. Ainsi, par exemple, Chagoya et Guttman désignent comme rôles: «bouc émissaire, conciliateur, malade, bon, méchant ou mouton noir»[101]; Mc Goldrick et Gerson parlent de «gardien, pourvoyeur, porte parole»[102]. Ausloos, au sujet de la fonction que quelqu'un remplit dans son système d'appartenance, utilise des mots de même nature: pour lui, bouc émissaire, rassembleur, protecteur sont des fonctions plus que des rôles: «La fonction est de l'ordre du système (on «remplit» une fonction) et à ce titre elle peut être occupée par d'autres; le rôle est de l'ordre de l'individu (on «joue» un rôle) et chacun y imprime sa marque personnelle.»[103]

Ainsi Ausloos propose de parler de la fonction d'une personne dans un système dans le même sens que l'on évoque la fonction du symptôme (voir la section «Symptôme»). Nous partageons cette manière de voir. Nous ne l'aborderons pas plus ici.

Ainsi, parler des rôles, c'est une manière de parler de ce qui se déroule dans l'interaction. Le rôle est éminemment interactif. Il n'a de sens qu'en lien avec les autres personnes en présence. Le rôle s'inscrit dans la pièce et prend sens à la lumière des autres rôles. Une personne peut occuper plusieurs rôles, un rôle peut être tenu par plusieurs personnes.

Jeux relationnels

Pourtant, on ne parle plus guère de «rôle». En effet, l'attention s'est déplacée de l'acteur, auquel est lié la notion de rôle, à la structure, c'est-à-dire à la manière avec laquelle les différents rôles sont en interaction. C'est dans ce cadre que l'on parle de «jeu». De quoi s'agit-il?

- Rôle joué, rôle attendu et stratégie

Le concept de jeu est introduit dans le champ de la thérapie systémique par Selvini, qui s'inspire elle-même des travaux de

Crozier et Friedberg. Ces deux auteurs construisent une position médiane entre une vision qui privilégie la prégnance de la structure (c'est elle qui dicte le comportement de ses membres: ce qui fait un assistant social, c'est le service dans lequel il travaille; choisir un autre assistant social ne change rien; l'institution est beaucoup plus déterminante que la personne) et une position qui privilégie la personne (c'est la personne qui décide de son comportement: ce qui fait un assistant social, c'est son style, ses qualités personnelles, ses choix éthiques; changer d'assistant social dans une situation provoque une toute autre histoire). Ils proposent alors de voir et l'acteur et le système: «Système et acteur sont coconstitutifs, ils se structurent et se restructurent mutuellement. (...). Un système n'est explicable qu'à partir de l'action qui l'institue et le ré-institue constamment, et l'action n'a de sens que rapportée à un système.»[104]

La critique qu'apportent ces auteurs touche une vision qui privilégierait un seul de ces pôles, la structure ou l'acteur, ce qui est une construction mutilante empêchant l'accès à une compréhension dynamique du fonctionnement des personnes inscrites dans des structures. «Au lieu de nous centrer sur une série de conceptions délimitées, structure, rôle, personne, qui ne nous permettent pas d'appréhender les phénomènes que nous jugeons essentiels et qui sont des phénomènes de relations, de négociations, de pouvoir et d'interdépendance, nous nous centrons sur les mécanismes d'intégration de ces phénomènes eux-mêmes. *Le jeu pour nous est beaucoup plus qu'une image, c'est un mécanisme concret*, grâce auquel les hommes structurent leur relation de pouvoir et les régularisent tout en leur laissant leur liberté.»[105]

Pour eux, la notion de rôle centre l'attention sur le comportement qu'il convient d'avoir dans un contexte donné, en relation avec d'autres personnes. C'est donc une accentuation sur la prégnance du contexte qui dicte le rôle adéquat. Ils parlent alors de *rôle attendu*[106]. Mais si la structure exerce une influence constante sur le comportement de ses membres, l'individu est toujours acteur et dispose de pouvoir sur les autres acteurs.

Chacun va donc s'efforcer, selon Crozier et Friedberg, «de contraindre les autres membres de l'organisation pour satisfaire ses propres exigences et d'échapper à leur contrainte par la protection de sa propre marge de liberté et de manœuvre»[107]. Si donc la structure propose à la personne de mettre en œuvre un certain type de comportement (rôle attendu), l'acteur, lui, va donner forme à cette attente en construisant sa propre marge de manœuvre: c'est le *rôle joué*.

«Le jeu est ici le concept fondamental de l'action organisée... Lui seul est capable de concilier liberté et contrainte, autonomie des acteurs et intégration des comportements.. et les résultats du jeu n'auront pas été obtenus par une commande directe du comportement des participants mais à travers l'orientation qui leur a été donnée par la nature et les règles du jeu que chacun joue, et dans lequel ils continuent à poursuivre leur intérêt. (..). Le jeu est donc bien plus qu'un répertoire de rôles, ou plutôt, ajouter le mot «répertoire» au concept de rôle en transforme la nature et la logique. En effet, le jeu, en tant qu'il définit un répertoire de stratégies de comportements possibles, permet, contrairement au concept de rôle, d'endogénéiser le changement par les marges qu'il laisse aux joueurs.»[108]

Le concept de jeu introduit donc une idée nouvelle: inclure l'idée de stratégie des acteurs à l'intérieur du fonctionnement défini par la structure. «Le joueur reste libre mais doit, s'il veut gagner, adopter une stratégie rationnelle en fonction de la nature du jeu et respecter les règles de celui-ci.»[109]

Le jeu définit le cadre conceptuel à l'intérieur duquel les comportements prennent sens; c'est la définition de la nature du jeu qui définit ainsi des règles sur la manière de se comporter. A partir de là interviennent les stratégies des acteurs, qui peuvent prendre des formes diverses, conformes ou étranges, soutenues ou contestées.

Le changement, dans cette perspective, est alors la transformation de la nature du jeu: «Ce qui doit changer, ce ne sont pas, comme on le croit un peu hâtivement, les règles, mais la nature même du jeu.»[110]

- La métaphore du jeu dans les familles

Ce que Crozier et Friedberg ont développé pour comprendre comment se joue le pouvoir dans les organisations, Selvini va le reprendre et l'adapter aux thérapies avec les familles.

Elle part de l'idée que «la famille est un système auto-régulé qui se gouverne au moyen de règles»[111]. C'est cette notion de «règles» qui amène à celle de «jeu». Pour faire comprendre ce qu'est une règle, Jackson, puis Watzlawick avaient utilisé l'image d'un martien qui observe une partie d'échec et qui, grâce aux redondances, parvient à reconstituer les règles qui gouvernent l'action des joueurs. Cet exemple les amène à parler des «règles du jeu», à se centrer sur la manière selon laquelle les interactions sont organisées, à voir le comportement des uns et des autres comme alimentant un circuit d'interactions. Selvini et ses collaborateurs s'inscrivent dans cette lignée et affirment que «le pouvoir est dans les règles du jeu»; il n'est pas un attribut personnel de l'un ou l'autre des membres de la famille.

Selvini cadre le «jeu» comme «synonyme de modalité d'organisation des relations qui se construisent au cours du temps entre les divers participants. (...) On obtient donc une hypothèse sur le jeu relationnel par l'identification des stratégies de chacun des joueurs: et ce sur la base de leurs buts, de leurs pensées et de leurs sentiments utilisés alternativement pour organiser leur action.»[112] La question qui se pose alors au thérapeute est celle du déchiffrage des jeux relationnels desquels chacun est prisonnier. Beaucoup d'écrits s'inspirent de cette recherche et proposent une lecture des situations en termes de «règles du jeu».[113]

Cependant le terme de «jeu» s'est révélé ambigu dans la mesure où il évoque un aspect ludique, non authentique: si l'on joue, on ne peut souffrir, or les situations auxquelles sont confrontés les thérapeutes sont pleines de souffrances, d'angoisses, de peurs, de dangers. Selvini va donc reprendre cette notion, la remettre en cause, puis en confirmer la pertinence en passant de l'idée du jeu comme modèle ou comme théorie scientifique à celle du jeu comme métaphore.[114] Il s'agit donc moins, pour elle, de construire une théorie scientifique des jeux humains ou de tel type de jeux que d'avoir recours à une métaphore intuitive qui aide à cerner les phénomènes qui l'intéressent.

Certes, si le mot «jeu» prête à confusion puisqu'il désigne à la fois l'objet (la planche à jouer, l'échiquier) et le fait de jouer (le processus, l'action), cette appellation présente l'avantage d'être un langage compréhensible pour désigner analogiquement un processus relationnel. En particulier, cela permet de relier et les acteurs et les interactions dans un même regard, d'inclure le principe d'alternance ou d'échange dans lequel les coups de l'un sont en lien avec les coups de l'autre, d'inclure également l'idée que des règles communes existent et que les joueurs ont des finalités communes. Enfin, et ce n'est pas la moindre des choses, elle affirme que chaque acteur a non seulement la possibilité mais la nécessité d'élaborer des stratégies individuelles, ce qui donne au jeu un caractère imprévisible. «Dans ce sens, la métaphore du jeu nous a facilité l'accès à une vision qui ne sépare pas les individus des interdépendances réciproques ni l'interdépendance des individus, mais considère les individus comme interdépendants et toutefois relativement imprévisibles, dans la mesure où ils sont plus ou moins habiles à effectuer, à l'intérieur des règles et en conséquence des manœuvres adverses, tous les choix possibles.»[115]

Ainsi, la métaphore du jeu permet à Selvini de ne plus se centrer exclusivement sur les «règles», comme dans ses premiers écrits, dans la mesure où cette attention mettait l'accent sur la prédétermination des structures du système et laissait les individus dans l'ombre. Penser «jeu» permet de prêter attention et aux règles du systèmes et aux acteurs. De plus, elle permettra de prendre en compte les situations dans lesquelles il ya difficulté ou incapacité des acteurs à se mettre d'accord sur les règles du jeu.

L'adoption de la métaphore du jeu amène encore Selvini à remettre en doute son affirmation que «le pouvoir est dans les règles du jeu»; certes le pouvoir n'est pas unidirectionnel et il est toujours lié à la négociation des règles de la relation, mais la force de chacun dans cette négociation peut être très différente en fonction de la position hiérarchique, du niveau culturel, de la place dans la famille ou des qualités individuelles.

Enfin, penser «jeu» amène à réintroduire l'histoire: une situation ne peut s'expliquer uniquement dans l'ici et maintenant. Centrer son attention sur la séquence précédant tel événement est parfois largement insuffisant. Il s'agit, affirme Selvini, de penser la circularité des comportements dans le cadre d'une histoire parfois longue, remontant à plusieurs années, voire aux générations précédentes.

L'équipe milanaise, par la métaphore du jeu, va donc profondément modifier le point de vue duquel elle était partie: il n'est plus question d'établir des modèles fixes de comportements humains, il faut envisager et le système et les acteurs, les situer dans une histoire évolutive qui va vers un but[116] et prendre en compte les prédéterminants structurels, les positions hiérarchiques, culturelles ou les qualités personnelles.

- Le jeu-outil

C'est à un pôle très différent que se situent Andolfi et ses collègues, de Rome. Lui aussi parlera de jeu, mais dans le sens d'un outil pertinent dans le cadre des thérapies: les enfants aiment jouer, dit-il, c'est leur langage. Si le thérapeute ose jouer, il y trouvera «un moyen de faciliter la participation des enfants au cours de la thérapie familiale, un moyen de se joindre à un système familial, un moyen de recueillir des informations, un moyen pour faciliter la restructuration de la famille»[117]. Il suggère donc aux thérapeutes d'apprendre à jouer, «jouer avec les objets et jouer avec les mots»[118]. Le jeu devient donc non plus une métaphore ou un modèle, mais un outil pertinent pour l'intervention.

- Le jeu-espace intermédiaire

C'est un peu à l'intersection de ces deux courants que se situe Caillé: autant dans le prolongement de la pensée de Crozier que dans la perspective d'un outil d'intervention. Pour lui également, la notion de «jeu» permet de retrouver l'individu. Comme Selvini, il parle de «modèle postsystémique» identifiant le modèle systémique à celui qui se préoccupe des règles du système en ignorant la place des individus comme acteurs de ce système. Il parle «du jeu en tant que modèle et non comme une simple métaphore»[119]. Alors qu'il le formule en termes rigoureusement opposés à Selvini, ils semblent pourtant tous deux d'accord sur le fait que les jeux sont toujours originaux et uniques et que l'imbrication du cadre du jeu et des stratégies des acteurs sont indissociables. Pourtant, Caillé introduit à l'intérieur du concept de jeu les deux pôles sur lesquels il bâtit progressivement sa construction, l'identité et l'appartenance: «Il y a représentation dans le modèle du jeu de ce qui unit, l'appartenance, et de ce qui distingue, l'identité. Si on retire au jeu ses règles, ou si l'on prive les joueurs d'une stratégie personnelle, le jeu ne peut plus exister, il disparaît. De même, le système ne peut exister sans son modèle fondateur et sans la notion d'identité personnelle de ses membres.»[120]

Caillé emprunte encore à Crozier et Friedberg un élément que Selvini n'exploite pas: la notion des «zones d'incertitude». Chez eux, il s'agit des espaces d'indétermination dans lesquels la manière selon laquelle le jeu va être joué ne peut pas être prédite ou contrôlée. «S'il y a incertitude, les acteurs capables de la contrôler l'utiliseront dans leurs tractations avec ceux qui en dépendent. Car ce qui est incertitude du point de vue des problèmes est pouvoir du point de vue des acteurs. Aucun problème, finalement, n'existe comme tel. Pour être traité, il doit toujours être repris et redéfini, soit pour l'ajuster aux caractéristiques des jeux déjà en opération, soit pour permettre la création de ces incertitudes «artificielles» sans lesquelles aucun marchandage, aucun jeu n'est possible.»[121] Dans cette ligne, pour Caillé, «les zones d'incertitude sont particulièrement celles où se joue le jeu, celles où appartenance et identité sont des dimensions encore négociables»[122]. Le jeu qu'il modélise est donc celui de la tension entre ces deux pôles complémentaires et antagonistes.

Caillé propose encore de distinguer les «règles» du jeu et le «sens» du jeu, le jeu et les joueurs, le joueur et l'individu, le jeu de la famille et le jeu du thérapeute. Nous ne nous arrêterons pas plus sur ces distinctions que nous avons déjà évoquées.

Mais il faut encore souligner une autre originalité de Caillé, dans le sens où il propose aussi le jeu comme outil d'intervention. En effet, créant ses sculptures comme mise en scène des modèles mythiques et phénoménologiques des familles qu'il rencontre[123], il propose ensuite le conte systémique[124] et finalement le *jeu de l'oie*[125], qui, sous la forme d'un jeu, crée un espace intermédiaire dans lequel peuvent se travailler identité et appartenance. C'est un espace de discussion sur le jeu et les acteurs. C'est donc un jeu sur le jeu, un métajeu.

Jeu et travail social

Lebbe-Berrier fait de la notion de jeu une des trois notions «du triangle des Bermudes», cet endroit mystérieux dans lequel disparaissent les navires, en l'occurrence là où le travailleur social se laisse engloutir. Elle se réfère essentiellement aux travaux d'E. Berne[126], pour lequel «un jeu c'est le déroulement d'une série de transactions cachées, complémentaires, progressant vers un résultat bien défini, prévisible. Sur le plan descriptif, il s'agit d'un système récurrent de transactions souvent répétitives, superficiellement plausibles, à motivation cachée; ou bien en langage plus familier, d'une série de *coups* présentant un *piège*, un truc. Les jeux (...) peuvent impliquer la lutte, non le conflit, et le résultat peut être sensationnel, non dramatique. Tout jeu, d'autre part est malhonnête à la base et son résultat présente un caractère dramatique - nous voulons dire autrement que purement excitant.»[127]

Lebbe-Berrier se situe donc dans la lignée de E. Berne: pour elle, les jeux sont mauvais. «Ils ne sont en général pas mis en place de façon volontaire, consciente; ils résultent la plupart du temps et pour la plupart des professionnels, de l'impossibilité momentanée de reprendre de la distance, de pouvoir s'arrêter, se repositionner dans une place avec des *missions*.»[128] En temps normal, hors stress, il n'y a pas de jeu. Autrement dit, quand il y a jeu, c'est que quelque chose ne va pas. Jouer, ce n'est pas sain.

Nous ne partageons pas du tout ce point de vue. «Jeu» n'est pas un terme «moral» qui désigne ce qui est mal, mais un terme qui sert à modéliser ce qui se passe.

Cependant, Lebbe-Berrier décrit un certain nombre de jeux qui se passent dans la supervision du travailleur social; à la suite de Berne, elle leur donne un titre évocateur qui indique bien leur contenu: «Soyez gentil avec moi puisque je suis gentil avec vous; protégez l'infirme et le malade; l'évaluation n'est pas faite pour des amis; j'ai une petite liste; j'ai fait ce que vous m'aviez dit de faire mais...; tout ou rien.» Outre l'intérêt de ses descriptions, elle attire l'attention sur un élément nouveau: le travailleur social lui aussi propose un jeu! que ce soit, comme ici, au superviseur ou que ce soit dans la rencontre avec le client.

La question des jeux (puisque de notre point de vue on ne peut pas ne pas jouer) amène donc non seulement à comprendre «à quoi *ils* jouent dans cette histoire que je dois traiter», mais aussi «à quoi *nous* jouons dans cette rencontre spécifique». En particulier dans le cadre des institutions ou des services qui reçoivent des clients «expérimentés», c'est-à-dire qui ont une longue carrière de clients de services sociaux et d'institutions, la question de la définition du «à quoi allons-nous jouer ensemble?» est primordiale.

Ces questions du jeu qui se déroule entre les clients et les travailleurs sociaux ont été développées par Mugnier[129], qui met en évidence la manière selon laquelle la structure judiciaire (en l'occurrence) prédétermine le jeu qui va se dérouler et qu'il décrit comme un jeu circulaire qui s'auto-alimente. Travailleur social et client se répondent et se stimulent réciproquement, construisant ainsi des jeux sans fin et empêchant qu'émerge du nouveau. Il s'agira alors de créer un espace cognitif commun[130] dans lequel il sera possible de métacommuniquer sur le jeu.

D'autres auteurs encore utilisent cette notion de jeu: Chemin parle de modèle relationnel répétitif[131], Christen étudie les isomorphismes de fonctionnement entre les familles et les institutions à propos de la violence[132], Pluymaekers traite de jeu relationnel ou de carte du monde et programme officiel[133], Julier-Costes définit la relation autour de l'argent dans des termes d'échange[134], Pauzé et Roy repèrent le jeu interactionnel[135] à partir duquel ils proposent d'élaborer une carte relationnelle (nous y reviendrons). Mais ces divers aspects ou appellations ne nous paraissent pas ajouter d'éléments fondamentalement nouveaux.

Qu'allons-nous alors retenir de tous ces éléments pour notre construction?

Idées-clés

Définition: nous appelons «jeu relationnel» le mode relationnel répétitif qui s'instaure entre deux ou plusieurs partenaires dans un contexte donné. Nous pouvons ajouter:

1. Prêter attention au jeu relationnel amène à prendre en compte autant les *personnes* en présence que le *système* d'appartenance dans lequel elles s'inscrivent.
2. La structure du système et son organisation prédéterminent ce qui est attendu de chacune des personnes en présence. Elle propose un rôle, appelé *rôle attendu*, en fonction de la place de chacun et des objectifs du système.
3. Chacun garde une marge de manœuvre dans ses possibilités de mettre en scène ce qui est attendu de lui: c'est le *rôle joué*.
4. Non seulement chaque acteur construit sa propre interprétation de ce qui est attendu de lui, mais il est susceptible également de *proposer un changement de la définition* du cadre qui donne sens au jeu relationnel.
5. La notion de jeu inclut la *stratégie* nécessaire de chaque acteur. Le «jeu» réunit dans le même regard but du jeu, acteur et stratégie. Le jeu est à fois ce qui réunit (règles, appartenance) et ce qui différencie (stratégie, identité).

6. *La place et l'importance de chacun ne sont pas égales* dans cette négociation: hiérarchie, génération, compétences, ressources diverses ou handicaps sont des facteurs d'inégalités dans la possibilité de définition d'une marge de manœuvre.
7. Les jeux peuvent être aussi bien bénéfiques que rigidifiés et source de blocages et/ou de dysfonctionnements. La question n'est donc pas de savoir comment nous pourrions sortir d'un jeu, mais plutôt de repérer en quoi le jeu actuel - dans le système client de même qu'entre le système client et le système intervenant - est une aide ou un frein, si nous jouons au même jeu ou si nous sommes pris dans des jeux qui se paralysent ou s'annulent réciproquement. *On ne peut pas ne pas jouer.*
8. La rencontre entre le travailleur social et le système client s'inscrit dans un *contexte qui donne sens* à ce qui se passe et laisse une *marge de manœuvre et de responsabilité* aussi bien aux uns qu'aux autres.
9. Le travailleur social autant que le client proposent chacun une manière de jouer ensemble. La négociation de ces jeux, c'est la *coconstruction de la relation.*
10. Les jeux deviennent particulièrement perceptibles lorsqu'il y a *écart* entre la version officielle du jeu relationnel et sa mise en scène.

- Deux cartographies parallèles

Il est utile dans ces cas-là de dresser une carte relationnelle. Nous proposons deux cartographies parallèles[136] qui représentent, d'une part, le point de vue de la structure et, d'autre part, celui des acteurs. Le tableau des pages 180/181 illustre ces deux cartographies complémentaires.

Nous voyons que ces deux types de représentations nous donnent des indications aussi bien sur la prégnance du système que sur les possibilités de jeux des acteurs.

Mettre en regard ces deux tableaux nous donne accès à des informations d'un troisième niveau, celui qui permet de donner un sens à la différence entre ces deux visions complémentaires, concurrentes et antagonistes.

TABLEAU COMPARATIF DE DEUX CARTOGRAPHIES DE L'INSTITUTION ET DE LA FAMILLE

ORGANIGRAMME OFFICIEL	Commentaires	ORGANIGRAMME RELATIONNEL
accent sur la structure		accent sur les acteurs
	L'INSTITUTION légende de l'organigramme relationnel: relation importante relation très importante conflit (L'épaisseur du trait indique l'intensité; la grandeur de la forme indique l'espace relationnel occupé.)	
	LA FAMILLE Ce sont deux formes de catographies complémentaires	
	Ces aspects ont été nommés de manières diverses, par exemple:	
programme officiel	Pluymeakers, Elkaïm	carte du monde
modèle mythique (appartenance)	Caillé	modèle phénoménologique (identité)

ORGANIGRAMME OFFICIEL	Commentaires	ORGANIGRAMME RELATIONNEL
accent sur la structure		accent sur les acteurs
INFORME SUR: - structure hiérarchique - cahier des charges - zones de responsabilités - rôles attribués aide à repérer plutôt les règles explicites annoncées par l'institution ou la famille	Et l'un et l'autre informent sur les forces de changement et de non-changement donnent des indications sur le jeu relationnel	INFORME SUR: - le réseau relationnel - les alliances, coalitions, conflits, ruptures - la communication - l'espace relationnel de chacun aide à repérer plutôt les règles implicites, construites par l'observateur
STATUT		STATUS
RÔLE ATTENDU définition du travail à faire et/ou du comportement à avoir (tâches, délégation, marges d'autonomie..).	Niveau plutôt explicite	RÔLE JOUE description de la manière avec laquelle sont mis en scène le travail et/ou le comportement (ne répondre qu'aux urgences, autoritaire, sympa, secret..).
FONCTION RELATIONNELLE ATTENDUE définition de l'utilité relationnelle du rôle attendu (assurer la stabilité relationnelle de l'équipe, apporter du nouveau, respecter la hiérarchie, calmer les conflits..).	Niveau plutôt implicite valable aussi bien vis à vis de l'équipe que de la famille ou de la relation entre le travailleur social et le système client	FONCTION RELATIONNELLE JOUÉE description des comportements et de leurs effets relationnels (celui qui rappelle la loi, celui qui calme les conflits, celui qui fait monter l'agressivité, celui qui distrait et fait rire..).

Nous pouvons dire que l'organigramme relationnel met en scène les stratégies que chacun a inventées pour vivre dans (ou contester) le cadre posé par l'organigramme officiel.

Nous pouvons donc dire que cette notion de jeu relationnel se retrouve dans toutes les situations: aussi bien face à un seul client qu'à une famille, un groupe éducatif, un colloque d'équipe, une rencontre de réseau primaire ou secondaire; le travailleur social peut donc identifier les jeux en présence, c'est-à-dire répondre à la question suivante: «Comment, dans le cadre de ce système que nous créons ici, se règlent les contraintes dues au contexte et la marge de manœuvre des acteurs en présence?» Parler du jeu, c'est parler des règles. Tout système d'interaction est régulé, y compris les systèmes dans lesquels la négociation ou l'accord semblent impossibles. Les règles sont donc liées au cadre, au contexte, aux demandes, aux préconstruits, aux pressions, au symptôme, au temps. La notion de jeu apparaît donc comme une métanotion englobant tous nos autres repères.

En quoi alors est-il pertinent de la proposer comme repère pour la construction de la compréhension et de l'intervention du travailleur social?

Repère

Nous suggérons à nouveau trois pistes:

Ecart trop grand entre les deux organigrammes

Premièrement, dans les cas où l'écart entre les deux organigrammes est trop grand, nous nous accordons avec Caillé sur la pertinence de travailler sur l'axe «identité-appartenance». C'est comme si la version officielle de l'explication de tel comportement était un sacrifice sans condition aux exigences d'organisation du système d'appartenance. Seul le mythe compte et peut être dit.

Ainsi, par exemple, certains enfants ont souvent fait l'expérience que, lorsqu'ils avouent leur incompréhension, ils ont droit à un quart d'heure d'explications supplémentaires. Ils tentent alors d'éviter cette corvée inutile. Aussi annoncent-ils qu'ils savent, qu'ils connaissent toutes les personnes dont on parle et tous les lieux qui sont évoqués, même si cela peut les mettre par la suite en difficulté. Confrontés à leur «invention», ils trouvent toujours un moyen de se défiler pour éviter d'avoir à subir l'explication redoutée.. Etre grand, c'est savoir. Tout signe de non-savoir est à éviter. L'adulte qui sait mieux est un danger. La mise en scène d'évitement, c'est la stratégie inventée pour exister dans les exigences du système.

Dans le schéma de la famille que nous proposons dans le tableau comparatif des deux cartographies, nous percevons sans peine le décalage entre celles-ci: l'organigramme officiel montre des générations clairement séparées, la clarté des places de chacun et l'égalité d'importance de chaque personne; l'organigramme relationnel fait apparaître le poids différent des enfants, du père et de la mère, l'intrusion de la grand-mère et le rôle de soutien et de tampon que jouent les enfants dans le conflit apparent du couple...

Nous proposons dans de tels cas de construire une compréhension en termes de *conflit entre identité et appartenance*, et/ ou de *difficulté dans l'établissement des frontières*: soit entre le système et son environnement, soit entre les différents sous-systèmes (intergénérationnels ou niveaux hiérarchiques).

Nous constatons en supervision que les travailleurs sociaux viennent volontiers avec une représentation de type génogramme ou organigramme institutionnel (carte officielle) et n'ont que rarement dessiné une carte relationnelle. Tracer de telles cartes est utile dans le cadre de supervisions; mais nous recommandons particulièrement d'en réaliser avec le système client lui-même, sous forme de dessin, de sculpture, d'utilisation de figurines ou de cartes illustrées (jeu d'enfants avec des images, photo langage, contes à la carte, etc.) ou, bien sûr, par le jeu de l'oie proposé par Caillé. De telles représentations non seulement aident le travailleur social à construire une compréhension, mais elles offrent un langage symbolique, spécifique aux personnes en présence, qui facilite non seulement l'alliance mais aussi et surtout les capacités de création, d'invention et d'autorésolution du système concerné.

La piste d'intervention que nous suggérons consiste donc à travailler sur deux fronts en même temps:

D'une part, la mise en travail du mythe constitutif du système concerné, de son origine et de ses projets. C'est l'orientation vers les finalités qui permettra le mieux de redéfinir ce vers quoi le système client veut tendre et comment il est possible de prendre en compte aussi bien les finalités individuelles que celles du système[137].

D'autre part, il sera nécessaire de *mettre en travail dans le même temps le mythe de la relation d'aide*, qu'il soit celui d'une résolution magique, celui d'une aide impossible, celui d'un «y'a qu'à.» ou celui d'un «long chemin» parsemé d'embûches. Le travail de définition du sens de la relation d'aide entre le travailleur social et le client a d'abord une vertu «pédagogique», c'est-à-dire qu'il permet de faire une fois ensemble ce travail d'interrogation du mythe relationnel. Il permet de préciser ce qui réunit les personnes dans ce contexte, les rôles attendus de chacun ainsi que sa responsabilité propre. Mais aussi et surtout il met en scène une volonté d'attention constante au jeu relationnel qui se développe entre le travailleur social et le système client.

Transactions répétitives et sclérosées

Dans les situations dans lesquelles le travailleur social se heurte à des transactions répétitives, à des séquences de comportements construites toujours selon le même schéma, à des modes de relations sclérosés, il nous paraît également pertinent d'utiliser ce repère. Dans la piste précédente, nous avons mis l'accent sur l'écart entre la version officielle de la relation et sa mise en scène; il nous faut préciser que ces décalages peuvent être très variés et créatifs. Ici nous partons de jeux relationnels monotones, c'est-à-dire qui deviennent facilement prévisibles, aussi bien pour l'intervenant que pour les protagonistes eux-mêmes; ils se traduisent par des phrases du type:

- C'est toujours la même chose, il...
- De toute façon c'est toujours moi qui ai tort...
- Je sais, je fais toujours faux...
- Mon père va encore faire les mêmes histoires que d'habitude...
- Et comme d'habitude, c'est l'avis du comptable qui prend le dessus...
- De toute façon on peut lui dire ce qu'on veut, le directeur en fait toujours exclusivement à sa tête...

La composante du «toujours» ou du «jamais» est un indicateur précieux. Comme si, du point de vue des acteurs, toute tentative d'évolution ou toute perspective de changement était d'entrée vouée à l'échec. Ces affirmations sont accompagnées de beaucoup de résignation, d'amertume, de tristesse ou de révolte.

Nous suggérons alors, après avoir exploré quelles tentatives de changement ont été mises en œuvre, de chercher ce qui fait que le temps soit bloqué[138]: peur d'évolution, crainte de passer à une autre phase du cycle de vie, blessure relationnelle non cicatrisée, deuil non fait, souci de préserver quelque chose ou quelqu'un.

Au niveau institutionnel, nous avons par exemple souvent rencontré une conception écrasante de la hiérarchie qui devrait tout contrôler:

Dans cette institution, le directeur est un homme très soucieux d'offrir le meilleur aux adolescents qui lui sont confiés. A chaque colloque, il demande aux éducateurs ce qu'ils ont fait pour chaque pensionnaire.

Colloque 1:

– Pour le nouveau, nous avons pris contact avec la mère.
– Mais il faut tout de suite contacter le père aussi....

Colloque 2:
- Nous avons vu mère et père et aussi les grands parents…
- Avez-vous vu le patron d'apprentissage?

Colloque 3:
- Nous avons revu père, mère, grands parents et aussi parrain, de même que le patron d'apprentissage et le professeur des cours professionnels…
- Pourquoi n'avez-vous pas encore trouvé de répétiteur?

Colloque 4:
- Nous avons fait ce que tu as dit. Et maintenant que devons-nous faire?

Le directeur alors se plaint d'avoir de plus en plus des éducateurs incapables de toute initiative, auxquels il faut tout dire. S'il n'était pas là pour penser, rien ne se ferait…

Il est alors utile de retravailler la succession des événements qui ont progressivement amené à ce jeu paralysant et ce qui contribue à le maintenir aujourd'hui. Cela permet de relever en quoi pourtant ce mode de fonctionnement est porteur d'un souci légitime: il y a de bonnes raisons de faire ainsi et pour le moment personne n'a trouvé comment faire autrement pour répondre à ce que l'on essaye de protéger, d'interdire ou de prôner. En reconnaissant la légitimité du projet dont est porteur ce jeu interactif figé, il devient possible de construire avec les personnes impliquées un autre jeu relationnel, moins paralysant et gardant les mêmes objectifs.

Difficulté à repérer des séquences répétitives

Dans d'autres situations encore, la difficulté consiste pour l'intervenant à repérer des séquences répétitives. Le client, par exemple, passe perpétuellement d'un style relationnel à un autre sans que le travailleur social ne parvienne à comprendre ce qui se passe:

Simone a 25 ans. Elle est sous tutelle pour des raisons d'alcoolisme et de polytoxicomanie. Elle se présente de manière étrange à son tuteur: un jour elle se montre furieuse contre lui,

lui reprochant de ne pas être crédible et de tout faire pour la maintenir en dépendance; le lendemain elle chante ses louanges à qui veut l'entendre, présentant son tuteur comme son sauveur. Elle joue parfois la séduction, parfois la dérision, la soumission ou encore le mépris. Le tuteur ne sait jamais comment se préparer à un entretien, comment prévoir sur quel pied danser avec elle. Toute élaboration d'un projet ou d'une stratégie semble impossible....

Ce jeu relationnel chaotique est caractéristique de bien des situations. Il plonge les deux parties dans des sentiments intenses, passant de l'agacement au désarroi, de la tendresse à la colère. Plus le jeu s'accélère dans ses changements, plus il y a des chances que le travailleur social tout autant que le client soient perpétuellement dans une grande insatisfaction. Une perte de confiance dans la relation s'installe, chacun apparaît comme non crédible aux yeux de l'autre, oscillant d'une position de victime à une position de persécuteur, de blâmant à soumis.

Nous proposons ici de construire un sens autour d'une *lutte souterraine pour la définition unilatérale de la relation.* Tout accord apparaît comme une perte, toute concession dans le registre de l'autre comme un échec. Cette position de rivalité met chaque partenaire dans une symétrie qui se rigidifie et paralyse toute possibilité de collaboration. La discussion peut se centrer exclusivement sur le contenu, sans possibilité de métacommuniquer, ou alors tout devient objet de métacommunication sans que jamais un contenu ne puisse être pris en compte. Il n'y a pas d'articulation entre contenu et relation: c'est ou..ou.

Nous savons bien que symétrie et complémentarité décrivent des situations relationnelles dans lesquelles chacun est acteur complémentaire de l'autre. Le travailleur social ne peut à lui seul décider d'être en symétrie ou en complémentarité. Il ne peut donc espérer changer l'autre, mais il a prise sur sa part dans ce jeu. Il peut donc mettre en scène une modification de sa propre proposition de définition de la relation. Aussi, face à cette escalade du toujours plus de la même chose, nous proposons les stratégies classiques face aux escalades symétriques: soit l'amplification de la symétrie soit la prise de la position basse.

L'amplification de la symétrie vise à utiliser les ressources combatives du client pour le mettre dans un défi duquel il ne peut que sortir gagnant. Par exemple le défi paradoxal du type «de toute façon je sais bien que vous ne pourrez pas vous passez de mes services» ou «de toute façon je sais que vous ne pourrez vous en sortir seul»[139], qui permettent soit de mettre fin à la relation par défi et de «forcer» ainsi la personne à trouver seule ses solutions, soit de casser le jeu et de permettre ainsi une redéfinition du sens de la collaboration, ouvrant ainsi une possibilité pour le client de se laisser aider.

L'adoption de la *position basse*, en particulier dans le registre inutilisé, que ce soit du contenu ou de la relation, vise à modifier le jeu chaotique en autorisant le client à utiliser ses compétences plutôt qu'a toujours paralyser les tentatives du travailleur social: «Comment voudriez-vous que je vous aide?» ou «Pouvez-vous m'aider à comprendre ce qui nous paralyse en ce moment?» sont des tentatives de casser l'escalade de la définition du jeu relationnel. Cela demande du travailleur social une vigilance constante pour ne pas alimenter l'escalade ou monter en symétrie de désescalade!

Résumé

La notion de jeu relationnel se situe à deux niveaux:

- D'une part comme *concept*:

Définition: Nous appelons «jeu relationnel» le mode relationnel répétitif qui s'instaure entre deux ou plusieurs partenaires dans un contexte donné.

1. Prendre en compte autant les *personnes* en présence que le *système* d'appartenance dans lequel elles s'inscrivent.
2. La structure propose un *rôle attendu.*

3. Chacun garde une marge de manœuvre: c'est le *rôle joué*.
4. Chaque acteur peut *proposer un changement de la définition* du cadre qui donne sens au jeu relationnel.
5. La notion de jeu inclut la *stratégie*.
6. La place et l'importance de chacun ne sont *pas égales*.
7. *On ne peut pas ne pas jouer*. L'important est de construire un jeu utile.
8. Le *contexte* donne sens et laisse une *marge de manœuvre et de responsabilité* aussi bien aux uns qu'aux autres.
9. Le travailleur social autant que le client *coconstruisent «le jeu relationnel»*.
10. Dresser une carte relationnelle fait apparaître l'*écart* entre une version officielle du jeu relationnel et sa mise en scène.

- D'autre part comme *repère* et comme *piste d'intervention*:

1. *L'écart entre les deux cartes est trop grand*: construire une compréhension en termes de conflit entre *identité et appartenance*, et/ou de difficulté dans l'établissement des frontières. D'où travail du mythe constitutif du système concerné, et, dans le même temps, du mythe de la relation d'aide.
2. Constat de *transactions répétitives et sclérosées*: explorer la succession des événements qui ont progressivement amené à ce jeu paralysant et ce qui contribue à le maintenir aujourd'hui. *Reconnaître la légitimité du projet dont est porteur ce jeu interactif figé* pour construire avec les personnes impliquées un autre jeu relationnel.
3. Difficulté à repérer des séquences répétitives. Nous proposons ici de construire un sens autour d'une *lutte souterraine pour la définition unilatérale de la relation.* Face à cette escalade du toujours plus de la même chose, nous proposons soit l'amplification de la symétrie, soit la prise de la position basse.

PRÉCONSTRUITS

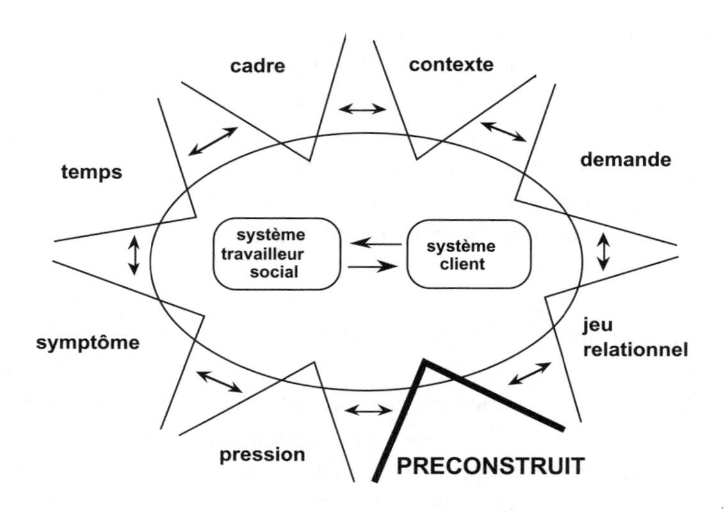

Le concept

Nous ne connaissons que peu de textes, dans la littérature systémique, qui traitent de ce concept sous cette appellation. Nous nous proposons d'y regrouper ce qui a été réfléchi autour des déterminants préalables à la rencontre entre l'intervenant et le client. Ni l'un ni l'autre n'entrent en relation «vierges» de toute idée, croyance, connaissance, représentation de l'aide qu'ils vont demander ou offrir. Les préconstruits, c'est tout ce qui précède la rencontre et qui, avant même tout contact, toute exploration, font que quelque chose existe déjà.

Nous distinguerons trois aspects que recouvre ce concept:

- ce qui relève d'une lecture centrée sur l'individu;
- ce qui relève de la construction sociale du travail social;
- ce qui ressort de la rencontre proprement dite entre l'intervenant et le client.

Nous affirmons, dans le chapitre sur l'épistémologie, nous rattacher à une vision constructiviste, c'est-à-dire à cette pensée qui propose de voir le monde non comme une réalité à découvrir, mais comme un objet que nous construisons sans cesse. Nous ne pouvons avoir connaissance du réel qu'au travers de ce que nous en percevons et disons. Nous sommes par conséquent toujours impliqués dans notre connaissance et n'avons jamais un regard «objectif» ou «extérieur» sur les événements. Nous ne découvrons pas le monde, nous l'inventons.[140] Nous considérerons évidemment alors, dans le cadre de la rencontre entre un client et un travailleur social, que chacun des partenaires opère une construction non seulement du problème qui va être traité mais également du contexte, du cadre, des partenaires en présence, de ce qui pourrait être fait, etc. C'est là notre construction de la rencontre!

Ainsi l'idée de «construit» n'est plus nouvelle et nous la considérons comme acquise. De même, et nous la reprendrons plus loin, l'idée que si le réel est construit, il est sans doute possible de le modéliser autrement, de manière plus adaptée, plus pertinente, plus utile, dans les cas où la première construction s'avère insatisfaisante. Ce qui est en cause ici c'est donc le «pré» du construit, c'est-à-dire le fait qu'il y aurait dans la rencontre quelque chose d'antérieur, que la construction débuterait avant. De quoi alors est constituée cette antériorité et en quoi influe-t-elle sur la rencontre du travailleur social et du client?

Nous examinerons en premier lieu la construction des représentations individuelles, puis nous envisagerons ce qui se passe à une échelle sociale pour parler des construits sociaux.

Les préconstruits individuels

Retenons d'abord que le client et le travailleur social ont une expérience de vie qui les a amenés à développer des catégories explicatives du réel. C'est à partir de ces expérimentations relationnelles qu'ils donnent sens à ce qui arrive; les notions que nous examinerons pour comprendre comment l'individu construit ses «pré»construits, sont donc: *préjugés, représentations, apprentissage, croyances, valeurs, mythes et cultures.*

- Les préjugés

Ils sont en général connotés négativement: il n'est pas bon, pour un travailleur social consciencieux, d'avoir des préjugés, car il n'est pas là pour juger mais pour écouter et agir; de plus, les préjugés par définition faussent le jugement, empêchent un abord «objectif», à la bonne distance. Forts de cette conviction, beaucoup de travailleurs sociaux se refusent à lire un dossier avant de rencontrer un client, «de peur que cela n'influence ce qu'ils vont voir et les empêche d'être disponibles». Il s'agit donc d'une certaine manière de s'interdire de penser, de reléguer dans l'ombre ces jugements qui faussent notre regard, comme si ne pas vouloir voir avant nous libérait de nos filtres de constructions.

Le mot *préjugé* ne nous convient pas, car il laisse sous-entendre que le «pré» concerne uniquement le jugement porté sur une personne ou un événement. Au fond, il serait possible d'être objectif tant que l'on ne porte pas de jugement. Ne pas avoir de préjugés, ce serait se donner le moyen d'examiner les faits avant, et, dans une deuxième étape, de les apprécier. Nous ne partageons bien sûr pas ce point de vue en regard de notre position constructiviste.

- La représentation sociale

Elle fait l'objet d'une abondante littérature et désigne «une forme de connaissance socialement élaborée et partagée, ayant une visée pratique et concourant à la construction d'une réalité commune à un ensemble social»[141]. Jodelet met donc l'accent sur le côté «socialement élaboré» de la représentation: pour parler de représentation sociale, il faut qu'il y ait partage de vue. On peut alors s'interroger sur la manière selon laquelle se forgent les représentations chez un individu. Est-ce l'individu qui forge des représentations qui deviennent communes ou le collectif qui impose à l'individu une manière de se représenter le réel? Cette question est bien sûr indécidable et nous considérons qu'il y a interaction constante entre ces deux niveaux.

Chacun construit le réel à partir de ses perceptions, qu'il organise selon ses propres processus mentaux. Bateson propose de distinguer le monde physique, celui des faits qui n'ont en eux-mêmes aucun sens, et le monde de l'explication de la distinction, de l'information.[142]

Watzlawick reprend cette distinction en parlant de «réalité du premier ordre», celle des faits, et «réalité du second ordre», c'est-à-dire «le cadre dans lequel les *faits* reçoivent une signification ou une valeur»[143]. S'il est possible de distinguer ces deux niveaux, ils sont par contre toujours entremêlés, car un événement sans sens ne présente que peu d'intérêt. C'est dès le moment où il est rattaché à une signification qu'il devient assimilable, transmissible, inclus dans une construction du monde. Si les éléments de la réalité du premier ordre peuvent être vérifiés, répétés, quantifiés, examinés, objectivés, en revanche, ceux du deuxième ordre sont éminemment liés à la personne qui donne un sens. Ils ne peuvent en aucun cas avoir valeur de «vérité».

Ainsi l'endettement d'une personne est une réalité de premier ordre: il est possible d'en mesurer l'ampleur, d'en dresser une liste, d'en calculer le coût. Mais donner un sens à cet endettement relève d'un tout autre domaine: selon qu'il s'agit d'un petit propriétaire qui calcule l'amortissement de sa dette sous forme de loyer ou d'une personne qui a fait divers emprunts pour survivre à son manque de salaire, le même endettement sera une affaire pour l'un et un problème pour l'autre.

De même, le sens de l'endettement par petits crédits peut être construit en termes d'inconscience, de malheur, de mauvais passage accidentel, de conséquence de dépression, de manœuvre de redressement...Les effets de cette construction de sens dirigent l'intervention du travailleur social dans des directions bien différentes.

- La notion d'apprentissage

Les représentations donnent sens à un fait. La question suivante est de savoir comment se forgent les représentations, ce qui nous amène au concept d'apprentissage.

Ce concept est également un macroconcept, développé aussi bien par les pédagogues que par les psychologues ou même les gestionnaires. Faut-il alors s'intéresser à ce que l'on apprend ou à comment on l'apprend? Pour Laborit, seul manger, boire, dormir et copuler sont instinctuels, tout le reste est le résultat d'apprentissages mémorisés visant à établir sa dominance sur l'objet désiré.[144] En l'occurrence, ce qui nous intéresse est plus de l'ordre du «comment» que du «quoi».

C'est surtout à Bateson que nous nous référons en ce domaine.[145] Il distingue plusieurs niveaux d'apprentissage:

- *L'apprentissage zéro,* dans lequel un même stimulus provoque toujours une même réponse. Il s'agit là d'automatisme. C'est le niveau de la machine triviale.
- *L'apprentissage 1* correspond à «apprendre», c'est-à-dire à pouvoir donner des réponses différentes au même stimulus, mais à des moments différents. Différencier, par exemple, s'il convient de dire bonjour ou au revoir à une personne qui tend la main, ou s'il faut faire remplir le formulaire bleu au nouveau venu ou le jaune, ou encore toute démarche ou attitude de type routinière.
- *L'apprentissage 2*, c'est «apprendre à apprendre», c'est-à-dire rendre ses apprentissages efficaces dans d'autres contextes, comprendre qu'un apprentissage peut être transféré avec profit à une situation nouvelle. Ainsi, une personne qui a appris à obtenir de l'attention dans sa famille en tapant du poing sur la table pourra reproduire le même comportement, avec efficacité, dans le contexte de son travail ou, plus tard, de son couple. Il s'agit là d'un apprentissage non pas de contenu mais de processus relationnels. «Lorsque je me comporte de telle manière, j'obtiens tel type de résultat. Si je veux obtenir tel type de résultat, il faut que je me comporte de telle manière.»

C'est ainsi que Sluzki et Véron parlent de modèles d'interactions répétitifs, comme par exemple un conflit parental qui «organise l'interaction dans le processus d'apprentissage de chaque individu. La façon dont ces conflits se transforment finalement en modèles d'interactions spécifiques donnera lieu, à longue échéance, à des formes spécifiques de névrose (conçues en termes de stéréotypes de comportements).»[146] C'est donc l'apprentissage 2 qui est à la source des «pré»construits, c'est-à-dire que c'est à force d'apprentissages par essais et erreurs que chacun se forge une image, une expérience sur comment est fait le monde, comment il convient de s'y comporter, comment faire pour apprendre de nouvelles choses, comment ce qui a déjà été appris peut être transposé dans d'autres contextes. «Pour qu'ils puissent acquérir un sens, les contextes nouveaux doivent, semble-t-il, être ramenés soit à des expériences anciennes qui, elles, possèdent déjà une signification pour l'individu, soit être vécus directement comme «bons» ou «mauvais» et créer en quelque sorte une nouvelle catégorie.»[147] Les préconstruits, c'est précisément un apprentissage que l'on pense être de niveau 2, c'est-à-dire transposable dans d'autres contextes. Parfois cette transposition est adéquate, parfois elle ne l'est pas. Ce sont bien sûr ces situations-là qui nous intéressent lorsque nous envisageons les *préconstruits* comme repères.

- *L'apprentissage 3* consiste à apprendre comment on a appris à apprendre. (On retrouve là les constructions que Bateson propose en termes de niveaux logiques.) Il s'agit donc d'interroger les prémisses qui ont permis l'apprentissage 2. Bateson en fait une opération compliquée, rare, voire dangereuse, comprenant des risques évidents, de folie, par exemple. C'est pour lui le niveau de la conversion, ou de rares moments de création esthétique. Siméon[148] en propose une compréhension plus simple, en reprenant la notion de changement 2 de Watzlawick. Un apprentissage 3, c'est un changement des prémisses essentielles dans la construction d'une situation: par exemple, passer d'une vision d'un monde que nous découvrons à celle d'un monde que nous construisons. Ou encore, le nouveau discours de la méthode proposé par Lemoigne en opposition à celui de Descartes constitue à nos yeux un processus d'apprentissage 3. Il sera utile en tant que piste d'intervention. Nous y reviendrons plus loin.

Nous pouvons donc envisager les «préconstruits» comme le fruit d'un apprentissage, en particulier, dans ce qui nous intéresse, d'un apprentissage relationnel et/ou contextuel. Ceux-ci sont souvent aidants; ils peuvent inclure de la souplesse, de l'adaptabilité ou se cantonner dans des modèles répétitifs et de moins en moins transposables. Watzlawick propose par exemple d'augmenter l'adaptabilité de chacun, pour ne plus laisser le soin d'être malheureux au hasard, mais de permettre à chacun de se rendre lui-même malheureux: pour cela il faut faire un apprentissage![149] Satir, lorsqu'elle propose ses «modèles de communications»[150], qu'elle nomme aussi «positions de survie», présente des préconstructions liées aux modèles d'apprentissages relationnels: c'est à force d'avoir appris à se comporter d'une certaine manière que l'individu considère comme évident que c'est ainsi qu'il faut faire et qu'il n'y a pas d'alternative.

Soulignons encore que l'apprentissage n'est pas le propre des individus, mais qu'une organisation apprend également. Melese propose même de voir dans la capacité d'apprentissage des entreprises un critère essentiel de son bon fonctionnement.[151] De même, une famille apprend, une institution sociale apprend. Nous retrouverons cela plus loin en abordant les *construits sociaux.*

Nous considérons donc que les préconstruits sont le fruit d'apprentissages. Ainsi, avec Bertrand, nous disons que ces apprentissages précédents permettent des représentations qui «constituent tout à la fois *des structures de décodage* qui donnent un sens aux informations glanées et *des structures d'accueil* qui permettent éventuellement de fédérer les nouvelles données. Elles jouent donc un rôle d'intermédiaire entre la connaissance et les structures de pensées de l'individu; l'étudiant va élaborer son savoir dans une interaction entre ses conceptions préalables et les informations qu'il peut se procurer à travers elles. Les conceptions préalables ne sont donc pas des points de départ ni des résultats de la construction de la connaissance. Elles sont les instruments mêmes de cette activité.» [152]

En prolongement de cette exploration, nous voulons encore faire un lien avec les notions de croyance, mythe et valeur.

- Les croyances

Elle sont ce qu'une personne, ou un groupe de personnes, considère comme vrai, juste, normal au regard de ses expériences et apprentissages. Une croyance est quelque chose que l'on peut considérer comme vrai tant qu'il n'y a pas de raison de penser autrement. Cela implique aussi bien le domaine religieux, politique ou philosophique que la manière dont il convient de se comporter face à un enfant colérique, la bonne manière de préparer la fondue, ou celle qu'il faut pour retrouver du travail lorsque l'on est au chômage. Chaque travailleur social, comme chaque client, est donc pétri de croyances de tous ordres. On peut ainsi dire que les préconstruits deviennent des croyances dès qu'ils prennent une valeur normative. Une croyance est un préconstruit normalisé!

- La valeur

C'est l'appréciation qualitative portée sur ces croyances: «il est bon, il est juste, il est profitable de…et il est mauvais, malsain, nocif, dangereux de.»

- Le mythe

Il devient alors ce qui réunit croyance et valeur: c'est l'explication en termes qualitatifs des croyances.[153] Lebbe-Berrier propose une lecture tout à fait stimulante des mythes liés au travail social.[154] Ces mythes, qu'elle nomme «de neutralité, d'objectivité, de non-directivité, de non-implication…de l'impuissance/toute-puissance en lien étroit avec ceux de la bonne relation et de la bonne solution. „.le mythe de la compétence et celui de la ressemblance», sont des préconstructions, préalables à la rencontre avec tel client, et vont donc agir comme soutien autant que comme paralysie dans l'entrevue; ils alimentent ce que le travailleur social sait avant d'avoir rencontré le système client et ils vont devenir les instruments mêmes de son activité de construction de la situation. Les mythes ne sont donc pas seulement du domaine de la pensée, mais sont des guides qui dirigent l'action, qui se traduisent dans un discours.[155]

Nous nous arrêterons là en ce qui concerne la manière avec laquelle l'individu construit ses savoirs sur le monde et se forge ainsi des «préconstruits».

Les préconstruits sociaux

Passons maintenant à un autre niveau et examinons quelques éléments de ce que nous appelons les *construits sociaux*.

- Le social n'est pas un champ neutre et non-structuré

Nous pourrions penser, au vu de ce qui précède, que les construits sont le fait des individus et sont donc susceptibles d'évoluer rapidement, au gré de nouvelles prémisses, d'un recadrage pertinent ou de la prise de conscience de ce qu'un apprentissage préalable ne peut pas, dans tel cas, être transféré dans un autre contexte. Crozier développe une notion qu'il appelle «les construits d'action collective». Il part du constat que les actions que nous entreprenons aboutissent parfois au contraire de ce que nous cherchons à réaliser. La question à ses yeux n'est pas, alors, de reprendre la discussion sur les finalités ou sur les motivations des acteurs. «Ni nos intentions, ni nos motivations, ni nos objectifs, ni nos relations transcendantales avec le sens de l'histoire ne sont une garantie ou une preuve de la réussite de nos entreprises..Le dilemme se situe à un autre niveau, celui des moyens que nous utilisons, ou plutôt de la médiation inéluctable entre les fins que nous poursuivons, d'une part, et les «moyens» humains que nous sommes obligés d'employer pour les atteindre, d'autre part. Cette médiation, ce sont les construits d'action collective et la structuration des champs qu'ils instituent.»[156] Et plus loin: «Ni les objectifs ni les motivations des acteurs ne sont ici en cause. Ceux-ci agissent «rationnellement» dans le cadre de construits qui, eux, sont arbitraires. Ils sont les prisonniers des moyens qu'ils ont utilisés pour régler leur coopération et qui circonscrivent jusqu'à leurs capacités de se définir de nouvelles finalités. Ils peuvent changer de moyens et transformer ces construits, et même le devront s'ils veulent durablement changer les résultats de l'action collective. Mais ils ne peuvent pas s'en passer entièrement, ils ne peuvent pas faire disparaître cette contrainte: *il n'y a pas de champ neutre, non structuré. La transparence sociale est impossible* (c'est nous qui mettons en évidence).»[157]

De manière convaincante, Berger et Luckmann montrent, à partir du quotidien, comment la construction de la réalité prend un statut d'objectivité qui façonne à son tour l'homme.[158] Toujours dans la même ligne, Goffman décrit comment se construit l'interaction à partir de particularités telles qu'un handicap, une difficulté ou un style de langage, qui deviennent des marqueurs interactionnels et structurent les interactions sociales.[159] Tobie Nathan remarque que ces construits se retrouvent dans le cadre thérapeutique habituel: «Le thérapeute installe lui-même le dispositif producteur de modifications et interprète les modifications comme si elles étaient dues à la «nature» de l'objet observé et n'avaient aucun lien avec le dispositif installé...Le cadre n'est pas seulement constitué d'actions et d'injonctions, il est aussi constitué d'un système de représentations, lui aussi *construit*, s'organisant comme le noyau dont découlent les termes du dispositif.»[160] Ce construit finit par apparaître comme évident et échappe aussi bien au thérapeute qu'au patient. Si au départ ce sont les personnes qui construisent le cadre de leur interaction, dans la durée et par les transmissions sociales, ce sont les acteurs qui sont finalement au service du construit et non plus l'inverse. Pour faire appel à un intervenant social, il faut mettre en place tout un processus avant de prendre rendez-vous et ce processus teinte déjà ce qui va être possible dans la rencontre.[161]

- Les problèmes sociaux sont construits

Dans le cadre du travail social, Bachmann et Simonin[162] montrent qu'un problème social n'est pas un donné, mais un construit. La question des femmes battues par exemple est un problème récemment construit. Non pas qu'il n'y ait pas eu de femmes battues auparavant, mais le fait d'en faire un problème traité socialement date de la naissance du mouvement féministe.[163] On peut faire la même lecture en ce qui concerne la maltraitance des enfants ou les questions de transculturation. A l'inverse, un problème a été (partiellement) déconstruit d'un trait de plume lors du passage de la version 2 à la version 3 du *DSM* (le recueil à l'usage des psychiatres pour diagnostiquer une pathologie), lorsque l'homosexualité a disparu en tant que maladie. Bachmann et Simonin montrent également comment la notion de déviance s'est progressivement construite, comme phénomène individuel d'abord, puis comme phénomène social.[164] Ainsi donc, avant même qu'ait lieu la première rencontre entre le travailleur social et le client, une construction sociale du problème existe, tant pour l'un que pour l'autre.

- Les construits du travail social

Dottrens, dans un récent travail[165], examine quels sont les construits sociaux repérables dans le cadre d'une paroisse. L'exercice, concluant, invite à faire une tentative de même ordre dans le cadre du travail social. Il ne s'agit pas ici d'identifier tous les construits du travail social, mais d'en repérer quelques-uns comme pistes indicatives de réflexions:

- Certains services sociaux se présentent comme des lieux où l'on est écouté, dans lesquels il est possible de dire ses difficultés et ses souffrances, mais aussi comme des lieux dangereux dans lesquels on se fait retirer ses enfants…

  Ce construit appelle donc le client à composer avec ces

données pour venir raconter ses problèmes et ses souffrances sans se mettre en danger, donc en taisant les soucis qui pourraient menacer la garde de ses enfants.

- Le travailleur social établit un dossier, l'alimente et le consulte. En général l'usager n'en fait pas autant! Parfois même il n'a pas accès au dossier qui est rédigé à son sujet. Le fait d'établir un dossier institue une mémoire et marque le possible de ce qui va se passer dans l'interaction.
- Les services sociaux en tant que lieux où l'on comble un déficit, un manque (d'argent, de logement, de travail, de sécurité sociale, etc.) appellent inévitablement des personnes qui viennent présenter leur demande en ces termes. Il faut alors prouver le manque pour obtenir le droit aux prestations possibles.[166] Ou encore le client peut présenter un manque acceptable comme *porte d'entrée* pour pouvoir parler d'autre chose.
- Les services sociaux et institutions éducatives se présentent comme des lieux de réparation et non comme des lieux de contestation: aussi ont-ils toutes sortes de difficultés lorsqu'ils contestent, interrogent le fonctionnement social.
- Les services sociaux, comme les institutions, ont une architecture qui détermine un contexte dans lequel certaines règles du jeu sont posées: le client doit prendre rendez-vous, s'annoncer à un guichet; puis il est introduit dans une salle d'attente, doit patienter parfois au delà de l'heure prévue, pour être ensuite accueilli dans un bureau ou dans une salle d'entretien. Il peut même, en plus du travailleur social répondant de la situation, y trouver un tiers inconnu, jeune stagiaire qui ne connaît pas le passé et n'assumera pas non plus l'avenir. Tout cela induit un comportement particulier de la part du client, qui se conforme aux règles proposées..ou les transgresse, ce qui le confirme alors dans son statut de *cas*.
- Les travailleurs sociaux sont régulièrement en «colloque», moment sacré pendant lequel on ne peut les déranger et au cours duquel ils disent on ne sait pas quoi sur on ne sait pas qui. Le colloque sert parfois de couverture à la difficulté de

décision: «Il faut que j'en parle au colloque». Le fait que le travailleur social puisse se référer à cette instance, ce que ne peut faire le client, pose une hiérarchie, une différenciation claire des rôles et des places de chaque partenaire.

- Lorsqu'un nouveau client arrive dans un service ou dans une institution, il doit apprendre ces manières de se comporter et les respecter pour pouvoir se faire entendre.

Nous pourrions poursuivre l'exercice; chaque lieu, chaque service a ses propres construits qui prédéterminent la rencontre entre le travailleur social et le client.

Au fond, les construits sociaux sont constitués de savoirs, d'expériences passées, de traditions concernant l'institution d'aide, de représentations sociales sur «demander de l'aide et en donner». Ils sont rendus visibles par divers marqueurs de contexte[167] qui vont influencer la rencontre avant même que les partenaires ne se soient entrevus. Les préconstruits sociaux posent des règles relationnelles indépendamment des acteurs effectifs en présence. Modifier ces règles se révèle souvent coûteux en énergie, tant pour le travailleur social que pour le client.

La rencontre entre l'intervenant et le client

Il faut évoquer un troisième aspect, ce sont les construits qui se révèlent dans le cadre même de l'interaction. La littérature traite de cette question autour du thème de l'*autoréférence* et de ce que Mony Elkaïm nomme les *résonances*.

- L'autoréférence

La question de l'*autoréférence* a beaucoup été traitée ces dernières années dans la littérature systémique.[168] Cette notion est liée à ce que l'on a nommé la deuxième cybernétique. Il s'agit de prendre en compte le fait que l'observateur n'est pas séparé de ce qu'il observe. C'est la théorie qui guide l'observation, laquelle guide à son tour la théorie. La carte détermine largement ce à quoi l'on prête attention sur le territoire. Toutes ces formulations mettent l'accent sur le fait qu'un phénomène n'a pas de sens en dehors de celui que lui donne l'observateur. Ainsi donc les problèmes sociaux sont reconnus comme tels non seulement parce que des personnes les vivent, mais parce que les mêmes et/ou d'autres choisissent de les voir en tant que problèmes. Les travailleurs sociaux sont donc coresponsables de la construction du problème. Ils le font avec leurs croyances, leurs mythes, leurs préconstruits, leurs expériences.

- Les résonances

Ainsi donc, confronté à une situation, le travailleur social privilégie certaines informations, donne du sens à tel aspect, tel détail, telle succession d'événements. Et s'il choisit de privilégier cela plutôt que d'autres éléments, c'est qu'il construit un sens à cette sélection en fonction de ses propres constructions, expériences, émotions. Les résonances se situent à l'intersection du système client et du système thérapeute. Elles sont le point de jonction unique et original de la rencontre de ces deux systèmes en présence. Un autre travailleur social confronté à la même situation aurait d'autres résonances; l'intersection avec le système client serait différente et la coconstruction qui en résulterait de même.

Dans le cadre de la rencontre, affirme Elkaïm, le thérapeute travaille «à partir du coeur même de l'autoréférence..Ce que ressent le thérapeute renvoie non seulement à son histoire personnelle, mais aussi au système où ce sentiment émerge: le sens et la fonction de ce vécu deviennent des outils d'analyse et d'intervention au service même du système thérapeutique..La résonance se manifeste dans une situation où la même règle s'applique, à la fois, à la famille du patient, à la famille d'origine du thérapeute, à l'institution où le patient est reçu, au groupe de supervision, etc.»[169]

L'originalité de la construction d'Elkaïm, c'est de faire des résonances un instrument privilégié de l'intervention, un atout plutôt qu'un handicap; puisqu'une règle commune est mise en scène, point privilégié et spécifique à la rencontre de ce client et de cet intervenant, il faut l'utiliser comme une chance: d'abord dans l'établissement de l'alliance qui se crée sur la base d'une proximité, d'une ressemblance, ensuite pour passer d'une optique de réparation à une possibilité de coévolution; les efforts que fera l'intervenant pour élargir son champ de possibles face à cette règle permettront au client d'oser tenter de faire de même.[170]

Il s'agit là, dans cette notion de préconstruit, d'une proposition nouvelle. Non seulement il y a des préconstruits relationnels, mais il sont activés de manière unique, originale et imprévisible dans la rencontre entre l'intervenant et le client. S'inscrire dans la reproduction ou la réaction à ces apprentissages relationnels risque de bloquer les possibilités d'évolution du système. Il y a donc lieu de chercher ensemble d'autres issues que celles explorées dans le passé. Les préconstruits sont présents avant, pendant et après la rencontre. Nous pouvons prendre le soin d'en éclaircir quelques-uns avant de rencontrer telle personne à laquelle est collée une étiquette (alcoolique, délinquant, toxicomane, chômeur, assisté, enfant battu, travailleur social, directeur, etc.). Ces appellations proposent une construction relationnelle indépendamment de la personne réelle que nous allons rencontrer. Mais ce qui va émerger de la confrontation est imprévisible et fera surgir des résonances spécifiques liées aux expériences relationnelles antérieures.

Il convient bien sûr de souligner que ces résonances pourraient faire faussement croire que l'on comprend une situation de l'intérieur, alors même que les références du client sont fondamentalement autres. C'est le cas en particulier avec les personnes qui viennent d'une autre culture et pour lesquelles l'univers d'interprétation n'est pas compatible avec celui de l'intervenant.[171] Cela renvoie alors à la notion de contexte que nous avons déjà traitée.

Idées-clés

Pour cette notion de préconstruit, voici ce que nous proposons de garder prioritairement pour le travail social:

Définition: nous appelons *préconstruit* l'ensemble des représentations, issues de nos propres processus d'apprentissage, que l'on a sur autrui, son contexte, son problème, avant même de le rencontrer. On peut distinguer les *préconstruits de contenu* (relatifs à un objet, une idée, un problème, à soi..)., les *préconstruits relationnels* (relatifs à la manière d'être en relation avec une personne ou une instance), *et les préconstruits contextuels* (relatif à la compréhension de ce qu'est un contexte particulier et du sens qu'il donne aux événements qui s'y produisent), présents tant pour le travailleur social que pour le client qui le rencontre.

Ils sont également le fruit des *construits sociaux,* c'est-à-dire des structures institutionnelles et relationnelles qui posent des règles de relation, des rituels de comportement, des mythologies et des déontologies.

Ce sont encore des télescopages imprévisibles qui surgissent dans la rencontre même entre l'intervenant et le client et que nous appelons des résonances.

De plus, nous pouvons ajouter:

1. L'idée de «construit» n'est pas nouvelle. Ce qui est en cause ici, c'est le «pré» du construit, c'est-à-dire le fait qu'il y aurait dans la rencontre quelque chose d'antérieur, que la construction débuterait avant.
2. Les préconstruits renvoient aux préjugés, représentations, apprentissages, croyances, valeurs, mythes, culture.
3. Les préconstruits appartiennent à la «réalité du second ordre», c'est-à-dire «le cadre dans lequel les «faits» reçoivent une signification ou une valeur». Si les éléments de la réalité du premier ordre peuvent être vérifiés, répétés, quantifiés, examinés, objectivés, en revanche, ceux du deuxième ordre sont éminemment liés à la personne qui donne un sens. Ils ne peuvent en aucun cas avoir valeur de «vérité».

4. Les préconstruits sont liés aux apprentissages. C'est en particulier l'apprentissage 2 qui est à la source des «pré»construits, puisque c'est lui qui permet la transposition d'un apprentissage dans d'autres contextes. Un apprentissage 3, c'est un changement des prémisses essentielles dans la construction d'une situation.
5. L'apprentissage n'est pas le propre des individus; une organisation apprend également. De même une famille apprend, une institution sociale apprend.
6. Les conceptions préalables ne sont donc pas des points de départ, ni des résultats de la construction de la connaissance. Elles sont les instruments mêmes de cette activité.
7. Un problème social n'est pas un donné mais un construit.
8. Les construits sociaux dans le cadre du travail social sont rendus visibles par divers marqueurs de contexte et posent des règles relationnelles indépendamment des acteurs effectifs en présence.
9. Les préconstruits renvoient aux notions d'autoréférence et de résonance. Celles-ci sont un instrument privilégié de l'intervention, un atout plutôt qu'un handicap.

Repère

En quoi alors cette notion de *préconstruit* est-elle, à nos yeux, un repère?

Partir des préconstruits de l'intervenant

Nous proposons souvent aux étudiants en formation un exercice simple: à partir d'un mot (chômeur, alcoolique, instituteur, en instance de divorce, handicapé, éducateur spécialisé) identifier quelle image leur vient, ce qu'ils se racontent des processus relationnels probables que doit alimenter cette personne, ce qui a pu faire qu'elle en arrive là et ce que l'intervenant va aller vérifier en premier lors de la rencontre avec cette personne.

Exemples de réponses à cet exercice:

Une femme en instance de divorce
- Image qui vient: un animal blessé qui hésite entre la fuite et l'attaque.
- Processus relationnel probable: méfiance face à l'autre; faire confiance implique le risque d'être déçue, donc beaucoup de prudence dans l'abord de l'autre; à la moindre difficulté ou incompréhension, risque d'agressivité démesurée.
- Comment en est-elle arrivée là? Après s'être raconté une très belle histoire de ce qu'elle allait vivre, s'est caché pendant longtemps les difficultés et est soudain tombée de haut quand elle a osé regarder ce qu'était sa relation amoureuse. Ou a dû constater l'infidélité de l'autre aux idéaux annoncés ensemble.
- Que vérifier en premier? Si cette personne se sent blessée, et ce qui pourrait se passer dans la relation avec l'intervenant qui ravive cette blessure.

Un homme de 35 ans, au chômage
- Image qui vient: ballon de basket dégonflé, abandonné au bord du terrain.
- Processus relationnel probable: se disqualifie, doute de tout; incapacité d'affronter un projet et de se projeter dans la durée. Tous les autres valent mieux que moi, je suis un poids.
- Comment en est-il arrivé là? Préoccupé peut-être par autre chose (quoi?), il s'est montré insuffisant dans son travail et en a eu conscience. Son renvoi ne l'a pas étonné et il s'en sent coupable sans oser le dire à quiconque. Mais son excuse c'est que le problème qui le préoccupe est ailleurs...
- Que vérifier en premier? De qui vous sentez-vous compris et respecté dans votre situation de chômeur? Qui vous critique?

Ensuite nous leur demandons de confronter leurs représentations avec celles des autres étudiants de manière à ce qu'ils réalisent que les préconstruits des uns et des autres ne sont pas les mêmes, que chacun s'oriente dans des directions différentes et que la vérification est alors nécessaire, et d'autant plus facilitée qu'ils savent ce qu'ils cherchent: la construction que fait la personne de sa propre situation.

Utiliser ses propres représentations sur la base d'informations très partielles, non vérifiées, en référence à ses propres expériences permet l'établissement d'un premier fil conducteur. C'est alors cette première piste qui permettra de centrer le premier entretien pour vérifier si cette construction a une pertinence quelconque ou si elle doit être abandonnée.

Si les préconstruits peuvent aider à savoir ce que l'on explore, cette piste ne peut être utile que si l'on a appris à *vérifier*, à rejoindre l'autre dans sa propre construction du monde. Au cas où la vérification de ses représentations amène un démenti:

Cette personne n'est pas blessée; elle se situe sur un autre terrain que celui de la confiance/méfiance; elle n'a jamais investi son mariage d'un projet amoureux, mais y a toujours vu un but utilitaire.

Cet homme a été licencié suite à la fermeture de son entreprise; le chômage est pour lui une occasion inespérée de se recycler et de découvrir de nouvelles compétences; il se montre dynamique et combatif.

L'information ainsi recueillie aide à construire un sens différent à la situation et à l'aide demandée.

Prendre le temps de réfléchir à ses préconstruits permet de les rendre présents, plus clairs, et de les soumettre à l'épreuve de la réalité subjective de l'autre sans se sentir menacé par la différence de construction, sans entrer dans le soupçon que le client en fait ne comprend pas aussi bien sa propre situation que l'intervenant.

Partir de ses propres préconstruits relationnels, contextuels, permet donc l'établissement d'une première hypothèse sur les difficultés rencontrées, leur origine et/ou leur fonction, et la relation probable qui sera proposée à l'intervenant. Vérifier ses préconstruits sert alors de fil conducteur à l'intervention, pour passer des préconstruits aux coconstruits.

Partir des préconstruits du client

Ce sera particulièrement utile lorsque le travailleur social est confronté à un contenu peu adapté à l'institution dans laquelle il travaille, à des comportements peu adéquats au contexte ou à des modes de relation peu habituels. Il y a un décalage certain entre ce à quoi le travailleur social semble en droit de s'attendre et les comportements que le client présente.

Le client et l'assistant social:
- Puisque j'ai droit à l'assistance, je passerai chaque lundi chercher mon argent que vous aurez préparé pour gagner du temps.
- Mais Monsieur, je ne suis pas un tiroir caisse!
- Vous n'espérez tout de même pas que je vais venir vous raconter ma vie!

Les parents et l'éducateur:
- Lorsque notre fils sera dans votre institution, il faudra que vous soyez attentifs à le surveiller: qu'il fasse ses devoirs, qu'il prenne sa douche chaque soir, qu'il ne regarde pas n'importe quel film à la télévision, qu'il ne sorte pas après 20h30, qu'il rende des comptes sur l'utilisation de son argent de poche, qu'il…
- Attendez-vous de nous que nous vous remplacions dans vos exigences à l'égard de Marc?
- Oui, évidemment, puisque nous ne serons pas là pour le surveiller…

La cliente et l'assistant social:
- Il faut vous dire aussi que non seulement j'ai ces problèmes d'argent, mais j'ai de grosses difficultés avec mon mari. Comme il me délaisse, j'ai des conflits avec lui et il veut me forcer à faire l'amour avec lui, mais je ne peux pas, car mes parents m'ont toujours appris que…
- Etes vous certaine que vous vouliez aborder ces questions avec moi?
- Mais vous êtes assistant social, on peut tout vous dire, non?

Il y a là une question de définition de la relation, de confusion de contexte. La représentation que se fait le client du rôle et de la fonction du travailleur social ne correspond pas au mandat qui est le sien. Le décalage les met chacun dans des positions inconciliables, comme si la personne, en l'occurrence ici le client, avait des préconstruits non vérifiés ou inadéquats par rapport à la situation. En soi, ce décalage n'est ni étonnant ni inquiétant et chacun est à tout moment confronté à ce type de situation. L'étonnant réside alors dans le fait qu'il semble impossible de voir qu'il y a décalage, et surtout d'entendre et de comprendre les redéfinitions que propose le travailleur social.

L'hypothèse que nous proposons, c'est que le problème en présence est lié à cette difficulté de vérification: la personne est enfermée dans ses propres préconstruits sans même avoir la possibilité de se rendre compte que l'autre a une perception différente. Ce sont ces préconstruits qui empêchent toute adaptation à l'évolution du contexte et des personnes en présence. A aucun moment il n'y a d'espace pour vérifier ce qui est affirmé. Chacun sait. Il n'y a place ni pour l'interrogation ni pour la vérification.

Les questionnements indirects et circulaires sont alors d'excellents moyens pour apprendre la vérification, pour découvrir comment l'autre perçoit et comment la personne elle-même est perçue par les autres.

Vérifier ses croyances, ses perceptions, ses projections n'est en aucun cas un acquis de notre éducation et il s'agit d'un apprentissage à faire et refaire. C'est cet exercice qui permet de passer des préconstruits aux coconstruits, qui permet de reposer le problème dans un cadre nouveau.

Partir d'une situation figée entre l'intervenant et le client

Il arrive que le travail n'évolue pas entre le travailleur social et le client. Les rencontres s'enferment dans des interactions répétitives; les mêmes questions reviennent sans cesse; aucun progrès ni aucun apprentissage ne semblent possibles. Tous les entretiens se ressemblent, voire se terminent dans l'insatisfaction, la colère, l'insulte, la menace, les pleurs. Le travailleur social, malgré ses efforts pour se montrer attentif et souple, n'arrive pas à sortir de ce jeu répétitif.

M. Untel se montre toujours extrêmement sur la réserve. Il s'enquiert régulièrement de ce que l'assistant social va décider alors même qu'il n'y a pas de décision particulière à prendre. Il semble inquiet. Les tentatives de clarification n'ont abouti qu'à le mettre encore plus sur la défensive. Chaque sujet devient épineux, y compris les plus anodins comme de demander s'il a bien dormi ou s'il a déjà mangé..L'assistant social ne sait plus comment diriger un entretien...

Mme V. reçoit la visite régulière d'un éducateur AEMO qui intervient pour lui apporter un soutien éducatif pour ses trois enfants. Chaque fois que l'éducateur pose une question sur ce qui se passe avec les enfants, elle minimise: s'il y a du désordre dans leur chambre c'est que les voisins viennent de venir jouer ici; si les enfants sont excités, c'est qu'ils sont fatigués à cause de l'école; s'ils se battent entre eux, c'est que... L'éducateur est mis ainsi dans l'impossibilité d'aborder toute question éducative concrète qui pourrait faire penser qu'il y a un problème.

Mme U. est réfugiée. Elle a pu s'enfuir de son pays après avoir vu son mari se faire assassiner devant elle. Il s'est avéré par la suite qu'elle était enceinte de lui. Lorsqu'elle parle de cet événement, elle ne montre aucun affect, comme si elle parlait d'une histoire qui lui est étrangère. L'éducatrice du foyer d'accueil est très inquiète pour l'enfant qui doit naître avec une mère aussi peu sensible. Sera-t-elle capable d'offrir à cet enfant ce dont il aura besoin comme affection et encadrement? Faut-il envisager des mesures?

Nous pensons alors que l'un et l'autre, le travailleur social comme le client, sont prisonniers des construits sociaux dans lesquels ils sont acteurs. Ils les empêchent de réaliser ce qui fait problème.

Tous deux sont convaincus d'être clairs, mais ne peuvent imaginer qu'il y ait un décalage dans leur compréhension. Notre hypothèse, c'est que les représentations sociales en présence font penser réciproquement à un danger: danger pour le client s'il.„.et danger pour l'intervenant de devoir sévir.

Il s'agit là de confronter deux cultures en présence! Celle du client et celle du travailleur social.

M. Untel, voyant l'ordinateur sur le bureau de l'assistant social, est persuadé que tout ce qu'il dit est fiché, que cette boîte magique renferme tout ce qu'il a pu faire et penser et que donc, inévitablement, une sentence va tomber qui sera terrible. L'assistant social est à mille lieues de soupçonner cela et de clarifier cette question.

Mme V. est convaincue, suite à plusieurs discussions avec d'autres femmes du quartier, que l'éducateur de l'AEMO vient regarder en quoi elle est inadéquate et sur quel prétexte il va se fonder pour lui retirer ses enfants. Toute question est donc menaçante, voire intrusive. L'éducateur, lui, cherche comment soutenir et aider. Chaque fois qu'il a tenté de clarifier son rôle, Mme V. a compris qu'il s'agissait d'une ruse pour mieux la piéger…

Mme U. n'a pratiquement pas connu son mari. Elle a été mariée dix jours à cet homme qu'elle n'avait jamais rencontré auparavant. Le mariage, chez elle, est arrangé par les familles. Elle n'éprouvait aucune attache ni sentiment pour cet homme. Lorsque l'éducatrice lui parle de son mari, Madame U. pense que l'éducatrice tente de recueillir des informations qui faciliteront le rejet de sa demande d'asile. Pour l'éducatrice du foyer, le mariage est une affaire d'amour…

L'hypothèse serait donc que *la construction de la situation actuelle constitue un danger* aux yeux des deux partenaires.

Nous proposons alors de décentrer la question en élargissant l'exploration au réseau primaire de la personne. Dessiner une carte de réseau, identifier quelques personnes significatives et demander ce que ces personnes diraient de cette situation, comment elles réagiraient, de quoi elles auraient peur, en quoi elles seraient une aide. Les construits sociaux sont en effet liés à la «culture» du réseau relationnel dans lequel chacun évolue. C'est donc le réseau qui risque de donner accès à ces constructions paralysantes et qui permettra de savoir par rapport à quoi il y a lieu de redéfinir le sens du travail commun, la réalité ou la non-pertinence des dangers évoqués.

Il s'agit de créer un espace cognitif commun[172], de définir ce que nous savons ensemble: «je sais que tu sais ce que je sais que tu sais», dit Mugnier. La création de cet espace cognitif commun sera d'autant plus nécessaire dans les cas de dénonciation, lorsque le client sait que le travailleur social a des informations, mais ne sait pas très bien lesquelles, de même qu'il connaît un certain nombre de pratiques de travailleurs sociaux qui l'incitent à la prudence. Mettre ensemble ces savoirs transforme alors le jeu dans lequel il ne s'agira pas tellement de deviner l'autre pour le faire changer, mais, à partir de ce que nous savons ensemble, de tenter de coconstruire un processus d'aide.

Résumé

La notion de préconstruit se situe à deux niveaux:

- D'une part comme *concept*:

Définition: nous appelons *préconstruit* l'ensemble des représentations, issues de nos propres processus d'apprentissage, que l'on a sur autrui, son contexte, son problème, avant même de le rencontrer. On peut distinguer *les préconstruits de contenu, les préconstruits relationnels et les préconstruits contextuels,* présents tant pour le travailleur social que pour le client qui le rencontre.

Ils sont également le fruit des *construits sociaux*, c'est-à-dire des structures institutionnelles et relationnelles qui posent des règles de relation, des rituels de comportement, des mythologies et des déontologies.

Ce sont encore des télescopages imprévisibles qui surgissent dans la rencontre même entre l'intervenant et le client et que nous appelons des *résonances*.

- La rencontre débute avant le premier contact.
- Les préconstruits renvoient aux préjugés, représentations, apprentissages, croyances, valeurs, mythes et cultures.
- Les préconstruits appartiennent à la «réalité du second ordre». Ils ne peuvent en aucun cas avoir valeur de «vérité».
- Les préconstruits sont liés aux apprentissages.
- Une organisation, une famille, une institution sociale apprennent.
- Un problème social n'est pas un donné, mais un construit.
- Les construits sociaux dans le cadre du travail social sont rendus visibles par divers marqueurs de contexte et posent des règles relationnelles indépendamment des acteurs effectifs en présence.
- Les préconstruits renvoient aux notions d'autoréférence et de résonance.

• D'autre part comme *repère* et comme *piste d'intervention*:

1. *Partir des préconstruits relationnels et contextuels de l'intervenant* permet d'établir une première hypothèse sur les difficultés rencontrées, leur origine et/ou leur fonction et la relation probable qui sera proposée à l'intervenant. Vérifier ses préconstruits sert alors de fil conducteur à l'intervention, pour passer des préconstruits aux coconstruits.
2. *Partir des préconstruits du client* sera utile lorsqu'il y a un décalage certain entre ce à quoi le travailleur social semble en droit de s'attendre et les comportements que le client présente. L'hypothèse: le problème est lié à la difficulté de vérification: la personne est enfermée dans ses propres préconstruits sans même avoir la possibilité de se rendre compte que l'autre a une autre perception. Chacun sait. Il n'y a place ni pour l'interrogation ni pour la vérification. Les questionnements indirects et circulaires sont alors d'excellents moyens pour apprendre la vérification.

3. *Partir d'une situation figée entre l'intervenant et le client.* L'hypothèse: *la construction de la situation actuelle constitue un danger* aux yeux des deux partenaires. Nous proposons de décentrer la question en élargissant l'exploration au réseau primaire de la personne. Les construits sociaux sont liés à la «culture» du réseau relationnel dans lequel chacun évolue. C'est donc le réseau qui risque de donner accès à ces constructions paralysantes. Il s'agit donc de créer un espace cognitif commun. Mettre ensemble ces savoirs transforme alors le jeu: il s'agira, à partir de ce que nous savons ensemble, de tenter de coconstruire un processus d'aide.

PRESSION

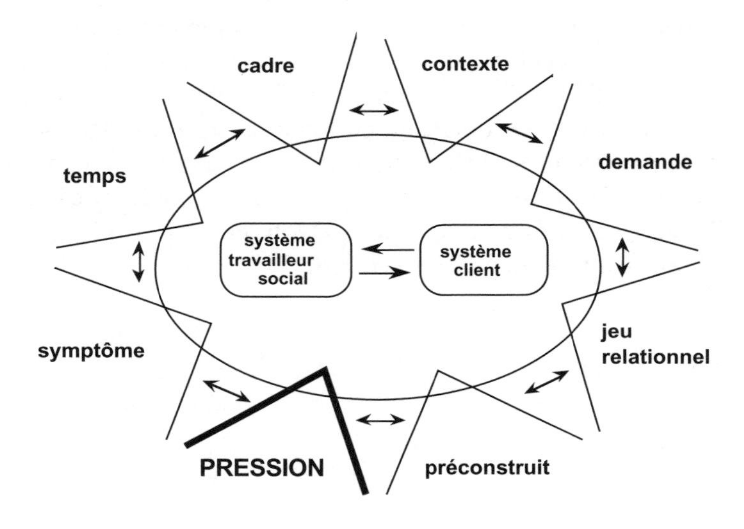

La notion de pression n'est pas très répandue dans le langage systémique. C'est Lebbe-Berrier qui l'introduira en 1988. Par contre, la préoccupation que recouvre cette notion est présente dans beaucoup d'écrits. Nous ferons donc un tour rapide de la littérature avant d'examiner en quoi cette idée est pertinente comme repère pour l'établissement d'une hypothèse et pour la construction de l'intervention du travailleur social.

Le concept

L'homéostase

Les premières réflexions dans le monde de la thérapie familiale concernent surtout les pressions internes aux familles, ce qui les contraint à maintenir un certain type de fonctionnement, ce qui les empêche de changer, comment elles s'y prennent pour enfermer la définition du problème autour d'une personne, que l'on appelle le patient désigné. Toutes ces recherches renvoient donc à la compréhension du symptôme, à la construction d'une vision des familles comme des systèmes autorégulés, maintenant leur propre homéostase, concentrant leurs efforts pour tenter de changer sans changer.[173]

Le référent

L'étape suivante de la réflexion concerne la prise en compte, dans le cabinet des thérapeutes, d'influences extérieures à la famille et influant le cours du travail thérapeutique. C'est Selvini qui formule cette préoccupation en parlant du référent[174]. Ce qu'elle appelle «référent», c'est toute personne qui envoie une famille à sa consultation: médecin de famille, collègue thérapeute, service social, voisin, etc. Elle se demande si le référent «n'est pas impliqué à tel point dans la famille qu'il est lui-même devenu un élément de maintien du dysfonctionnement familial en cours». Puis, trois ans plus tard, elle constate qu'il y a des référents internes à la famille même, dans le cadre de la fratrie. Ces situations empêchent à ses yeux l'évolution de la thérapie: le référent, finalement, est le seul à avoir demandé de l'aide, et la préoccupation de l'intervenant doit être de neutraliser cette source de paralysie. Au lieu de l'exclure comme s'il était un obstacle, il y a lieu d'appliquer «la méthode des méthodes» qui consiste à:

«a) considérer la personne qui nous contacte comme le bout de l'écheveau, comme celui qui nous permet de désembrouiller l'écheveau parce que celui-ci est placé directement en nos mains;
b) saisir le bout et le tenir fermement à tout prix, et procéder de façon méthodique jusqu'à une conclusion adaptée»[175].

Ces réflexions auront beaucoup d'échos. Elles seront étendues à d'autres contextes que celui de la thérapie. Colas, par exemple, reprend cette notion en l'appliquant au contexte de formation. Il situe l'impact de l'institution qui envoie un de ses membres en formation: selon qu'elle se pose comme «référente», c'est-à-dire envoyant en formation, l'étudiant obtiendra temps et argent pour se former, mais ne sera pas forcément demandeur d'une évolution ou d'un changement, alors que si la demande est posée comme un souhait de formation et d'évolution personnelle, l'étudiant sera fortement motivé à profiter de la formation, mais n'obtiendra ni temps, ni subvention, risquant ainsi de compromettre la possibilité de se former.[176]

E. Tilmans-Ostyn[177], notamment, introduit alors la notion d'«espace» à créer pour permettre le travail thérapeutique.

L'aide contrainte

En changeant de contexte, cette notion va prendre encore de l'épaisseur. Dans la confrontation aux «patients non volontaires», ou dans ce qu'on appellera l'«aide contrainte», elle va s'étendre. Les réflexions sont particulièrement alimentées, d'une part, par les services publics de psychiatrie et, d'autre part, par les travailleurs sociaux.

Dans le cadre du travail social, Hirsch et Segond travaillent avec des institutions qui fonctionnent sur la base d'un mandat judiciaire: c'est à la suite d'une décision d'un juge que thérapeute et travailleurs sociaux doivent intervenir et tenter d'obtenir la collaboration de personnes qui n'ont jamais demandé à être en contact avec eux.[178] Il s'agit alors de savoir comment gérer cette situation impossible: «La finalité donnée au travail de l'équipe mandatée est d'aider les personnes sujets du mandat. Sachant que, pour que cette aide soit efficace, il est nécessaire qu'elle soit précédée d'une demande et donc qu'elle soit voulue, l'injonction devient: «Je veux que tu veuilles changer et je veux que tu veuilles l'aide de M. Untel pour régler le problème que je postule que tu as.»[179] Cette situation n'est cependant pas exclusivement le fait du contexte des travailleurs sociaux; les services publics de psychiatrie s'y confrontent également. Les psychiatres, dans le cadre de leur cabinet privé, peuvent accepter ou non les patients qui s'adressent à eux, interrompre ou poursuivre le traitement suivant les circonstances; ils n'ont de comptes à rendre à personne, protégés par le secret médical. Psychiatres publics et travailleurs sociaux doivent, eux, travailler avec des patients non volontaires, envoyés sur ordonnance. Ceux-ci ne reconnaissent pas forcément ce qui leur est reproché et n'attendent rien de l'intervenant. A leurs yeux, il ne sert à rien d'autre qu'à poursuivre la machine judiciaire dont ils sont victimes. Il y a donc superposition de deux contextes, voire confusion de contextes.

J. Schweizer propose un cadrage différent de ces définitions de contextes en opposant les notions de «nécessité» et de «besoins».[180] Dans une optique fondée sur la «nécessité», l'usager pour avoir droit aux prestations sociales doit :
- présenter le bon problème au bon endroit, respectivement à la bonne administration ou institution;
- pouvoir justifier d'un nombre suffisant d'échecs lors de différentes tentatives d'approche de son problème;
- faire constater, ce que seul un expert est en mesure de faire, l'existence d'une authentique «nécessité».

De plus quelques croyances alimentent cette vision et lui donnent du poids :
- Il faut repérer où sont les manques pour pouvoir les combler.
- Plus la nécessité perdure, plus elle est définitive, chronique.
- L'usager se doit de consommer tout ce qui lui est offert. Il ne peut fractionner l'aide.
- On ne peut aider qu'en souffrant soi-même.
- Une fois décidée l'aide est obligatoire : que tu le veuilles ou non, je t'aiderai...

Par contre, une vision fondée sur la notion de «besoin» oblige à se demander: qui veut quoi, de qui, depuis quand, jusqu'à quand, dans quel but; et qui ne veut rien, qui ne veut pas de quoi, qui ne veut rien et de qui, qui ne veut rien pour le moment, qui ne veut plus rien, et quelle mesure unique pourrait servir des buts opposés?

Les intervenants vont chercher à mettre cette tension en travail. Le contexte de thérapie s'appuie sur la volonté du patient de faire une démarche; qui dit thérapie dit demande, motivation, volonté, choix de s'engager dans un processus, même si cet élan est provisoire, susceptible de mouvements contraires. Par contre, les patients qui reçoivent l'ordre du juge d'entreprendre une thérapie ou qui se voient imposer une tutelle (que ce soit pour «mauvaise gestion», «inconduite, ivrognerie», «maladie mentale», délits importants ayant été l'objet d'une lourde condamnation et provoquant un «mandat de patronage» ou encore d'une tutelle dite «volontaire») se présentent souvent devant l'intervenant sans rien vouloir du tout ou attendent de lui qu'il soit un réparateur efficace de leur situation péjorée. Mais ils sont bien loin de la volonté de s'engager dans un processus. La plupart du temps, ce qui a fait l'objet de cette mesure est nié:

- Le juge a dit cela, mais ça ne s'est pas passé comme il l'a dit...
- C'est Untel qui m'a dénoncé, mais c'est parce qu'il est mon ennemi, et comme c'est un copain du juge, c'est lui que le juge a cru...
- Vous verrez comme je suis travailleur et vous pourrez alors dire au juge qu'il s'est trompé sur moi: dès que vous m'aurez trouvé un travail, un appartement et que j'aurai trouvé une femme avec qui je me marierai, vous verrez que je suis un type impeccable...

Ou alors, dans le meilleur des cas, l'objet de la mesure est reconnu comme ayant été une difficulté qui maintenant n'est plus d'actualité:

- C'est vrai, à cette époque je buvais, mais maintenant c'est fini, je suis devenu raisonnable...
- Maintenant on a compris et on ne frappe plus nos enfants; c'est parce qu'à cette époque, je n'avais pas de travail, alors j'étais nerveux...
- C'est vrai que j'ai fait l'imbécile, mais j'avais des mauvais copains et j'avais cassé mon apprentissage; maintenant, dès

que vous m'aurez trouvé un nouveau travail intéressant, je suivrai des cours du soir et je réussirai sans problèmes; je gérerai mon argent comme vous me l'aurez appris et je ne sortirai plus qu'un soir par mois, parce que les autres, je travaillerai mes cours...

Contexte judiciaire et contexte thérapeutique

Les intervenants vont alors tenter de différencier le contexte judiciaire du contexte thérapeutique. Ainsi Masson propose de voir le mandat du juge comme une chance de favoriser le contact avec ces familles qui, sans cela, ne seraient jamais venues et auraient, sans aucun doute, poursuivi leurs mauvais traitements envers leurs enfants; alors que «bien coordonnée avec les interventions du réseau médico-social, la judiciarisation favorise l'entrée en contact des thérapeutes avec les adultes des contextes en crise. Elle permet dans un nombre non négligeable de cas l'instauration de relations thérapeutiques restauratrices du fonctionnement parental.»[181]

Blanchon et Chassin voient que «la référence à la décision judiciaire pourra fonctionner comme référence au corps social qui considère le comportement de la famille comme déviant, libérant de ce fait le thérapeute du rôle d'être celui qui décide de ce qui est bien ou mal dans la relation avec l'enfant»[182].

S'inscrivant encore dans cette ligne, Cirillo fait un pas de plus en proposant de voir le mandat non plus comme un obstacle au travail thérapeutique mais comme un instrument nécessaire à la pose d'un cadre thérapeutique: «Le signalement devient *un instrument clinique* (c'est nous qui mettons en évidence) pour communiquer avec une famille impossible à atteindre autrement. (...). C'est seulement à l'intérieur d'un contexte clair de prise en charge, c'est-à-dire d'un cadre qui ne nie pas, mais *qui utilise les éléments de contrainte et de prescription* (c'est nous qui mettons en évidence) qu'il est possible de commencer cette partie du travail psychologique tournée vers l'évaluation et éventuellement le traitement de la famille.»[183]

Travail social sous mandat

Les travailleurs sociaux sont confrontés à divers types de mandats: signalement, dénonciation de mauvais traitement, demande de placement, ordre de paiement, risque d'expulsion de logement, situations dites d'urgence... Celui qui édicte la mesure peut être aussi bien une autorité administrative que judiciaire. Le mandat peut être adressé au client: «Vous devez prendre contact avec votre tuteur; vous serez expulsé en date du... j'ordonne le placement de votre enfant pour une durée de... vos droits aux allocations cessent le...» ou au travailleur social: «Vous êtes chargé de la tutelle de M... veuillez me fournir un rapport sur la situation des enfants X... je place cet enfant chez vous pour trois mois, au terme desquels j'attends de votre part une évaluation de la situation; cet enfant a été séquestré par son père et coupé de tout contact extérieur pendant plusieurs années, je vous confie cette situation...»

En 1984 déjà, Chemin propose de «différencier ce qui constitue une urgence réelle, un danger, des manœuvres et manipulations d'un système comme réactions de défense à un changement. Une manière d'éviter cette pression consiste à définir un cadre plus rigoureux à notre travail, préciser le contexte dans lequel il nous est possible de définir les règles de la relation.»[184] Il franchit un nouveau pas en affirmant, huit ans après: «Il est clair, dans le cadre du mandat judiciaire, que les familles ne sont pas volontaires: il ne s'agit pas d'une demande, mais bien d'une «commande sociale», et d'une double obligation (tant pour la famille que pour le travailleur social qui est mandaté). (...) Cela amène à ouvrir un espace à l'intérieur duquel le problème et la relation peuvent se redéfinir.»[185] Puis, ayant établi que la pose du cadre vise «le passage de la commande à la demande en ouvrant un espace possible», il propose une manière d'aborder les situations de mandat judiciaire: «La lecture attentive des attendus du juge et du dossier fourni par le référent nous permettent de formuler une hypothèse sur *la fonction de la commande et le modèle relationnel* famille-référent, que la famille risquait de répéter avec nous.»[186] Cette idée de percevoir le mandat comme un symptôme a été développée également par Pluymaekers[187], qui propose de se centrer sur la fonction de ce symptôme. Même approche chez Mugnier, qui, partant du signalement, souligne d'abord qu'il s'agit pour l'intervenant de faire face à une triple demande: celle du juge, celle du signaleur et celle de la famille.[188] D'où le questionnement: «La fonction du signalement serait-elle plus importante que son contenu? (...) Une approche centrée sur la fonction du signalement permettrait une redéfinition des relations entre le groupe familial et son environnement.»[189]

La double contrainte du mandat éducatif

Pauzé envisage encore un aspect nouveau, lié aux internats éducatifs. Pour lui, l'institution éducative est investie d'un double mandat: par le fait de l'hébergement, les éducateurs doivent prendre en charge la quotidienneté des besoins et des comportements des pensionnaires; c'est dire qu'il sont chargés de contenir la déviance des comportements, et donc de réprimer ce qui sort des normes admissibles, de canaliser, de guider; de plus, ils doivent favoriser le changement, c'est-à-dire permettre l'exploration, l'essai-erreur, l'invention. Dans les faits, pour lui, c'est le mandat de contrôle qui prime et qui risque d'amener les institutions à des jeux sclérosés, autoprotecteurs, défensifs. Il y a lieu de travailler alors à maintenir une souplesse dans la structure organisationnelle pour ne pas étouffer l'autre aspect du mandat confié aux institutions.[190]

Les pressions des travailleurs sociaux

Mais c'est finalement Lebbe-Berrier qui donne à cette notion de pression une portée plus large. Si jusqu'ici ce qui a été travaillé et identifié touche surtout aux référents et aux mandats, elle va mettre en évidence la multiplicité des pressions qui envahissent l'intervention des travailleurs sociaux. Dans un premier temps, elle met en évidence les pressions faites sur les assistants sociaux[191]: «la complexité des situations familiales et les problèmes sociaux qui les entourent, le niveau de demande et leur circuit, les ambiguïtés autour des fonctions sociales et les définitions qui en sont données par le client, le professionnel, l'institution, les règles de fonctionnement professionnel, les valeurs, l'éthique, l'idéal autour de l'aide, de la solution des problèmes, du changement, de la norme».

Ainsi pour Lebbe-Berrier, les pressions ne sont pas faites seulement des manœuvres du client et de son entourage ou par la décision du service judiciaire ou administratif qui mandate, mais elles envahissent le terrain spécifique du travailleur social.

Cette même idée sera reprise autour du thème de la violence par Christen, qui construit une analogie entre les situations de violence à l'intérieur des familles et la situation institutionnelle des travailleurs sociaux, eux aussi objets de pressions énormes.[192]

Reprenant sa thèse, Lebbe-Berrier propose, dans un premier temps, d'identifier comme pressions les *mythes* présents dans le travail social avec leur double aspect: à la fois soutien de l'action, explication et moteur et, dans le même temps, obstacle et source de paralysie lorsqu'ils se figent.[193] Ces mythes marquent de leur sceau la relation du travailleur social avec son client et pèsent sur l'intervenant qui, *au nom de*..ces croyances doit se comporter de telle ou telle façon. Le client lui aussi vient vers le travailleur social chargé des attentes et des pressions de son entourage; diverses instances sont également potentiellement présentes dans la rencontre, d'où la nécessité de «débroussailler» ce terrain, de dégager tous ces «au nom de.» pour créer un espace dans lequel un travail soit possible. «Débroussailler ce qui vient des autres en tant que demande, pressions, obligations, attentes» amène à «mettre à jour ce que le client a compris des attentes des uns et des autres..ainsi que les représentations souvent collées à ces demandes».

Idées-clés

En ce qui concerne le travail social, voici ce que nous proposons de garder comme prioritaire pour cette notion de pression:

Définition: ce que nous appelons «pression», ce sont toutes les tentatives exercées par des tiers (qu'il s'agisse de personnes, d'idées ou d'instances) de dicter à l'une ou plusieurs des personnes concernées ce qu'il convient de faire dans une situation, que les motifs soient d'ordre idéologique, juridique, économique, affectif ou autre, pertinents ou non. Les pressions peuvent être exercées de manière explicite ou détournée, directement ou indirectement.

Nous pouvons ajouter:

1. Il s'agit là d'une notion très large et éminemment subjective. Ce qui peut être ressenti par l'un comme pression importante sera évalué comme insignifiant par un autre.[194]
2. Il y a toujours des pressions dans toute situation; on ne peut imaginer une situation sans pressions; ne pas vouloir influencer, c'est aussi exercer une pression pour que le partenaire décide par lui-même; reformuler en miroir c'est également faire pression pour que la personne se sente entendue, rejointe et puisse poursuivre sa réflexion.
3. La personne qui adresse le client au travailleur social, appelée référent, doit être considérée comme la porte d'entrée privilégiée dans le traitement de la situation.
4. Le travailleur social agit en général sous mandat administratif ou judiciaire. Il doit alors gérer des situations d'«aide contrainte» dans lesquelles la demande ou la motivation sont absentes ou ambiguës. Il y a donc lieu de différencier le contexte d'aide et le contexte de contrainte.
5. Le travailleur social a la responsabilité d'utiliser le contexte judiciaire ou administratif comme ressource pour constituer un contexte d'aide différencié, c'est-à-dire de transformer le mandat en instrument nécessaire à la pose de son cadre d'intervention.

6. La lecture du dossier, de l'anamnèse, des attendus du juge permet de formuler une hypothèse sur la fonction de la commande et du jeu relationnel des divers protagonistes précédents.
7. Les institutions éducatives sont investies d'un double mandat: contrôle (contenir la déviance) et innovation (exploration de nouveaux comportements). Elles doivent veiller à maintenir une souplesse dans la structure organisationnelle pour ne pas étouffer l'un des aspects du mandat qui leur est confié.
8. Les pressions sont repérables dans les interactions entre le client et son entourage, de même qu'entre ceux-ci et le travailleur social.
9. Les pressions sont également internes au travail social lui-même, par les structures du service qui emploie les travailleurs sociaux, les mythes et les idéologies professionnelles ou individuelles.

Repère

En quoi alors cette notion de «pression» est-elle pertinente comme repère pour l'établissement d'une hypothèse et pour la construction d'une piste d'intervention?

Adeline Z. est une petite fille de 9 ans. Son père demande un rendez-vous à la logopédiste. Le maître d'école l'a prié de le faire, car Adeline a de la peine à suivre à l'école. Un rendez-vous est fixé.

Avant le rendez-vous, la logopédiste reçoit un téléphone de la mère d'Adeline, séparée de son mari, qui critique l'attitude du père à l'égard de sa fille. Elle en a parlé au psychologue du service médico-pédagogique. La mère affirme que le SMP va demander que son mari soit déchu de l'autorité parentale et du droit de garde.

Le lendemain, téléphone de l'assistant social qui vérifie si M. Z. s'est bien adressé à la logopédiste: une séance de tribunal va avoir lieu et il souhaite savoir si M. Z. a entrepris quelque chose pour sa fille ou non. Il est question qu'Adeline soit placée dans un foyer.

Puis c'est l'enseignant qui appelle, car il a reçu un téléphone de l'avocat de Mme Z. Il ne souhaite pas se mêler de cette affaire, mais se dit très en souci pour Adeline, qui est toute repliée sur elle-même, semble ne pas pouvoir apprendre quoi que ce soit et prend un retard problématique sur le reste de la classe. Il pense qu'un traitement logopédique pour améliorer son élocution pourrait lui redonner confiance.

Au rendez-vous, M. Z. se plaint des tentatives de son épouse, partie avec un autre, qui la manipule; ensemble ils tentent de convaincre le juge de lui retirer l'autorité parentale, alors qu'il est un bon père. Elle aurait même réussi à prendre le psychologue du SMP dans son camp; heureusement, il a lui-même le soutien de l'assistant social. Il pense que si la logopédiste lui faisait un papier pour confirmer qu'un traitement commence pour sa fille, cela aiderait beaucoup la situation…

On pourrait poursuivre cette histoire, dans laquelle chacun tente de faire pression sur les autres et de les faire bouger dans le sens qui lui convient. Nous voyons que chacun exerce et subit un nombre important de pressions pour lui dicter ce qu'il doit faire.

Face à ce type de situation, trois types de réactions semblent apparaître: s'il y a beaucoup de pressions, les personnes peuvent réagir en les acceptant, les rejetant ou les déniant. Ces trois manières de gérer les pressions vont tracer des pistes d'intervention différenciées. Nous évoquerons également les situations de «commande» par un autre service.

Face à l'acceptation des pressions

Les personnes qui acceptent ces diverses pressions tentent de s'y soumettre et de s'y conformer. Elles agissent alors de manière désordonnée pour tenter de satisfaire chacun et finissent par mécontenter tout le monde. Peu à peu risque de se développer une attitude de repli: «De toute façon ce que je fais ne convient jamais». Leur propre choix est inexistant, seules comptent les attentes des autres. La personne dispose de moins en moins d'espace personnel et finit par être compressée entre toutes les attentes et pressions des autres. Face au travailleur social, la personne se met également dans l'attente de solutions à suivre: «Dites-moi ce que je dois faire». Elle cherche alors à se conformer à la fois à ce qu'il lui suggère et à toutes les autres suggestions qui lui sont faites. Les messages du travailleur social deviennent une pression supplémentaire, qui aboutit elle aussi à un repli et à une disqualification du client («Je fais toujours tout faux»).

Il s'agit d'opérer un débroussaillage avec le client. Dresser une carte des pressions (voir ci-après) qui représente graphiquement la proximité, l'importance, la provenance et la quantité de ces diverses pressions peut aider aussi bien le travailleur social que le client lui-même à visualiser ce qui l'écrase, tous ces «au nom de» qui le paralysent ou l'agitent. C'est comme si la règle voulait que *les exigences des autres passent toujours en premier*, comme si la désapprobation des autres était dangereuse et qu'il fallait éviter de se l'attirer. Et quand on ne peut plus faire face, restent l'agitation inutile ou le repli. La mise en schéma de ces diverses pressions aide à différencier ce qui est attendu des autres et ce qui est attendu par la (les) personne(s) elle(s)-même(s).

Une mise en sculpture pourrait également aider, mais les conditions de rencontre avec les clients rendent souvent difficile cet outil pour illustrer les pressions: il faut, par exemple, remplacer les personnes par du mobilier pour mettre en scène l'écrasement et le manque d'espace personnel. On peut également utiliser des figurines, telles que des plots ou des petits personnages, pour illustrer le manque d'espace et la menace que représentent les autres et leurs attentes..Il s'agit dès lors d'un outil très parlant!

CARTE DES PRESSIONS EXERCÉES SUR LE CLIENT

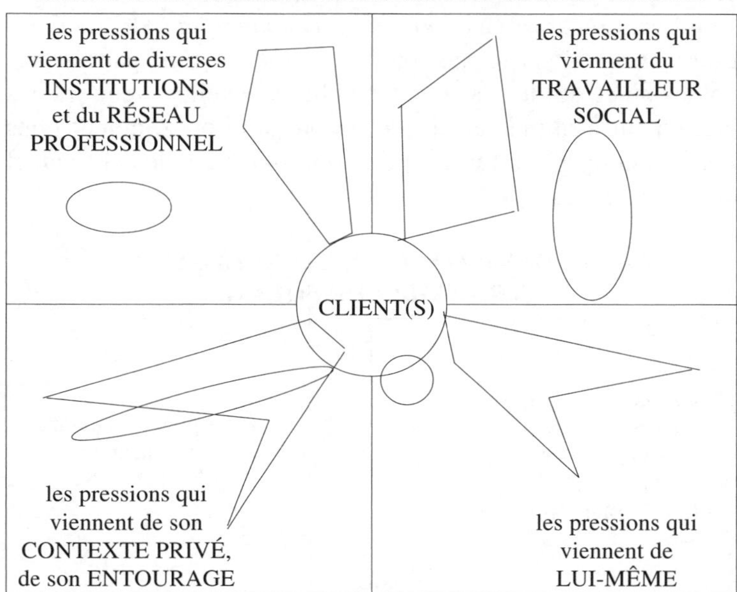

Le travailleur social peut lui aussi être pris dans ce jeu de pressions et dans l'aspiration à accepter tout ce que lui demandent les autres: le client, mais aussi son service, ses collègues, son éthique, ses mythes.. Il y a là aussi, comme le dit Lebbe-Berrier, un travail de débroussaillage à faire.

Il est possible de dresser une «carte des pressions» auxquelles est soumis le travailleur social et sous lesquelles il est écrasé (voir ci-après).

Les diverses pressions visualisées, on peut examiner ce que chacune d'elles fait faire habituellement, ce qu'elles empêchent de faire et ce qui se passerait si la personne ne les prenait pas en compte. Cette exploration donne déjà une autre couleur aux pressions, souvent basées sur des estimations peu vérifiées et des effets sur ou sous-estimés.

L'hypothèse que nous formulons, c'est qu'*il n'y a pas d'espace pour que chacun, dans le système, puisse trouver sa place, se poser et faire des choix.* L'exploration ira vérifier cela et l'intervention visera à *créer cet espace manquant.* L'intervention vise à resituer les personnes comme actrices, parties prenantes de ce qui leur arrive. Chercher avec elles en quoi elles participent à alimenter ce jeu de pression et comment elles pourraient réagir autrement pour modifier le cercle dans lequel elles sont prises.

CARTE DES PRESSIONS EXERCÉES SUR LE TRAVAILLEUR SOCIAL

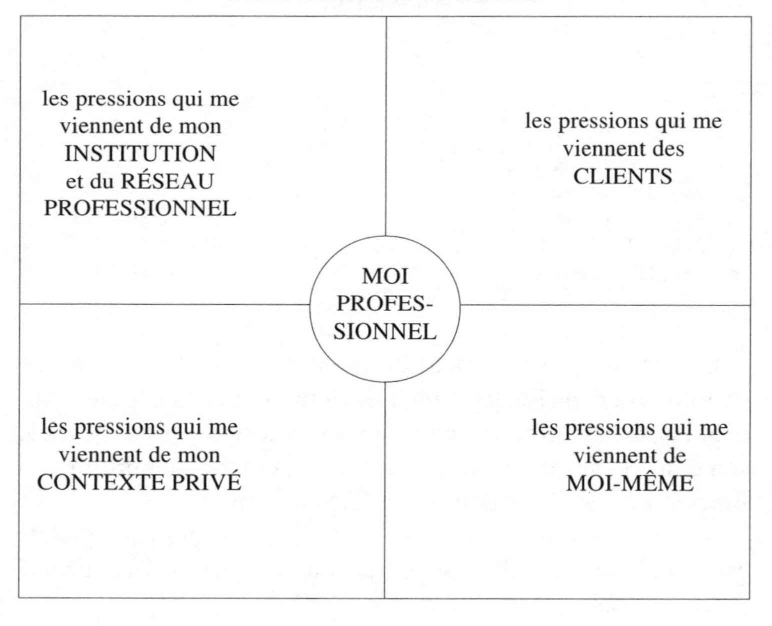

Face au rejet des pressions

Le deuxième type de réaction consiste à contre-réagir, à contre-attaquer: coups de gueule, attitudes procédurières, tout est passé au crible pour trouver la faille; le monde est vécu comme menaçant, dangereux, le soupçon est présent en permanence. Il n'y a plus de vérification au sujet de ce que veut l'autre, il y a réaction. Ce que je comprends *est* ce que l'autre veut, donc ce qu'il faut combattre. Il y a une dilution des frontières du système, comme dans une explosion.[195] Il n'est plus possible de distinguer ce que la personne veut de ce que les autres veulent, car le désir de l'autre occupe tout l'espace. Combattre ce qui est vécu comme pression envahit la scène et il n'y a plus, non plus, d'espace pour se situer soi-même.

La piste que nous proposons rejoint les stratégies proposées par Pluymaekers. Il s'agit dans un premier temps de faire exister l'autre: que veut-il, qu'attend-il, qu'exige-t-il? Le questionnement circulaire reste un bon moyen pour travailler dans ce sens:
- Que dirait l'autre?
- Qu'attend le juge?
- Que voudrait voir votre patron?
- Comment pensez-vous que votre femme remarquera vos efforts?
- A quoi votre voisin verra-t-il que la situation a changé?

Ce sont des tentatives de donner une existence réelle à ceux qui sont vécus comme faisant pression.

Sur cette base, il devient possible d'aller vérifier si c'est bien ainsi que sont posées les attentes des autres, et de réfléchir non plus à «qu'est-ce que je veux faire?» mais à «que faudrait-il que l'autre voie pour qu'il soit apaisé, rassuré, calmé?» Cela évite d'entrer dans la question de savoir si les intentions prêtées à l'autre ont une quelconque réalité - ce qui restera la plupart du temps non seulement invérifiable mais surtout inutile.

Si dans l'acceptation des pressions il y a difficulté à se reconnaître un espace d'existence, il y a dans le rejet difficulté à admettre que l'autre ait un espace. Le questionnement circulaire, en faisant exister l'autre, aide surtout à remettre une frontière entre le système client et les autres, de même qu'entre le travailleur social, le client et leurs entourages respectifs. Pour créer un espace personnel, il faut commencer par en reconnaître un à celui qui est censé faire pression. Admettre que l'autre veut quelque chose ouvre la porte - une fois reconnue la légitimité de cette attente ainsi que sa force de contrainte - à la possibilité de se positionner soi-même.

Le travailleur social est souvent confronté à des situations dans lesquelles il est tenté de rejeter les pressions. C'est le cas en particulier dans les situations de collaboration de réseau dans lesquelles les positions entre les intervenants divergent. Les autres sont alors vécus comme essentiellement menaçants et il n'y a pratiquement plus qu'un espace de réactions, sans possibilité d'arrêt, de réflexion, de positionnement.

De même, dans certaines équipes de travail, les tensions deviennent tellement fortes que chaque collègue est vécu comme exerçant des pressions insupportables. Il devient plus important de répondre que de comprendre. Métacommuniquer permet parfois de sortir d'une escalade sans fin des pressions réciproques.

Face au déni des pressions et de leurs effets

La troisième réaction, c'est le déni: ce peut être aussi bien le déni des pressions que celui de leurs effets. C'est comme si une carapace empêchait le client de voir ce qui arrive, de prendre au sérieux les nuages qui s'amoncellent sur sa tête:

«Il n'y a pas de problème, les menaces ne sont pas sérieuses, le juge ne dira rien, c'est pas la première fois, ça s'arrangera aussi cette fois, je le connais, c'est un bon type, de toute façon ça ne vaut pas la peine de s'exciter pour ça, ils n'oseront pas me mettre comme ça à la rue, je sais bien que mon patron a besoin de moi, ma femme ne me quittera jamais.»

Il n'y a probablement pas plus difficile que le déni pour le travailleur social, car il rend le client lisse, comme si rien n'avait prise sur lui. On ne sait pas comment le rencontrer. Le déni empêche toute demande réaliste, ne favorise aucun engagement dans un mouvement.

Le problème dans ces circonstances est que le monde est effrayant, tellement menaçant qu'il est impossible de le regarder. Mieux vaut s'aveugler que de se confronter à sa propre impuissance. Le refuge est dans le rêve ou la fuite, en avant, en arrière ou ailleurs...

Nous rejoignons ici les réflexions de Cirillo face aux familles qui dénient l'existence ou l'importance d'un problème; la plupart du temps le travailleur social est impuissant tant qu'une sanction sociale n'est pas intervenue: jugement, expulsion, rupture, faillite, fin de droit. C'est alors sur la base d'un mandat que le travailleur social pourra «utiliser les éléments de contraintes et de prescription», comme le dit Cirillo, pour tenter de rendre la personne présente. Les questions qui guideront beaucoup le travail sont par exemple:

- Que se passera-t-il quand il verra que vous ne faites pas?
- Et s'il mettait ses menaces à exécution?
- Que ferez-vous lorsque vous serez à l'hôpital?
- Pensez-vous que votre femme viendra vous trouver et qu'elle vous attendra?
- Comment expliquerez-vous à vos enfants que vous devez quitter votre logement?

Après l'espace pour soi qui n'existe pas, et l'espace de l'autre qui n'existe pas, ici, c'est *l'intersection entre les espaces qui n'existe pas.*

Le travailleur social n'est pas à l'abri du déni des pressions, et la tentation de se comporter comme s'il était maître de son royaume d'intervention est parfois bien présente. C'est notamment le cas lorsqu'il se trouve avoir connaissance de comportements réprimés par la loi (par exemple dénonciation d'inceste) et qu'il hésite à régler la question au niveau relationnel, sans se confronter au cadre légal qui le régit.

Dans des situations de déni des pressions, ce repère ne nous aide pas ou peu à clarifier la situation et il est plus utile de travailler avec d'autres portes d'entrées. Pourtant ce sont souvent des situations dangereuses, c'est-à-dire celles dans lesquelles il y a de grands risques que quelqu'un soit en danger: enfants maltraités, violence..Comme si à l'impuissance des clients et à la retransmission intergénérationnelle des difficultés répondait l'impuissance des travailleurs sociaux. C'est peut-être du partage de cette impuissance que peut renaître une construction commune.[196]

Ainsi donc, nous avons associé chaque fois la notion d'*espace* à celle de *pression*. Gérer les pressions, c'est gérer l'espace. Faire une hypothèse en termes de pression nous amène à penser que dans le système client il y a un problème d'espace. La manière avec laquelle est géré l'espace commun est problématique.

> La non-gestion des pressions extérieures est la mise en scène de la difficulté interne à gérer son propre espace en lien avec celui des autres, dans un contexte précis.

La fonction de la commande

Il faut encore évoquer les situations transmises par un autre service, demandant l'intervention d'un travailleur social pour prendre le relais d'une autre institution: demande de placement, de suivi par un milieu ouvert, de mesures tutélaires, d'internement administratif, d'admission dans une institution plus fermée que la précédente, etc. Le travailleur social est placé dans la situation où il doit prendre place à la suite d'une intervention ou en parallèle avec d'autres intervenants.

La proposition de Chemin est de réfléchir à la fonction de la commande: Que se passe-t-il maintenant pour que l'intervention d'un nouveau service soit vue comme nécessaire? Que se passerait-il si cette nouvelle intervention n'avait pas lieu? Qui cette nouvelle intervention est-elle appelée à disqualifier si elle devait réussir? Dans quel jeu relationnel est-il proposé d'entrer et en quoi cela risque-t-il de reproduire le même jeu qui a été en place jusqu'ici?

En reprenant les hypothèses de Selvini, nous proposons de considérer que *la commande d'intervention est faite à l'initiative de celui qui, dans le jeu actuel, se sent devenir perdant.* Cette situation met donc le nouvel intervenant dans une situation embarrassante: d'une part, il doit réussir mieux que le collègue précédent s'il veut montrer sa compétence; mais, d'autre part, il disqualifierait ce même collègue s'il parvenait à remettre la situation en mouvement et, ce faisant, il court le risque de voir son propre travail également disqualifié. Il s'agit donc d'une mission périlleuse, voire impossible.

Il y a dans ces cas-là nécessité de coconstruire l'intervention avec le référent. Comme lorsqu'il s'agit d'un référent appartenant au système client, le travailleur social peut considérer le service qui transmet le dossier comme le passage privilégié et obligatoire de l'exploration de ce qui a été fait, des jeux relationnels autour du signalement et des pistes d'intervention qui ont abouti à la paralysie ou à l'échec. Il devient alors possible de construire un travail qui ne disqualifie pas les tentatives précédentes, mais les utilise comme des informations nécessaires et pertinentes à la construction de la suite de l'intervention.

C'est également l'occasion de clarifier les questions de définition du contexte d'intervention, de pose du cadre, et de pilotage de l'intervention, pour éviter que l'action d'un service paralyse celle de l'autre et vice-versa.

Résumé

La notion de pression se situe à deux niveaux:

• D'une part comme *concept*:

Définition: ce que nous appelons «pression», ce sont toutes les tentatives exercées par des tiers (qu'il s'agisse de personnes, d'idées ou d'instances) de dicter à l'une ou plusieurs des personnes concernées ce qu'il convient de faire dans une situation - que les motifs soient d'ordre idéologique, juridique, économique, affectif ou autre, pertinents ou non. Les pressions peuvent être exercées de manière explicite ou détournée, directement ou indirectement.

- Il s'agit là d'une notion très large et éminemment subjective.

- Il y a toujours des pressions dans toutes situations.
- Le référent est une porte d'entrée privilégiée dans la situation.
- Il faut différencier le contexte d'aide et le contexte de contrainte.
- Le travailleur social a la responsabilité de transformer le mandat en ressource.
- La lecture du dossier permet de formuler une hypothèse sur la fonction de la commande et du jeu relationnel des divers protagonistes précédents.
- Les institutions sont investies d'un double mandat: contrôle et innovation.
- Il y a des pressions entre le client et son entourage, de même qu'entre ceux-ci et le travailleur social.
- Les pressions sont également internes au travail social lui-même.

• D'autre part comme *repère* et comme *piste d'intervention*:

1. *Face à l'acceptation des pressions,* nous faisons l'hypothèse qu'il n'y a pas d'espace pour que chacun, dans le système, puisse trouver sa place, se poser et faire des choix. Après vérification, l'intervention visera à *créer cet espace manquant.*
2. *Face au rejet des pressions*: nous pensons qu'il y a difficulté à reconnaître un espace à l'autre. Le questionnement circulaire aide à remettre une frontière entre le système client et les autres, de même qu'entre le travailleur social, le client et leurs entourages respectifs. Reconnaître que l'autre veut quelque chose ouvre la porte à se positionner soi-même.
3. *Face au déni des pressions*: le déni empêche toute demande réaliste, ne favorise pas l'engagement dans un mouvement. Mieux vaut s'aveugler que de se confronter à son impuissance. La plupart du temps le travailleur social est impuissant tant qu'une sanction sociale n'est pas intervenue. C'est alors sur la base d'un mandat que le travailleur social pourra «utiliser les éléments de contraintes et de prescription» pour tenter de rendre la personne présente. Après l'espace pour soi

qui n'existe pas, et l'espace de l'autre qui n'existe pas, ici, c'est *l'intersection entre les espaces qui n'existe pas.*

> La non-gestion des pressions extérieures est la mise en scène de la difficulté interne à gérer son propre espace en lien avec celui des autres, dans un contexte précis.

4. *La fonction de la commande* transmise par un autre service: le travailleur social doit intervenir à la suite d'autres intervenants. Nous pensons que *la commande d'intervention est faite à l'initiative de celui qui, dans le jeu actuel, se sent devenir perdant.* Il y a dans ces cas-là nécessité de coconstruire l'intervention avec le référent.

SYMPTÔME

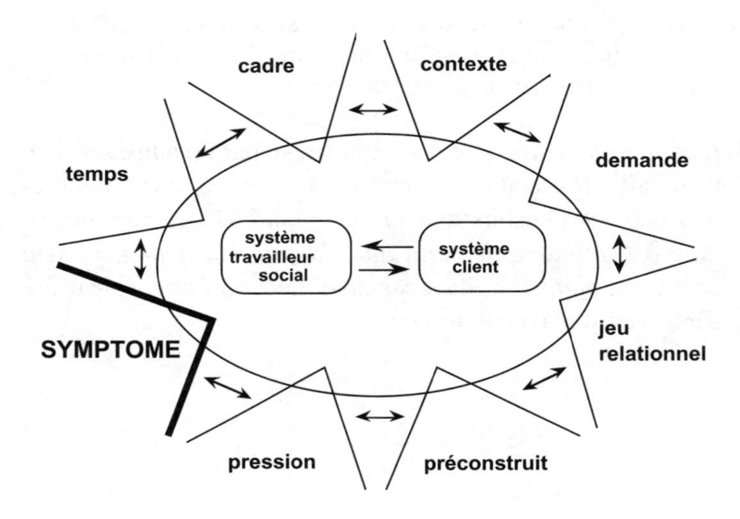

La notion de symptôme traverse toute l'histoire des pratiques de thérapie familiale et marque bien les diverses étapes d'évolution dans la manière de construire la réalité. Nous tenterons tout d'abord d'en tracer quelques contours pour en dégager les options qui nous paraissent essentielles. Ensuite, nous interrogerons cette notion de symptôme et son adéquation dans le cadre du travail social. Enfin, nous préciserons en quoi le symptôme prend sens comme repère pour l'établissement d'une hypothèse et pour la construction de l'intervention du travailleur social.

Le concept

La notion de symptôme est issue du vocabulaire médical. C'est donc sans surprise que nous la trouvons si présente dans les écrits des psychiatres qui ont construit la thérapie familiale. Les symptômes sont les manifestations visibles qui permettent de poser un diagnostic au sujet de quelque chose d'invisible. Plus il y a de symptômes concordants, plus le diagnostic est certain, donc plus la médication et les soins peuvent être appropriés. En particulier dans les troubles psychiques, il est nécessaire de disposer d'un arsenal important de signes indicateurs: on ne déclare pas quelqu'un schizophrène ou autiste ou maniaque sans avoir quelques indices qui se recoupent et se confirment mutuellement. La médecine homéopathique procède de même; c'est l'accumulation de signes divers qui permet de trouver dans quel circuit interactif intervenir et comment stimuler telle fonction, freiner telle autre ou lever tel barrage.

Les troubles qui sont présentés aux psychiatres les amènent donc, tout en changeant de modèle épistémologique, à garder l'idée que les comportements qui leur sont présentés comme dysfonctionnants sont le signe de quelque chose d'invisible; mais ils vont modifier le champ d'observation, en passant de l'individu à ses relations avec son contexte.

Nous examinerons d'abord la question de savoir si le symptôme remplit une fonction, c'est-à-dire s'il sert à quelque chose, si on peut lui attribuer une intentionnalité, un but. Ensuite nous nous demanderons si le symptôme est un langage. Nous regarderons alors les liens entre le symptôme et le problème, entre le symptôme et son explication.

La fonction du symptôme

Nous distinguerons six tendances principales dans la construction du sens du symptôme.

- Pas le symptôme, mais la solution

«Chaque type de théorie repose sur une théorie implicite ou explicite de la psychopathologie humaine et des processus de changement. Les thérapeutes pour qui les symptômes résultent des conditionnements recherchent des méthodes faisant appel au déconditionnement; ceux qui considèrent que les symptômes sont produits par le refoulement orienteront la thérapie vers la prise de conscience des pensées réprimées. Si les symptômes sont vus comme une méthode de négociation avec autrui, le thérapeute cherchera à limiter l'utilisation de ses symptômes par le patient et l'encouragera à développer d'autres moyens de négocier ses relations.»[197]

Ce que Haley propose dans ce texte (écrit en 1963, mais publié en français seulement en 1993), c'est de considérer «les symptômes en tant que tactique relationnelle», c'est-à-dire de déplacer le regard de l'observateur de l'attention qu'il porte à l'individu à ses modalités relationnelles avec son entourage. Si les symptômes sont un moyen de négocier des relations, il conviendra donc de chercher lesquelles, avec qui, en vue de quoi, à la suite de quoi. Le symptôme, décrit comme *un comportement extrême* et dont on ne peut empêcher l'apparition, devient un moyen de pression extrêmement puissant.

Si le symptôme semble échapper au contrôle de celui qui le présente, et être en ce sens totalement spontané,[198] la question qui se pose à l'intervenant est alors de gérer un comportement sur lequel la personne n'a pas prise. L'influence des pratiques d'Erikson sera marquante. S'inspirant des techniques d'hypnose, l'intervenant cherche à répondre à ce qui fait problème immédiatement: comment avoir prise sur quelque chose qui est présenté comme spontané. C'est pour défaire ce paradoxe que l'équipe de Palo Alto élabore son optique de prescriptions paradoxales et de diverses techniques de manipulation des relations organisées autour du symptôme: prescrire le symptôme, déplacer le symptôme, présenter une alternative illusoire, recadrer..tous ces moyens visent à modifier les relations de la personne avec son entourage. Le symptôme est central en ce sens que c'est de lui, autour de lui, que s'inscrivent les comportements sur lesquels l'intervenant tente d'agir. L'objectif de l'intervention, c'est que la modification du cadre dans lequel le symptôme est perçu rende le recours au comportement symptomatique inutile.

Il n'y a donc aucune attention au symptôme lui-même comme tel, mais uniquement à ce qu'il met en branle dans les relations avec les personnes confrontées à ses manifestations. Comme le soulignent Wittezaele et Garcia[199], il n'y a aucune recherche sur les causes du symptôme. Il ne s'agit ni d'identifier ni de chercher à modifier ce qui est à l'origine des comportements difficiles, mais de bloquer les solutions stériles et de faire en sorte que le patient mette en œuvre des conduites ou des attitudes nouvelles qui résolvent son problème. Rappelons la distinction entre difficulté et problème: ce qui constitue un problème, c'est l'ajout répétitif de solutions qui ne résolvent pas une difficulté. Il convient donc de bloquer cette tendance répétitive inadéquate, afin que la personne et/ou son entourage expérimentent d'autres comportements que ceux qu'ils ont toujours mis en œuvre.

De même, il ne s'agit aucunement de chercher si le symptôme exerce une fonction dans l'organisation du système concerné. Le fait qu'un système se soit peut-être organisé autour d'un symptôme ne signifie aucunement qu'il en ait besoin pour survivre. Les systèmes humains sont des entités qui n'espèrent ni ne craignent le changement. Ce sont d'abord des êtres qui font ce qu'ils peuvent pour trouver une solution satisfaisante pour vivre. Le changement n'a rien à voir avec l'histoire. Le symptôme n'est en aucun cas la pointe d'un iceberg hypothétique; il peut survenir spontanément et de manière durable sans qu'aucune prise de conscience n'ait eu lieu, simplement parce que la construction faite autour d'une crainte, d'un devoir, d'une conception, d'une vision du monde a changé. L'optique de Palo Alto est centrée sur la résolution de problème, non sur la prise de conscience.

Soulignons encore que la vision que proposent ces auteurs[200] n'est pas exclusivement familiale; le problème présenté peut concerner l'organisation familiale aussi bien que des relations de travail, des comportements individuels, des structures institutionnelles. Ce qui importe, c'est le problème posé, là où il est posé. C'est cela qui détermine le champ d'action.[201]

- Le système crée un symptôme, ou le symptôme comme manœuvre pour ne pas changer

Cette optique correspond à ce que nous appelons la période systémique 1 ou la vision dite de première cybernétique: l'intervenant, face à une situation, doit tenter de comprendre le système dans lequel il intervient. Il est comme un explorateur découvrant un pays plein d'embûches, de pièges, d'apparences. Lui-même ne fait pas partie de cette histoire, mais il en est l'observateur privilégié, extérieur et neutre. Cette vision s'appuie sur l'épistémologie systémique, qui décrit les systèmes comme autorégulés. Chaque famille, institution, organisation met en place une structure organisationnelle et des stratégies qui visent à corriger les écarts. L'accent est mis sur le fait que les systèmes se maintiennent au cours du temps, traversent des crises, évoluent et pourtant restent stables. La question dominante est donc: «Qu'est-ce qui fait que les systèmes ne changent pas?»

Il s'agira donc de différencier ce que les personnes ou les systèmes *sont* d'avec ce qu'ils mettent en scène, ce qu'ils *montrent*. Les symptômes sont donc vus comme des manœuvres relationnelles au même titre que d'autres manœuvres:

«Progressivement, nous nous obligions à considérer comme manœuvre l'hostilité, une manœuvre la tendresse, une manœuvre la froideur, une manœuvre la dépression, une manœuvre la faiblesse, une manœuvre la puissance, une manœuvre l'impuissance, une manœuvre la perspicacité, une manœuvre la stupidité, une manœuvre l'angoisse, une manœuvre la timidité, une manœuvre la demande d'aide, et finalement nous avons dû nous décider à considérer aussi comme une manœuvre ce qui apparaissait comme la plus éclatante, la plus vraisemblable «réalité»: le souhait de changement de la part du malade désigné.»[202]

Cette construction amène à l'utilisation de la notion de «patient désigné». On nomme ainsi la personne porteuse du symptôme. Il s'agit alors pour les familles dont un membre présente des difficultés de comportement d'indiquer que c'est lui (elle) qui est malade et que le but du traitement à entreprendre est de le changer, de le guérir. Mais dans la mesure où l'attention du thérapeute est portée sur le jeu interactionnel, ce qui est en cause n'est pas la personne porteuse du symptôme, mais ce qui se passe à l'intérieur du système (familial) concerné. Le symptôme fait alors partie des manœuvres des uns et des autres pour influencer le jeu relationnel, en corriger la trajectoire.[203]

Beaucoup d'auteurs s'inscrivent alors dans cette ligne de pensée, chacun soulignant divers aspects de la prise en compte du symptôme par l'intervenant.

- Caillé:

  «Le comportement particulier d'un des membres du groupe familial constitue le plus souvent le symptôme. Si celui qui présente le symptôme est supposé pouvoir contrôler ce comportement, on parlera d'asocialité ou de méchanceté. Dans le cas contraire où le comportement est considéré comme incontrôlable par l'intéressé, la dénomination de maladie sera employée.

  «Le symptôme est généralement offert comme explication de l'état de crise, mais, à une analyse plus poussée, il prend régulièrement le caractère d'une tentative de résoudre la crise ou de diminuer son intensité.

  «. le symptôme légitime le contact avec le thérapeute. Il constitue la raison suffisante d'une telle relation sans qu'il soit nécessaire de révéler d'autres dangers, imaginaires ou réels, vécus comme trop menaçants pour être énoncés.

  «Le symptôme n'est pas seulement au départ le seul champ de négociations accepté par la famille dans son contact avec le thérapeute, mais a aussi intérêt comme résultat concret des capacités créatives de la famille.

  «La crédibilité du symptôme repose sur la conviction qu'il réapparaît constamment sans que personne ne puisse l'empêcher.»[204]

- Ausloos:

  «Selon l'approche systémique, le patient désigné est celui qui, dans le système familial, a reçu et accepté le rôle de

produire une symptomatologie qui permette une équilibration suffisante pour l'ensemble du système. A ce titre, il ne sera ni «déviant» ni «délinquant», mais doit au contraire être considéré comme le membre «compétent», c'est-à-dire celui qui joue suffisamment bien son rôle pour que le fonctionnement de l'ensemble du système demeure satisfaisant. Il est «utile» à la famille et, de ce point de vue, il apparaît logique de souhaiter qu'il poursuive son action, quel que soit le prix payé, tant qu'une redistribution significative des rôles ne s'est pas effectuée. Plutôt que «victime», il sera considéré comme «partenaire».
«Le symptôme lui-même n'est plus considéré comme un trouble, un dysfonctionnement, une perturbation, mais bien plutôt comme un message particulier, une forme de communication nécessaire à l'ensemble du système, qui prend son sens dans la lecture des interactions familiales.
«Le symptôme a une fonction dans le système et à ce titre il ne doit pas être combattu mais au contraire sauvegardé tant que cette fonction sera nécessaire.» [205]

- Andolfi:
  «Un comportement perturbé signale que les besoins d'autonomie et de différenciation ont été sacrifiés pour maintenir les relations familiales dysfonctionnelles. Un système familial devient dysfonctionnel lorsqu'il n'a pas la capacité ou les moyens d'assimiler un changement ou, en d'autres termes, quand la rigidité de ses règles empêche l'adaptation à son propre cycle existentiel et à celui de l'individu.
  «Le comportement symptomatique est un signal concernant la structuration rigide des relations familiales. Il protège l'équilibre qui s'est construit autour d'une situation conflictuelle.
  «Au lieu de classer le comportement d'un individu, nous essayons de déchiffrer le sens de ce comportement en fonction du contexte dans lequel il fait son apparition. Le diagnostic se transforme par conséquent en une évaluation de la

fonction d'un symptôme à l'intérieur d'un système familial.»[206]
«Le problème présenté par la famille, sa demande thérapeutique, ne peuvent être redéfinis tant que le comportement symptomatique du patient est artificiellement isolé de l'ensemble de relations dont il est naturellement partie prenante. (..). Notre but est de déplacer le symptôme, de mettre en évidence ses contenus relationnels, de faire apparaître aux yeux de tous les membres de la famille qu'il est fonctionnel dans la conservation de leurs rapports actuels. (..). D'abord considéré comme le problème d'un individu, le comportement symptomatique du patient doit devenir le problème de tous les membres de la famille, il doit être perçu au sein d'une réalité relationnelle plus complexe.»[207]

Ces divers textes mettent bien en évidence le fait que le regard porté sur le symptôme lui donne une fonction d'équilibration, affirment qu'il sert à quelque chose, qu'il remplit un rôle dans l'économie de l'organisation familiale. L'intervention vise alors à modifier les modalités d'équilibration du système pour que la fonction du symptôme ne soit plus nécessaire: puisqu'il vise à protéger une personne, une relation, un équilibre, la question devient alors de savoir comment manifester que cet équilibre peut être préservé à moindre frais, autrement, sans que la manifestation symptomatique soit nécessaire. Il ne s'agit pas de combattre la fonction du symptôme, qui est positive, mais le symptôme comme mise en scène trop péjorante pour une ou plusieurs personnes. Soulager la souffrance sans changer la fonction positive.

La prescription du symptôme, c'est la prescription de l'utilité de la fonction du symptôme. S'il sert à quelque chose, alors il faut maintenir sa fonction tant que l'on n'a pas trouvé d'autres moyens de la préserver. C'est donc prescrire l'utilité de la fonction relationnelle et non la (non-)pertinence de son contenu.

- Le symptôme: mise en scène de loyautés invisibles ou de délégations

Nous entrons ici dans une perspective intergénérationnelle. Sans vouloir exposer l'ensemble des théories élaborées d'une part, par Boszormenyi Nagy et, d'autre part, par Stierlin,[208] nous évoquerons seulement les effets de cette modélisation sur la manière de regarder les symptômes.

Pour Boszormenyi Nagy, ce sont les liens qui unissent les membres d'une famille qui constituent la trame des relations. «La loyauté est une force régulatrice des systèmes. (...) Elle s'ancre dans la consanguinité ou la parenté.»[209] C'est dans la régulation de la réciprocité des échanges que se forge la justice relationnelle. Pour qu'une relation soit juste, il faut qu'il y ait équité dans les échanges, dans la possibilité pour chacun de donner et de recevoir. Lorsqu'il y a déséquilibre, en particulier dans le cadre des relations parents-enfants, des processus correcteurs doivent se mettre en place. S'ils peuvent être gérés ouvertement, il peut y avoir crise ou conflit, mais cette gestion a des chances d'aboutir à une rééquilibration des échanges qui renforce la confiance mutuelle sur la base de laquelle se tissent les relations.

Lorsque les loyautés ne peuvent être gérées ouvertement ou lorsqu'il y a un déséquilibre durable, des loyautés invisibles se mettent en place, c'est-à-dire des comportements qui ouvertement apparaissent comme problématiques, mais qui, *par derrière*, tentent de rétablir la balance de l'équité.

Ainsi en est-il des «conflits de loyauté» qui renvoient à une situation dans laquelle une personne est ballottée entre deux objets de loyauté compétitifs mais non exclusifs; des «loyautés clivées» qui font que, en se montrant loyal à un parent, par exemple, on est forcément déloyal à l'autre; la «parentification» qui fait porter à un enfant la responsabilité d'être le parent de ses parents; «l'ardoise pivotante» qui est une tentative de payer sa dette ou d'exiger le remboursement d'une dette, mais à la mauvaise adresse.

Le symptôme est alors la mise en scène d'une loyauté qui ne peut s'exprimer autrement. Ainsi par exemple, saboter tout projet, se montrer une mère incapable et violente peut s'avérer être une manière de montrer que sa propre mère n'était pas si incapable ou indigne qu'il pourrait sembler, puisque l'on n'arrive même pas à faire aussi bien qu'elle; faire du travail social pourrait apparaître comme une tentative désespérée de rendre un peu de ce que l'on a reçu de ses parents sans jamais avoir pu les remercier; s'endetter peut être une manière de ne donner raison ni à sa mère ni à son père, lorsque faire plaisir à l'un signifie trahir l'autre.

Stierlin, pour sa part, parlera de «délégation» pour indiquer une mission qui se transmet de génération en génération: mission de réparation d'une faute commise, de vengeance, de sauvegarde de l'honneur; par exemple, écraser les autres par la violence pourrait être la mise en scène d'une vengeance qui n'a pu être réglée deux générations avant.

Pour comprendre un symptôme, il convient donc de reconstruire l'histoire relationnelle sur au moins trois générations afin de discerner la trame relationnelle qui sous-tend les échanges, qui fonde la confiance ou la méfiance, qui donne sens à la mise en œuvre de loyautés invisibles ou de délégations.

L'intervention vise alors à rétablir la confiance relationnelle, à reconnaître la légitimité des aspirations à donner et à recevoir, à permettre la mise en scène de loyautés visibles en lieu et place des invisibles.

- Le symptôme: l'être ou l'avoir

Le mouvement systémique propose donc, au travers de ces deux options déjà présentées, une rupture avec le modèle psychanalytique, un changement de théorie explicative des troubles pathologiques. Pourtant, une fois calmées les grandes polémiques entre ces deux modèles et les affrontements dans divers congrès, certains thérapeutes se préoccupent de ne pas jeter le bébé avec l'eau du bain! Le mouvement psychanalytique les a formés, ils en ont vérifié une pertinence certaine, et le modèle systémique n'a pas répondu à la totalité de leurs attentes. Ils se demandent alors comment construire des ponts entre ces deux approches, plus posées comme complémentaires qu'inconciliables.[210] Ainsi en est-il notamment de Neuburger, qui propose un regard complémentaire sur le symptôme:

«Ce n'est pas la même chose d'avoir un symptôme ou d'être confondu avec lui dans un discours familial.

«..être confondu avec son symptôme, c'est être confondu avec sa fonction dans le groupe..à savoir la tendance du groupe à l'homéostasie. Le symptôme pourrait être l'indice d'un changement dans la famille. Mais s'il est confondu avec l'individu, le symptôme devient un régulateur de l'homéostasie familiale.

«Avoir un symptôme renvoie à la structure individuelle, donc à la psychanalyse. (...) Être le symptôme renvoie à un système groupal, donc indique une thérapie systémique.»[211]

«La désignation est un processus qui fait d'un sujet dans un groupe familial à la fois le problème et la solution: problème en tant que sujet d'inquiétude pour tout le groupe, solution en tant qu'il favorise la solidarité du groupe, sa cohésion.»[212]

Cette préoccupation dont Neuburger se fait porteur, parmi d'autres, attire l'attention sur un élément encore peu développé: le symptôme n'a pas qu'une fonction dans l'économie du système, il en a aussi une dans l'économie personnelle du sujet. A la fois acteur ayant une responsabilité dans le jeu et agi dans le cadre du système, joueur et joué. Ces deux aspects peuvent être pris en compte et le sens du symptôme n'est pas le même dans ces deux constructions.

La question est alors moins d'opposer ces deux aspects que de les rendre complémentaires. Cela amène à la construction que fait Neuburger par la suite autour de «identité et appartenance», l'identité qui fait état de la part d'acteur et l'appartenance qui rend compte de la prégnance du système.[213] Le symptôme devient alors la mise en scène de cette tension entre identité et appartenance, à la fois dénonciateur d'une lacune et tentative d'une correction.

L'intervention vise dès lors à revivifier les deux pôles, aussi importants et nécessaires l'un que l'autre, de manière à ce que et la personne et le système aient leur place.

- Le symptôme: tentative malheureuse de changement

Déjà en 1980, lire le symptôme comme s'il exerçait une fonction au sein du système subit quelques attaques. Haley, par exemple, souligne que la théorie systémique rend compte de la stabilité des systèmes, de ce qui assure leur pérennité. «L'avantage principal de la théorie systémique est qu'elle rend certains événements prévisibles. Son principal inconvénient pour une théorie possédant un objectif thérapeutique est qu'il ne s'agit pas d'une théorie du changement, mais d'une théorie de la stabilité.»[214]

Ces interrogations sont reprises notamment par Elkaïm[215] et par Trappeniers[216]. Les articles qui reprennent cette question en parlent en termes de «crise».[217] Si l'objectif du thérapeute est de favoriser un changement dans une situation dans laquelle il y a trop de souffrance, il faut qu'il se demande non plus: «Comment se fait-il que certains systèmes ne changent pas?», mais «Comment se fait-il qu'ils changent?» Ce renversement de point de vue est alimenté en particulier par Elkaïm, qui introduit dans le champ des thérapies les réflexions sur les systèmes loin de l'équilibre (Prigogine) et les bifurcations (Thom). Les théories systémiques jusque là expliquaient comment les systèmes s'y prennent pour maintenir leur stabilité. Prigogine propose de considérer que ces explications ne sont pertinentes que dans une fourchette de variations donnée. Mais lorsque l'écart avec la norme devient trop grand, lorsque l'écart se creuse trop entre ce qui est acceptable et ce qui ne l'est plus, se produit un saut imprévisible, une réorganisation nouvelle, sans continuité avec ce qui précède (voir schéma ci-après).

Tant que les comportements se situent à l'intérieur de l'équilibre acceptable, représenté par les axes X et Y, il y a toutes sortes de fluctuations possibles et toutes sortes de changements dans la continuité. Mais au delà d'un certain seuil (l'axe X), il y a un saut qui peut aussi bien aller vers IJ que vers IK ou vers IL.

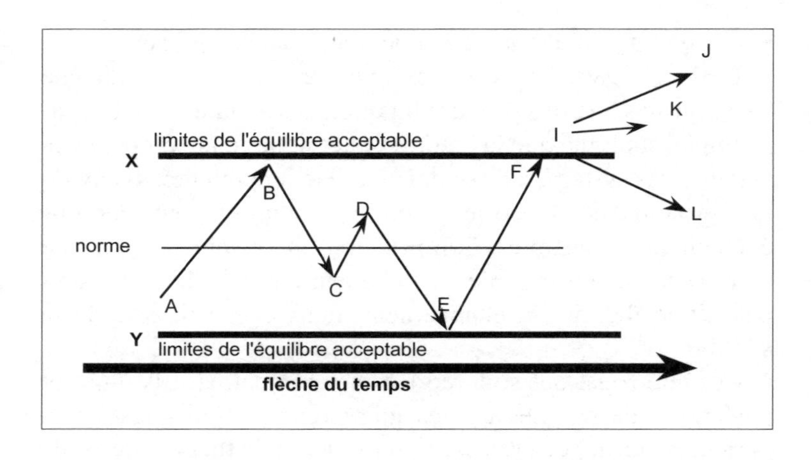

Beaucoup d'auteurs vont revoir leur copie et relire les symptômes sous ce nouvel éclairage. Le symptôme devient alors non seulement une tentative de ne pas changer, mais aussi une tentative de changer. Le symptôme exerce une fonction homéostatique et une fonction de mise en crise, l'issue de la crise pouvant être aussi bien l'avènement du nouveau que la rigidification de l'actuel. Onnis, Caillé, Ausloos, Lemoigne, Morin, autant d'auteurs qui vont élaborer leurs réflexions sur la crise comme chance, le symptôme comme source possible de changement. Il est une «amplification des mécanismes de régulation»[218] qui met en crise par son excès. Observer le symptôme, c'est se donner les moyens de comprendre ce qui doit être régulé et comment cette régulation a dû être amplifiée pour garder une efficacité de contestation légitime.

Cette vague de remise en cause est accompagnée par la prise en compte de la position de l'observateur, c'est-à-dire par la vague qui parle d'«autoréférence», base du mouvement constructiviste.

Pauzé, dans sa recension, écrit:

«Considérer le symptôme comme ayant une fonction homéostatique pour le système équivaudrait en quelque sorte à ce que Bateson appelle une explication dormitive, c'est-à-dire «une forme de non-sens épistémologique qui surgit lorsque nous tentons d'expliquer un système en lui attribuant des descriptions non adéquates à son domaine phénoménal et appartenant en fait à nos interactions avec ce système» (Keeney, 1983, p. 20). (...)

«Certains thérapeutes verront le symptôme comme ayant une fonction homéostatique pour le système pendant que d'autres verront ce même symptôme comme ayant une fonction tout à fait contraire. Ainsi, du point de vue du constructivisme radical, il serait préférable de parler du symptôme comme ayant une fonction homéostatique ou de mise en crise *non pour la famille mais plutôt pour le thérapeute qui rencontre la famille* (c'est nous qui mettons en évidence). D'autre part, la position coconstructiviste de Speed (1984) nous amènerait plutôt à dire que la fonction qui est attribuée au symptôme «est le fruit d'une négociation entre les préjugés du thérapeute et les informations de la famille».

«De fait, la presque totalité des définitions répertoriées lors de notre recherche mettent en relation le comportement symptomatique du patient désigné avec le fonctionnement du système familial auquel il appartient. Ce type de ponctuation n'est pas fausse, mais peut être un peu réductrice. Or, déjà en 1980, Elkaïm insistait pour dire «qu'un symptôme comme la délinquance par exemple pouvait, quand il s'agissait d'un phénomène collectif, avoir une fonction au sein d'une communauté». De même, pour Selvini (1987), «une thérapie ne saurait progresser sans cartes susceptibles d'intégrer les différents niveaux systémiques: biologiques, individuels, familiaux et sociaux»... En somme, il n'est pas incorrect de parler de la fonction du symptôme pour la famille, mais il ne faut jamais oublier que le symptôme peut avoir simultanément d'autres fonctions tant pour le patient désigné que pour les réseaux relationnels non familiaux auxquels participe ce dernier.»[219]

Enfin, nous le voyons ci-dessus, apparaît la mise en cause du système familial comme seul système explicatif du symptôme:

un symptôme peut aussi apparaître à l'intersection de deux systèmes.

L'objectif de l'intervention consiste alors à amplifier la crise pour pousser le système à une position de déséquilibre plus grand et lui permettre d'inventer des solutions nouvelles, au lieu de s'épuiser à reproduire vainement des tentatives d'équilibration vouées à l'échec.

- Le symptôme, ou le problème crée le système

Dans des notes de lectures au sujet d'un article de Hoffman, Masson présente les réflexions auxquelles l'auteur en est arrivé en prenant une position constructiviste:

«On ne peut plus dire que le symptôme est localisé quelque part, ni dans le patient, ni dans la famille, ni dans quelque autre unité. Il est dans la tête ou le système nerveux de tout un chacun qui participe à le spécifier. On disait que le système crée le problème, maintenant on dit que le problème crée le système. Le concept de l'homéostase familiale est lourdement critiqué tant sur le plan philosophique que sur le plan pragmatique. Car parler du système familial et d'homéostase inclut immédiatement une pseudo-objectivité.

«La nouvelle cybernétique ne pousse pas à la «manipulation», mais à l'évolution. Elle supprime aussi les possibilités hiérarchiques définies préalablement comme par exemple la hiérarchie expert/imbécile. A la limite, il n'y a plus non plus possibilité de poser un diagnostic dans le sens d'une étiquette qui est l'illusion même de l'objectivité.

«Il ne s'agit pas de chercher une vérité (étiologique), mais de chercher suffisamment d'éléments qui permettent de donner un sens au processus que l'on pense voir.»[220]

Hoffman développe ses thèses en disant que «les systèmes à problèmes ne sont pas des collections d'êtres humains, mais un réseau de signification»[221]. Il en déduit alors une liste d'attitudes thérapeutiques et de lignes philosophiques générales qui méritent qu'on s'y arrête:

- Il n'y a pas de croyance dans une réalité objective, donc

l'intervenant n'est pas un expert savant face à un patient ignorant.
- Il y a un déplacement du centre d'intérêt des comportements vers les idées.
- Le problème crée un système: il n'y a pas d'unité à traiter, mais il y a un groupe de personnes en conversation au sujet d'un problème.
- Il n'y a pas de métaposition, pas de lieu extérieur d'où regarder.
- Le thérapeute accompagne chacun dans une multipartialité.
- Il y a une relative absence de hiérarchie, puisque seule la famille peut interpréter ce qui est dit à la lumière de son propre point de vue subjectif.
- Pouvoir, contrôle et résistance sont des concepts inventés par les thérapeutes qui n'obtiennent pas les résultats qu'ils souhaitent. «Ils» (chacun) ont toujours raison, puisqu'ils font ce qu'ils doivent faire en fonction de leur structure et qu'ils ne savent faire que ça...
- Il faut remplacer les images verticales (position haute et position basse) par des images horizontales (centre et marge).
- Il faut inhiber l'intentionnalité. Le changement arrive «à l'improviste».

Ces thèses vont dans le même sens que celles de Goolishian, pour lequel l'intervention thérapeutique consiste en une «conversation»:

«Le dessein de toute conversation est d'échanger et de créer des significations. La conversation thérapeutique est plus centrée sur l'échange des significations. (..).Cette perspective nous a amené à considérer le but de la conversation plus que le contexte de celle-ci. (..).

«Le dialogue signifie «parler avec» au lieu de «parler à». (..). Dans le dialogue, les significations se modifient, et c'est alors que se génèrent les alternatives. (...)

«Je ne crois pas que nous ayons des cartes que nous utilisons dans le monde, je pense que notre langage est notre monde. Il s'agit d'une manière d'être au monde. C'est la différence entre constructivisme et constructionisme. Le constructionisme est la génération constante de significations dans le dialogue. Le constructivisme est l'application de significations dans le monde.(..).

«Il n'existe pas de «trucs» pour connaître, ni de patrons et de règles devant être «découverts».

«Les problèmes sont des actions qu'expriment nos narrations humaines. Ils sont une réponse d'alarme ou de préoccupations, face à une situation pour laquelle nous ne pouvons définir une action convenable pour nous-mêmes. En ce sens les problèmes ne sont rien de plus qu'une réponse d'alarme et existent dans le langage. (..).Le changement en thérapie consiste en la création, au sein d'un dialogue, d'une narration nouvelle et, par conséquent, en l'apparition d'une occasion offerte à ce que s'engage une nouvelle action compétente. Le pouvoir transformateur de la narration repose sur la capacité qu'il possède de remettre en relation les événements de notre vie dans le contexte d'une signification nouvelle et différente.»[222]

Dans cette manière de voir, le symptôme prend donc encore un autre sens. Il ne remplit aucune fonction, il ne sert ni à éviter ni à provoquer un changement; il n'est pas lié à un processus d'accumulation de réponses inadéquates et il n'est pas le signe d'une tension entre acteur et système, identité et appartenance; il s'inscrit tout simplement dans un réseau de significations. Les symptômes sont une «réponse alarme» du fait que les réseaux de significations sont en difficulté. Il s'agit donc, par une conversation compétente, d'utiliser une position de «perplexité» apte à favoriser un échange réciproque de significations qui permette l'émergence d'un sens nouveau.

- Et alors…

Que penser de ces six constructions autour de ce que l'on nomme symptôme ou problème? Elles marquent des accents bien différents, reflètent des époques et marquent l'évolution de la pensée systémique. Y a-t-il lieu de choisir son camp? De notre point de vue ces propositions ne sont pas à relier par *ou* mais par *et*. Nous y reviendrons en parlant de symptôme et causalité. Nous ne voyons pas d'absolu qui empêche de prendre en compte les diverses propositions. La question n'est pas alors de savoir qui a raison, mais laquelle de ces optiques va pouvoir, dans cette situation particulière, avec cet intervenant et ce(s) client(s), ouvrir des possibles, des pistes d'action et de coconstruction.

Le symptôme: langage ou bruit?

Nous avons souvent été frappés de la manière avec laquelle aussi bien les travailleur sociaux que les thérapeutes familiaux traitent parfois le symptôme comme s'il s'agissait d'un bruit. C'est-à-dire que comme tel il ne dit rien: il sert à attirer l'attention, à appeler à l'aide, à exprimer une difficulté; c'est un signal, ce n'est pas un langage. Le symptôme n'a rien à voir avec le problème.[223] Ainsi, dans une situation familiale dans laquelle il est difficile d'affronter une nouvelle phase du cycle de vie, par exemple l'adolescence qui annonce la séparation et la dispersion de la famille, n'importe quel symptôme ferait l'affaire pour attirer l'attention: anorexie, fugue, délit, dettes des parents, crise cardiaque du père, mauvais résultats scolaires, adoption d'un nouvel enfant, dépression ou chômage du père, etc., comme si toutes ces manifestations étaient équivalentes: elles ne servent que de signal. Une fois leur fonction remplie, on pourrait sans autre s'en désintéresser.

Nous demandons souvent aux étudiants quels symptômes ils seraient capables de développer qui pourraient les amener à être en contact avec des travailleurs sociaux; deviendraient-ils délinquants, dépressifs, toxicomanes, boulimiques, alcooliques, renfermés sur eux-mêmes, endettés, agressifs?... et nous pourrions allonger la liste. En général, chacun identifie assez facilement où se situent ses «compétences». N'importe qui ne devient pas héroïnomane, fou, braqueur ou anorexique. Chacun a «son style»!

Ausloos interroge l'idée du «symptôme qui se développe pour.», c'est-à-dire de l'intentionnalité du symptôme; alors qu'il a défendu cette idée, il constate qu'aujourd'hui elle le dérange. Il va donc réfléchir à la manière avec laquelle survient ce que l'on appelle un symptôme:

«D'abord j'ai été amené à distinguer trois niveaux pour comprendre le symptôme: le niveau sémantique, le niveau syntaxique et le niveau pragmatique, et à me poser trois questions: le symptôme montre quoi?, il le montre à qui et selon quelle règle? et avec quels résultats?

«Par la suite, j'ai eu tendance à abandonner la recherche de la fonction du symptôme pour passer au symptôme de la fonction, c'est-à-dire pour lire le symptôme comme le signal d'une perturbation d'une ou plusieurs des fonctions nécessaires à la survie de la famille. Le message que l'on peut déchiffrer dans le symptôme nous informe autant sur l'individu qui en est le porteur que sur le fonctionnement du système et sur le thérapeute décrypteur qui lui donne un sens.

«Comment en est-on arrivé à la cristallisation d'un symptôme?

«Au départ, le symptôme n'existait pas. Il y avait seulement une famille, avec des difficultés, avec des tensions, avec des stimuli internes ou externes auxquels elle ne pouvait répondre. Dans une telle situation...un comportement parmi une infinité de comportements, va produire certains résultats qu'il ne produisait pas habituellement, ou qu'il n'aurait pas produit si le système ne s'était pas trouvé éloigné de l'équilibre. Ce comportement, produit par un membre du système, va être sélectionné, privilégié par les autres membres du système. Il va par la suite se répéter, être amplifié, en partie à la suite des réponses qu'il occasionne, en partie parce qu'il prend un sens particulier pour le porteur de ce comportement et pour les autres membres du système.

«Le symptôme ne remplit pas de fonction au moment de son apparition. Parce qu'on constatait qu'on pouvait lui attribuer une fonction au moment de la consultation, *on a commis l'erreur de considérer que cette fonction avait présidé à son émergence* (c'est nous qui soulignons).

«C'est parce que les membres du système et le sujet privilégient ce comportement, qu'ils se fixent sur ce symptôme, qu'ils contribuent à fixer ce comportement comme symptomatique.

«Lorsque ce comportement symptomatique se met à remplir une fonction, il commence à entrer dans les modalités organisationnelles du système et à participer à l'économie personnelle du sujet qui devient ainsi patient désigné. Nous passons au deuxième stade que j'appelle (après le processus de sélection-amplification) le processus de cristallisation-pathologisation.

«Je parle de cristallisation parce que cette fois, le processus de rétroaction s'inverse, et de rétroaction positive qu'il était, devient rétroaction négative...Ce ne sont pas les mécanismes homéostatiques du système qui ont sélectionné le symptôme et le patient désigné, mais un comportement aléatoire du sujet, qui a été amplifié et sélectionné au point de devenir part entière du fonctionnement homéostatique.»[224]

«Si le système a contribué à l'émergence du symptôme, il devrait également pouvoir contribuer à sa disparition. Un système ne peut poser de problème tel qu'il ne soit capable de le résoudre...»[225]

Le symptôme, de notre point de vue, appartient à une histoire, donc à un langage. Il est porteur d'un sens dans le jeu interactif dont il fait partie. Même si sa «sélection» est liée au hasard de circonstances imprévisibles, comme le propose Ausloos, il s'inscrit dans une histoire: pour qu'il soit sélectionné comme problématique, cela veut dire qu'il s'inscrit dans un réseau de significations, de possibles et d'interdits.

Si le comportement en question amène à une renégociation de la manière de vivre ensemble, il ne se cristallise pas et devient moteur d'une évolution. Ce n'est que si le comportement est vécu comme dérangeant, mais n'amène pas à une renégociation, qu'il devient symptôme, étiqueté comme tel.[226]

«Le symptôme est un message au sujet duquel il faut métacommuniquer.»[227] C'est l'avis également de Onnis au sujet des troubles dits psychosomatiques: «Le symptôme peut (..). récupérer le sens historique d'un langage, d'une communication; un sens qui, s'il est déchiffré, révèle dans le symptôme un noeud de souffrance. (..). La maladie psychosomatique, plutôt qu'un «ennemi à battre», panne à arranger, anomalie à effacer, devient donc également le témoin d'un malaise qui doit être avant tout compris et qui assaille non seulement l'individu qui en est porteur, mais également le contexte auquel il appartient.»[228]

La logique populaire le dit depuis longtemps au travers des proverbes: s'il n'y a pas plus mal chaussés que les cordonniers, c'est que leur langage parle de chaussure. Nous disons chez nous: «fils de ministre, grand bandit». Le ministre est soit le pasteur, défenseur de la loi morale, soit l'homme d'Etat, défenseur de la loi civile et pénale. C'est donc dans le même langage que le bandit, c'est-à-dire le brigand, est celui qui conteste ou ne respecte pas la loi. Les familles de médecin ou d'infirmier parlent le langage de la santé, celles des éducateurs et des instituteurs le langage de l'éducation.. Et nous pourrions multiplier les exemples.

Considérer le symptôme comme faisant partie d'un langage, c'est ouvrir un «champ sémantique» important. C'est considérer que le symptôme est non seulement une porte d'entrée dans la situation, mais qu'il donne accès au langage compréhensible dans cette histoire. Colas disait dans une conférence que «le symptôme exerce une fascination parfaitement adaptée à la (aux) personne(s) à fasciner»[229].

Cela ne revient pas à donner une intentionnalité au symptôme: langage n'est pas message. Le symptôme, de notre point de vue, ne délivre aucun message, il n'est pas mis en scène pour dire quelque chose. Mais il s'inscrit dans une histoire, donc dans un langage et, comme tout discours, est porteur de sens. L'intervenant peut donc tenter avec la (les) personne(s) concernée(s) de construire un sens qui inscrive le symptôme dans un réseau de significations.

C'est inscrit dans ce langage qu'il sera possible - peut-être même utile! - de parler des effets du symptôme en termes de changement et de non-changement. Mais toujours alors dans le lien avec ce symptôme particulier.

Symptôme et problème

Le symptôme n'est pas le problème, mais le symptôme a quelque chose à voir avec le problème. Si le symptôme est ce qui rend manifeste que quelque chose est trop difficile, cela ne veut pas dire que comme tel il y ait lieu de traiter le symptôme lui-même. Le prendre au sérieux sans se focaliser sur lui, c'est par exemple ce que les homéopathes ont compris depuis longtemps. Faire du symptôme un langage nous introduit donc dans un univers de signification dans lequel le problème pourra se formuler.

Sluzki[230] propose de repérer les différentes écoles de thérapie en fonction de leur définition du problème:

Les problèmes de la communication dans la famille, c'est le problème.	Bateson/Satir
La structure dysfonctionnelle de la famille, c'est le problème.	Minuchin
La hiérarchie dysfonctionnelle du pouvoir de la famille, c'est le problème.	Haley
La solution essayée constitue le problème.	MRI/Interactional
Le problème, c'est une solution aux autres problèmes.	Milan de la première époque
Le problème, c'est un empêchement de l'évolution dans d'autres directions.	White
La description (explication) du problème, c'est le problème.	Constructivisme basé sur le langage

Nous pourrions ajouter encore d'autres définitions selon les auteurs: les rôles dysfonctionnels (Ackermann), les loyautés invisibles (Boszormenyi Nagy), le deuil non fait (Norman), la non-différenciation (Bowen), l'instigation (Selvini), l'absolu relationnel (Caillé), et toutes les autres modélisations proposées.

Nous voyons donc que la définition du problème inclut le symptôme, se construit dans son langage, mais ne se résume pas à lui. Il est essentiel dans l'élaboration du problème de modéliser en quoi ce symptôme-là est une mise en scène en lien avec le problème que nous bâtissons.

Le problème n'est pas un donné de départ, il est le résultat d'une négociation, d'une coconstruction entre l'intervenant et le client. Il se situe à l'interface entre les deux. La définition du problème n'appartient ni à l'un ni à l'autre, mais à leur rencontre.

Les repères que nous proposons servent, rappelons-le, de porte d'entrée à cette construction; l'intervenant, de son point de vue subjectif, perçoit cette construction comme difficile autour du cadre, du contexte, de la demande, des jeux, des pressions, des préconstruits, du symptôme, du temps.

Les causalités

Il est utile de réfléchir en termes de causalité: Quelles sont les causes du problème, comment comprendre que la situation en soit là aujourd'hui?

Sluzki a une manière élégante de détourner cette question; il parle de la manière avec laquelle se maintiennent les symptômes: «Il n'est pas dit que le symptôme est produit par le tissu interpersonnel, mais qu'il est entretenu par celui-ci.»[231] C'est une manière habile de ne pas s'intéresser aux causes. L'accent est mis sur l'organisation actuelle, l'histoire n'est pas explicative. Ce n'est pas le fait de comprendre qui permet de changer. Donc la question de la causalité peut être évacuée. Cela rejoint une distinction que fait Haley[232] entre les chercheurs, qui ont pour objectif de comprendre, et le thérapeute, qui lui s'engage dans la relation pour induire un changement.

Morin[233] propose de distinguer trois causalités: la causalité linéaire (telle cause produit tels effets), la causalité circulaire rétroactive (l'effet peut rétroagir sur la cause) et la causalité récursive (le produit est producteur de ce qui le produit). Ces trois causalités se retrouvent à tous les niveaux d'organisations complexes et sont complémentaires, concurrentes et antagonistes. Mais cette formalisation reste compliquée pour modéliser l'intervention des travailleurs sociaux.

Neuburger propose diverses lectures en termes de causalité[234]: il parle de lecture précédentielle, causaliste linéaire, causaliste circulaire, systémique 1, systémique 2 et constructiviste. Nous avons déjà proposé une transposition de ces lectures adaptée au travail social.[235] Nous ne voulons pas développer à nouveau ces diverses lectures du symptôme. Ce qui nous intéresse ici, c'est l'idée proposée au travers de ces constructions:

Lorsqu'un client vient demander de l'aide, en présentant quelque chose qui ne va pas, une difficulté, un symptôme, il a toujours une manière d'en donner une explication. La recherche des causes, en tant qu'intervenant, n'est pas utile pour comprendre le symptôme. Elle permet par contre de comprendre comment la personne explique la situation, dans quel type de construction de causalité elle s'inscrit, comment elle construit le monde autour de ce qu'elle présente comme problème.

Explorer la causalité ne sert donc en aucun cas à comprendre le symptôme. Nous savons en effet qu'un même événement peut avoir toutes sortes de causes; ce n'est pas parce que quelqu'un privilégie une explication que cela lui donne un fondement de vérité. Un événement peut avoir plusieurs causes et plusieurs effets et il y a plusieurs chemins pour arriver au même résultat.

L'exploration des causes sert donc à entrer dans le langage et dans la «position»[236] des personnes concernées. Non seulement elle aide à comprendre dans quel langage s'inscrit le symptôme, mais également dans quel type de direction des solutions ont été tentées. Les autres constructions permettent alors de donner des pistes, des propositions de constructions différentes, qui ouvrent de nouveaux possibles.

En travail social

- Le mot «symptôme»

Lebbe-Berrier, lorsqu'elle parle du symptôme, réunit sous le même titre problème et symptôme et utilise alternativement et indifféremment un terme ou l'autre, sans vraiment les distinguer.[237] Cette hésitation quant au terme à utiliser est à notre sens révélatrice autant de son parcours que du nôtre. Inspirée par les écrits de thérapie familiale, elle imprime ce jargon dans son discours.

Le mot «symptôme» a une grande histoire dans le monde médical tout en n'appartenant pas exclusivement à son vocabulaire. (En particulier le monde économique l'utilise également passablement: symptôme de la crise ou du marché boursier..). La thérapie familiale ayant été conceptualisée principalement par des médecins psychiatres, c'est naturellement qu'ils ont utilisé un vocabulaire qui s'inscrit dans le cadre de la nosologie médicale: les symptômes sont les signes, les événements qui arrivent en même temps (en grec *sun ptôma*: qui tombe en même temps) et qui, par recoupement, permettent de poser un diagnostic. Pourquoi pas!

L'inconvénient, c'est que ce mot inscrit d'emblée les manifestations étudiées dans un contexte psychopathologique. Parler symptôme, c'est parler maladie, c'est évoquer un dysfonctionnement, une anomalie, et c'est donc inscrire la relation dans un contexte d'assistance dans lequel il y a un soigné et un soignant.

Le travailleur social est confronté à des situations tout à fait conformes à cette définition de départ, mais pas exclusivement. Il doit faire face à un certain nombre de personnes qui éprouvent de sérieuses difficultés en dehors de tout contexte de maladie, de pathologie ou de faute. Le vocabulaire médico-psycho-social est un piège enfermant. On ne peut parler, par exemple, de symptôme pour désigner les difficultés financières d'une famille dont le père a perdu son emploi à la suite de la fermeture de l'entreprise dans laquelle il travaillait, ou de symptôme pour une famille épuisée par les soins qu'elle doit donner à un de ses membres malade et infirme, ou encore pour une équipe de travail prise en tenaille entre deux exigences légitimes et contradictoires, et nous pourrions multiplier les exemples.

Faudrait-il alors changer de mot? Parler par exemple de «signe»? La question est la même. D'«étiquette», d'«emblème», de «drapeau»? Ce serait induire également un soupçon péjoratif sur ce qui est présenté. D'«allégation»? Cela recouvre l'idée qu'il s'agit d'un prétexte, donc de quelque chose qui n'est pas vrai. De «panne»? Si cela recouvre un certain nombre de situations relationnelles et certaines propositions de rôles faites au travailleur social, il serait incorrect de généraliser les situations sous cette appellation. De «difficulté»? Cela induit de la confusion avec le mot problème, puisque précisément un problème, c'est une difficulté à laquelle on a répondu de manière non satisfaisante. De «désignation»? C'est peut-être ce qui se rapprocherait le plus d'une appellation moins stigmatisante: la désignation pourrait concerner aussi bien des personnes que des «problèmes»...

A ce jour, nous n'avons pas trouvé de mot satisfaisant. C'est pourquoi nous gardons le mot de symptôme, ou plutôt *symptôme*. Le fait de le mettre en italiques signifie pour nous qu'il s'agit d'une convention de langage, d'une manière de dire et non d'une réalité objective. Est *symptôme* ce qui est amené par le client au travailleur social, la définition de départ qui incite à réfléchir et à construire un sens. Ce peut être une difficulté ou un problème, une panne ou une crise, une égratignure ou une plaie ouverte, une injustice ou une justice..Est *symptôme* ce qui doit être traité.

• *Symptôme* et *symptômes*

Très souvent, les travailleurs sociaux ne sont pas confrontés à un seul *symptôme*, mais à une série, une accumulation de *symptômes* qui peuvent être attribués à une ou plusieurs personnes. Les familles «multiassistées», par exemple, ont bien souvent une série de problèmes dont la liste paraît sans fin: difficultés scolaires des enfants, difficultés de comportements dans la rue, violence avec les copains de quartier, alcoolisme du père, conflits violents dans le couple, difficultés financières, fugue de l'aîné, maladie, chômage de la mère, dettes...

A ces multiples *symptômes* correspondent souvent de multiples intervenants. Chacun est spécialiste de son domaine, propose ses solutions, ses priorités, souvent contradictoires entre elles[238].

La question qui se pose est alors double: Qui va piloter le réseau des intervenants et quel est *le symptôme* que l'on va prendre en compte?...

Cette manière de poser les questions provoque en général beaucoup de paralysie: Comment décider que tel symptôme est le vrai, le bon, le prioritaire?

Il y a là un travail important de construction à réaliser pour que ces *symptômes* soient reliés. La question à résoudre consiste alors à construire en quoi tous ces éléments participent *à et de* la même histoire. Comment alimentent-ils la même construction, comment donc ne pas les mettre en concurrence, mais en complémentarité? Est-il possible de comprendre l'ensemble de ces *symptômes* comme relevant du même langage?

Roland, 11 ans, est placé dans une institution avec internat scolaire. Les éducateurs se plaignent de ce qu'il est sans cesse en conflit avec ses camarades et qu'ils doivent à tout moment intervenir pour le calmer et éviter que les anicroches ne dégénèrent dans le groupe. Une des stratégies les plus efficaces consiste à envoyer Roland dans sa chambre pour qu'il se calme.

Les instituteurs constatent que Roland n'apprend rien en classe. Il est toujours distrait, ne se concentre pas, n'écoute pas. Les diverses punitions n'ont rien changé. Il est maintenant au premier rang, mais se retourne toujours vers ses copains, accentuant la rage de ses enseignants.

L'assistante sociale qui assure le contact avec la famille est confrontée à un couple en instance de séparation, ayant beaucoup de peine à se parler et qui triangule systématiquement Roland en le prenant à parti dans leurs disputes. Lui reste muet et replié sur lui-même. Elle fait de gros efforts pour le sortir du conflit parental et séparer ce qui appartient aux parents et ce qui concerne Roland.

Chacun est ainsi amené, dans sa sphère à prendre des mesures, sans que puisse apparaître comment ils pourraient travailler en commun, dans le même sens.

C'est finalement en faisant une sculpture de ces trois contextes qu'apparaît de manière éclatante que Roland, dans chacun de ces contextes, est totalement tiraillé: entre éducateurs et jeunes du groupe, entre instituteurs et les copains du fond de la classe, entre son père et sa mère. Les trois sculptures le présentent comme une marionnette déchirée. La question n'est plus de choisir entre ces trois contextes, mais de relier ces *symptômes* divergents par le même fil conducteur: gérer le tiraillement qui parfois l'inhibe et parfois l'agite, mais l'amène à ne jamais pouvoir se poser là où il est.

La collaboration entre intervenants multiples est à ce prix: passer d'une vision des *symptômes* à la construction d'un problème qui les relie. La question du pilotage perd alors de son enjeu de prestige et peut se résoudre relativement facilement. Si le problème construit prend en compte chacun des *symptômes* évoqués par les divers acteurs, chacun est également engagé dans la construction et la mise en place d'actions qui aident à résoudre le problème construit.

La question est la même dans les situations de désignations multiples et divergentes. «Dans le «champ judiciaire», le «patient désigné» fait l'objet d'une double désignation: désignation par la société que ses comportements dérangent (..) et désignation par sa famille sur laquelle il attire, malgré elle, les interventions attentives et multiples d'un contrôle social contraignant.»[239]

Considérer la désignation (Segond) ou le signalement (Mugnier) comme *symptôme*, c'est chercher à travailler sur les liens entre le système signalé ou désigné et son contexte. C'est dans ce sens que nous comprenons la dernière proposition de Pauzé; pour lui:

«C'est le couplage qui est dysfonctionnel et non l'individu ou le système familial dans lequel il s'insère. Il y a coévolution entre l'individu et son environnement, ou plutôt codérive.

«L'effet interactif et multiplicateur des tensions subies par un individu (un système) épuise son économie de souplesse et augmente sa vulnérabilité face à toute nouvelle tension. Cette perte de souplesse amène alors l'individu à adopter des conduites qui sont autant de tentatives de régulations, tentatives qui peuvent momentanément soulager mais qui, dans les faits, échouent puisqu'elle ne permettent pas un meilleur ajustement à la réalité. La récurrence de ces conduites régulatrices et le maintien des conditions qui ont favorisé l'épuisement de la souplesse vont progressivement faire en sorte que ces conduites deviendront chroniques. Simultanément, ces conduites symptomatiques vont susciter, de façon circulaire, des réponses des personnes de l'entourage, réponses qui peuvent à leur tout être source de nouvelles tensions, participant ainsi au maintien et parfois même à l'amplification de ces conduites symptomatiques.»[240]

Ce que Pauzé décrit en termes de perte de souplesse propose une clé de lecture aussi bien des fonctionnements internes à un système que de ses relations avec l'extérieur. C'est une proposition d'attention au processus dans lequel émergent des conduites qui seront dites symptomatiques, plutôt qu'au contenu des *symptômes* eux-mêmes.

Nous voyons au travers de ces diverses lectures du symptôme qu'il s'agit là aussi d'une notion tout à fait centrale pour chaque situation dans laquelle un travailleur social est amené à intervenir: il y a toujours quelque chose qui met en route son intervention, quelque chose qui est annoncé comme difficile ou problématique et que nous désignons par le mot symptôme. Il n'est donc pas possible de faire l'économie d'une réflexion sur le regard que nous portons sur ce quelque chose…

Idées-clés

En ce qui concerne le travail social, nous proposons de garder ce qui suit comme prioritaire pour préciser cette notion de symptôme.

Définition: Est *symptôme* ce qui est annoncé comme devant être traité. Est *symptôme* ce qui est amené par le client au travailleur social, la définition de départ qui amène à réfléchir et à construire un sens. Ce peut être une difficulté ou un problème, une panne ou une crise, une égratignure ou une plaie ouverte, une injustice ou une justice…

De plus:

1. Plusieurs lectures sont concurrentes, complémentaires et antagonistes au sujet de la fonction du symptôme. Il convient de les relier par *et* plutôt que par *ou*.
   a) Le symptôme peut résulter de *l'accumulation de solutions inappropriées*. L'objectif de l'intervention, c'est que la modification du cadre dans lequel le symptôme est perçu rende le recours au comportement symptomatique inutile.
   b) Le symptôme peut bloquer une évolution ou empêcher un changement, *exercer une fonction d'équilibration*. En ce sens il sert à quelque chose. L'intervention vise alors à modifier les modalités d'équilibration du système pour que la fonction du symptôme ne soit plus nécessaire.
   c) Le symptôme peut *mettre en scène des loyautés invisibles* ou des délégations intergénérationnelles. L'intervention vise alors à rétablir la confiance mutuelle et à reconstruire un tissu relationnel équitable et fiable.
   d) Le symptôme peut avoir une fonction dans l'économie du système et dans celle du sujet: *l'identité* fait état de la part d'acteur et *l'appartenance* rend compte de la prégnance du système. L'intervention vise dès lors à revivifier les deux pôles de manière à ce que et la personne et le système aient leur place.
   e) Le symptôme peut être une tentative de changement et *mettre le système en crise*, au moins aux yeux de l'interve-

nant qui rencontre le système. L'objectif de l'intervention consiste alors à amplifier la crise pour pousser le système à une position de déséquilibre plus grand et lui permettre d'inventer des solutions nouvelles.

f) Le symptôme peut *s'inscrire dans un réseau de significations*. Il est une «réponse alarme» du fait que les réseaux de significations sont en difficulté. Il s'agit, par une conversation compétente, d'utiliser une position de «perplexité» apte à favoriser un échange réciproque de significations qui permette l'émergence d'un sens nouveau.

2. Le symptôme appartient à une histoire, il n'est pas un message mais *un langage*. Il est porteur d'un sens dans le jeu interactif dont il fait partie. L'intervenant peut donc tenter avec la (les) personne(s) concernée(s) de construire un sens qui inscrive le symptôme dans un réseau de significations.
3. Le *symptôme* n'est pas le *problème*, mais le symptôme a quelque chose à voir avec le problème. La définition du problème inclut le symptôme, se construit dans son langage, mais ne se résume pas à lui. Le problème n'est pas un donné de départ, il est le résultat d'une coconstruction entre l'intervenant et le client. Il se situe à l'interface entre les deux.
4. Il est utile de réfléchir en terme de *causalité*, mais la recherche des causes ne sert pas à comprendre le symptôme. Elle permet par contre de comprendre dans quel type de construction de causalité s'inscrit la personne. Elle sert à entrer dans le langage et dans la «position» des personnes concernées. Les autres constructions permettent alors de donner des pistes, des propositions de constructions différentes, qui ouvrent de nouveaux possibles.
5. Le mot symptôme inscrit d'emblée les manifestations étudiées dans un contexte (psycho)pathologique. Le travailleur social est confronté à des situations tout à fait conformes à cette définition de départ, mais pas exclusivement. A ce jour, nous n'avons pas trouvé de mot satisfaisant. C'est pourquoi nous gardons le mot de symptôme, ou plutôt *symptôme*.
6. Très souvent, les travailleurs sociaux ne sont pas confrontés

qu'à un seul *symptôme*, mais à une accumulation de *symptômes,* qui peuvent être attribués à une seule ou à plusieurs personnes. La question à résoudre consiste alors à construire en quoi tous ces éléments participent *à et de* la même histoire?

7. A ces multiples *symptômes* correspondent souvent de *multiples intervenants*. Il faut alors passer d'une vision des *symptômes* à la construction d'un problème qui les relie.
8. Considérer la *désignation* ou le *signalemen*t comme *symptôme*, c'est chercher à travailler sur les liens entre le système signalé ou désigné et son contexte.

Repère

Il faut encore nous demander en quoi cette notion de symptôme est pertinente comme repère pour l'établissement d'une hypothèse et la construction d'une piste d'intervention. Nous proposons cinq pistes.

Le symptôme *comme langage adapté à son contexte*

Nous l'avons écrit plus haut, nous considérons le *symptôme* comme un langage, inclus dans une histoire spécifique. Il est donc une expression en langage analogique de quelque chose qui parle de l'ensemble de la situation relationnelle concernée. A ce titre, il est évident qu'il est parfaitement adapté à son contexte. Il y a donc lieu de nous demander en quoi l'ensemble du système impliqué correspond avec le langage du *symptôme*.

Patrick a été signalé à la police par ses parents. Il est en fugue depuis huit jours. Retrouvé par la police, celle-ci l'amène au juge, qui ordonne une enquête. L'assistant social rencontre Patrick et ses parents et explore «comment chacun fugue» et de quoi. Ce travail fait apparaître que le père fugue dans son travail, la sœur aînée fugue dans le scoutisme, Patrick «fugue» vers la rue et la zone, tandis que la mère reste seule à tenter de retenir et de rassembler tout le monde. Le thème de la «fugue» devient dès lors le fil conducteur qui permet de travailler avec chacun et avec tous les styles de lien qu'ils souhaitent créer pour régler la nécessité d'être ensemble et d'avoir un espace d'autonomie.

Traiter le *symptôme* comme une métaphore aide à rester dans un langage qui ne condamne pas la personne désignée, mais relie chacun à un problème commun. Il devient possible alors de le traiter dans une recherche et une construction commune. Le *symptôme* est porteur d'une tentative de solution à un problème légitime, dans lequel chacun est impliqué.

Il s'agit d'un recadrage, d'une redéfinition du *symptôme* comme essai d'issue légitime mais non satisfaisante. Le comportement de Patrick est *une tentative de non-changement*, c'est-à-dire qu'il ne modifie pas le jeu du chat et de la souris auquel tous se livrent et qui les amènent à inventer des solutions individuelles non satisfaisantes et non concertées. Il est aussi *une tentative de changement* puisqu'il lui permet de satisfaire, momentanément, ses aspirations à une autonomie plus grande, tout comme les autres membres de la famille l'ont fait jusqu'ici. Il est encore *dénonciation* d'un processus familial où l'on ne sait plus comment gérer l'appartenance à une histoire commune. Enfin, c'est *l'indication d'une impasse* puisque ce comportement n'aboutit pas et renforce le jeu impossible dans lequel tous sont complices et malheureux.

Recadrer ce *symptôme* comme une ressource change le regard porté sur la situation par l'ensemble des protagonistes, y compris l'assistant social, et permet l'engagement de chacun dans une nouvelle construction de leur histoire relationnelle.

Le symptôme *comme signe de perte de souplesse*

Il s'agit là de la piste proposée par Pauzé. L'apparition d'un *symptôme* est le signe d'une perte de souplesse dans les rapports de l'individu (ou du système) avec son environnement. Cette perte est souvent accentuée par une accumulation de stress, de difficultés de tous ordres qui ont largement entamé les capacités normales d'adaptation et contribué à instaurer un cercle vicieux d'échecs cumulés qui diminuent la souplesse, qui accentuent les échecs qui diminuent la souplesse, qui...

Les situations présentées comme *symptôme* se produisent souvent pour la première fois, elles sont uniques et viennent s'ajouter à une série d'autres circonstances, dans lesquelles les personnes ont déjà été démunies et perdues.

Les personnes sont en situation perpétuelle d'urgence et de survie, résignées ou révoltées, ou les deux..Ce sont souvent des conditions dans lesquelles il y a une pluralité de *symptômes,* qui peuvent aussi bien s'inscrire dans les systèmes chaotiques que dans les systèmes rigides, accélérer le temps que le ralentir.

La question pour l'intervenant est de se donner un espace de travail pour sortir du contenu des *symptômes* évoqués et de travailler à reconstruire l'histoire des événements et des réactions qui les ont suscités et qu'ils ont suscitées.

Ensuite il devient possible de travailler à repérer ce qui alimente la perte de souplesse et ce qui la réduit. C'est de là que peut se construire un projet d'action commune pour poser des balises de sécurité et utiliser les ressources qui fortifient les capacités de souplesse.

Balises et ressources passent en l'occurrence autant par l'engagement personnel du travailleur social que par les ressources externes, relationnelles et matérielles, connues par le client et par l'intervenant.

Le symptôme *comme enfermement dans une construction unique du monde*

Nous nous appuyons là sur ce que nous avons évoqué autour de la construction des causalités. Le *symptôme* s'inscrit dans un réseau de significations. Cette manière de le comprendre, de lui donner un sens, a alimenté les réponses qui ont été données et n'ont pas permis de l'éliminer. Plus les réponses se montrent insatisfaisantes, plus les réponses sont renouvelées: on est dans le «toujours plus de la même chose» dont parlent les auteurs de l'école de Palo Alto.

Les situations présentées comme *symptôme* sont alors souvent des situations répétitives: il s'agit d'une histoire qui se reproduit.

L'exploration des solutions tentées pour résoudre la difficulté montre aussi bien des pistes sur le «faire autre chose» que propose Palo Alto que sur le «comprendre autrement» que propose Neuburger par ses divers types de causalités.

Dans les deux cas, il s'agit d'ouvrir d'autres possibles à la construction faite jusqu'ici: soit au travers de comportements prescrits ou induits qui visent à empêcher la mise en œuvre des solutions inadéquates, soit au travers de la construction de l'explication qui vise à changer le sens du symptôme et ouvrir la porte à d'autres compréhensions, donc à d'autres réponses, inventées par le système lui-même.

La désignation comme symptôme

Nous pensons ici aux situations qui sont annoncées aux travailleurs sociaux comme problématiques, mais qui se heurtent au mur du déni de la part des clients. (Eux n'ont aucun problème, ils n'ont rien fait qui mérite l'intervention d'un contrôle social. S'ils reconnaissent avoir fait quelque chose pour susciter cette mesure, ce n'est de toute façon plus d'actualité: maintenant ils ont compris, ils ne le feront plus, c'était un écart malheureux qui n'aura plus jamais lieu...).

Nous avons traité de ces situations dans la section sur les pressions. Dans notre préoccupation présente de *symptôme* comme repère, ce n'est pas le comportement incriminé qui sert de *symptôme* sur lequel travailler, mais le signalement lui-même, la dénonciation, le mandat, l'enquête, la décision judiciaire de placement, la mesure administrative imposée, bref, ce qui justifie l'intervention du travailleur social.

Il s'agit donc de créer un jeu triangulaire qui ne disqualifie pas, mais qui, précisément, prenne au sérieux chacun des partenaires de cette triade. La technique proposée par Mugnier de la création d'un espace cognitif commun[241], que nous évoquons dans la section sur les pressions, est ici d'une grande utilité.

Le symptôme *comme expression de loyautés*

Nous l'avons exposé brièvement, la piste des loyautés est à nos yeux intéressante comme repère autour du *symptôme*. Inscrire ce qui met le client en contact avec le travailleur social dans une trame intergénérationnelle facilite la capacité de ne pas se centrer exclusivement sur le contenu de la difficulté. Cela inscrit le *symptôme* dans une histoire en recherche d'équité.

Les pistes de travail que propose Boszormenyi Nagy consistent à chercher la restauration de la confiance mutuelle méritée par l'établissement d'un dialogue authentique. L'exonération, c'est le fait de chercher dans la génération précédente ce qui permet de comprendre les injustices relationnelles dont la personne est victime. Comment comprendre alors que des parents aient pu être injustes, insuffisants, ne répondant pas à ce qu'un enfant aurait légitimement pu attendre d'eux, sinon en cherchant comment eux-mêmes ont pu apprendre à équilibrer le donner et le recevoir.

Il y a, derrière cette approche, une vision fondamentalement généreuse et positive de l'être humain: chacun fait au mieux en fonction de ce qu'il a lui-même reçu. L'exonération vise à reconnaître cela pour ne plus chercher réparation de ce qui ne peut pas l'être.

Enfin, la «partialité multidirectionnelle» est une manière de reconnaître les attentes légitimes de chacun en termes de justice et d'équité.

Prendre parti pour et exonérer amènent, par exemple, à reconnaître *et* la légitimité de l'attente d'un enfant d'être aimé, protégé, respecté *et* le fait que ses parents, en fonction de ce qu'ils avaient eux-mêmes reçu, n'étaient pas en mesure de répondre à cette attente.

Résumé

La notion de *symptôme* se situe à deux niveaux:

- D'une part comme *concept*:

Définition: Est symptôme ce qui est annoncé comme devant être traité.

De plus:

1. Plusieurs lectures de la fonction du symptôme coexistent et sont à relier par *et* plutôt que par *ou*. Ainsi, le symptôme:
   a) est le fait d'une *accumulation de solutions inappropriées*;
   b) exerce une fonction *d'équilibration*;
   c) met en scène des *loyautés invisibles*;
   d) révèle la tension entre *identité* et *appartenance*;
   e) peut *mettre le système en crise*;
   f) s'inscrit dans un *réseau de signification*.
2. Le symptôme n'est pas un message mais *un langage*.
3. Le symptôme n'est pas le *problème*.
4. Le symptôme s'inscrit dans une construction en termes de *causalité*.
5. Nous gardons le mot de *symptôme*, ou plutôt *symptômes*.
6. Symptôme ou symptômes participent *à* et *de* la même histoire.
7. Aux symptômes correspondent de *multiples intervenants*. Passer d'une vision des symptômes à une construction qui les relie.
8. Considérer la *désignation* ou le *signalement* comme symptôme, c'est chercher les liens entre le système signalé et son contexte.

- D'autre part comme *repère* et comme *piste d'intervention*:

1. Le symptôme comme *langage adapté à son contexte*: Traiter le symptôme comme une métaphore permet de le recadrer comme ressource et facilite l'engagement de chacun dans la construction d'une histoire relationnelle renouvelée.
2. Le symptôme comme *signe de perte de souplesse* dans les

rapports de l'individu (ou du système) avec son environnement. Les situations sont uniques. L'intervenant se donne un espace de travail pour sortir du contenu et repérer ce qui alimente la perte de souplesse et ce qui la réduit.

3. Le symptôme comme *enfermement dans une construction unique du monde*. Construction unique de causalités et solutions de type «toujours plus de la même chose». Les situations sont répétitives. Il s'agit d'ouvrir d'autres possibles, soit au travers de comportements prescrits, soit au travers de la construction de l'explication et du sens.
4. *La désignation comme symptôme* se heurte au mur du déni de la part des clients. Ce n'est pas le comportement incriminé qui sert de *symptôme* sur lequel travailler, mais le signalement lui-même. Il s'agit de créer un espace cognitif commun.
5. Le symptôme comme *expression de loyautés* inscrit la situation dans une trame intergénérationnelle et facilite la capacité à ne pas se centrer exclusivement sur le contenu de la difficulté. Par la partialité multidirectionnelle, on peut chercher la restauration de la confiance mutuelle méritée et l'exonération.

TEMPS

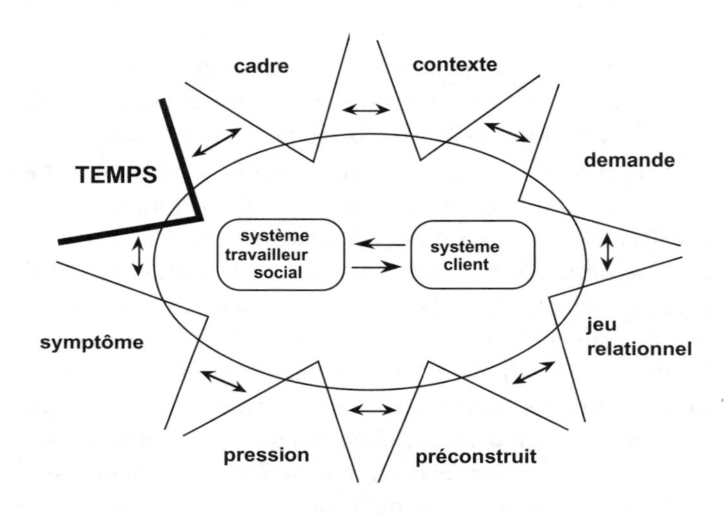

Le temps est un concept qui depuis l'antiquité inspire les philosophes et les chercheurs de tous ordres. L'«agenda» n'est-il pas l'un des objets-clés de notre époque, et le perdre, pour certains, apparaît comme beaucoup plus ennuyeux que d'égarer son portefeuille. Perdre son temps ou, pire, perdre l'organisation de son temps est parfois une catastrophe. On s'ennuie ou on ne le voit pas passer; on passe sa vie à se stresser et sa retraite à le regretter.. les temps sont durs!

Si le temps marque à ce point notre existence, il n'est pas étonnant que les systémiciens s'y soient également intéressés et qu'ils aient élaboré une réflexion évolutive à son égard. Du regard au présent à celui vers le passé, puis à celui vers le futur, les priorités et les constructions de sens varient.

Nous tenterons d'abord d'éclaircir cette pluralité de sens pour aborder ensuite en quoi cette notion constitue à nos yeux un repère pertinent pour l'intervention en travail social.

Le concept

Le temps de la vie

- Cycle de vie

Goubier-Boula[242] se préoccupe des cycles de vie. Alors que d'autres avant elle avaient centré leur discours sur l'évolution des cycles de la vie familiale[243], elle se centre sur les événements qui la rythment et y inscrivent des tournants. Le temps de la vie familiale est ainsi doublement marqué: d'une part, à travers le déroulement normal du cycle de vie, avec les étapes évolutives qui amènent chaque famille à se réorganiser au fil du temps (d'abord le couple sans enfants, puis l'arrivée des enfants, leur entrée à l'école, l'adolescence, leur départ et la vie sans eux); d'autre part, à travers les événements «accidentels», qui bouleversent également l'organisation et amènent désordre et risques (naissance, maladie, mort et deuil, adoption, migration, divorce, inceste). L'axe du temps est omniprésent dans les deux types d'événements puisqu'il s'agit de gérer une évolution, de passer de «avant l'événement» au «vivre après». La transition implique une crise, donc des risques d'en sortir blessé ou meurtri, et la chance d'en retirer une capacité plus grande à affronter, à complexifier son organisation.

- Le temps transgénérationnel

Boszormenyi Nagy élargit la notion de temps familial. Pour comprendre une situation, il faut prendre en compte l'ensemble des personnes impliquées aussi bien dans le présent que dans le passé et le futur. Le temps familial traverse donc les générations. Le patrimoine, les dettes, les mérites se transmettent de parents à enfants. Le fondement de l'échange relationnel c'est le don de la vie reçue des parents, de génération en génération. Le présent est une tentative d'équilibrer le grand livre de la comptabilité familiale.

On ne peut donc comprendre simplement le présent en regardant ce qui s'y passe. Seule l'exploration du passé permet la mise à jour de l'équilibre du donné et du reçu. Les loyautés invisibles qui guident le présent ont leurs racines dans l'histoire de la construction de la confiance.

Stierlin propose également le concept de délégation pour indiquer la transmission, d'une génération à l'autre, d'une tâche à accomplir, d'un rôle à tenir. Le temps, pour lui aussi, est transgénérationnel.

Monroy[244] distingue trois types de lectures du réel: une lecture qui privilégie le fonctionnel, mettant l'accent sur l'ici et maintenant, le comment ça fonctionne, l'homéostasie; une lecture qui privilégie le structural, c'est-à-dire l'attention aux alliances, aux frontières, à l'intergénérationnel; et une lecture qui privilégie l'historique, qui se centre sur les circonstances d'apparition du symptôme, les mythes, les dettes, les cycles de vie. Les deux premières sont atemporelles, la dernière réintroduit le passé.

Le temps du temps

- Le temps au présent

L'école de Palo Alto propose dès ses premiers écrits une vision du temps très polémique. Opposés à une construction des troubles psychologiques expliqués par l'histoire passée, Bateson[245], Haley[246], Watzlawick[247] vont insister sur la circularité présente des comportements plus que sur leur histoire. C'est l'*ici et maintenant* qui est privilégié. On réfléchit à la manière avec laquelle le symptôme est entretenu. Aux yeux de ces auteurs, il n'est donc pas nécessaire de prendre le temps en compte: seule est importante la manière avec laquelle le système règle les interactions présentes. S'il y a symptôme ou problème, c'est que chacun s'efforce de renouveler des tentatives de solutions inadéquates en vue de maintenir l'homéostase familiale. Les systèmes cherchent à ne pas changer et, en faisant toujours plus de la même chose, ils tentent, désespérément parfois, de faire face aux dérèglements qui surviennent. Il ne s'agit pas d'inscrire dans l'histoire ces diverses réponses insatisfaisantes, il faut plutôt bloquer les possibilités de continuer à faire plus de la même chose pour que le symptôme disparaisse. Le changement ne passe pas par la prise de conscience, ni par la digestion du passé. La polémique avec le mouvement psychanalytique est, à cet égard, démonstrative. Les symptômes ne sont pas la pointe de l'iceberg immergé que serait l'inconscient. Ils sont une tentative de solution dans le jeu des interactions présentes. De là leur intérêt à décoder les interactions et les clés de lecture qu'ils proposent au travers de l'axiomatique de la communication.

Le temps n'existe pas, ou plutôt il n'existe qu'au présent. Ce n'est que sur lui que nous pouvons avoir prise.

- Le temps au futur et le temps passé

Selvini[248] avec son équipe de Milan s'inscrit en faux face au modèle de la communication proposé par l'équipe de Palo Alto et dont elle s'était inspirée au début. Tout d'abord, elle fait exister le futur: le symptôme exerce une fonction; il est un blocage du temps pour éviter de passer à une étape ultérieure; il permet de préserver l'unité familiale, d'éviter un pire. Le sacrifice du patient désigné est au service de la sauvegarde de l'équilibre familial. Sans lui, la famille évoluerait vers une situation plus insupportable encore.

Par la suite, elle élargit l'intérêt pour l'histoire des interactions familiales. Elle souligne que «la circularité est dans l'histoire et pas dans le *hic et nunc*». Il n'est donc pas suffisant de se référer à la séquence précédant directement un événement pour en comprendre le sens. Son rattachement peut être plus ancien, il peut être fait d'une accumulation de divers éléments qui sont réactivés à un moment donné. Ainsi Selvini réhabilite le passé. Elle l'inscrit notamment dans l'histoire d'une longue lutte conjugale, d'un imbroglio familial et d'un jeu d'instigation.

Ainsi donc, Selvini passe du temps pris en compte dans le présent exclusivement, au temps futur puis au temps passé. Non seulement les systèmes évoluent et sont finalisés, mais ils viennent de quelque part, ils ont une histoire. D'une vision axée sur la peur de l'avenir, elle passe à une vision centrée sur la lutte souterraine pour régler le passé. La gestion du temps reste toujours centrale.

- La flèche du temps

Dans le domaine de la physique, Prigogine et Stengers[249] vont également réinterroger la conception du temps. Ils passent de la recherche classique des lois immuables de l'univers, de ce qui fait que les relations entre les éléments sont stables et fiables (Pourquoi les systèmes ne changent-ils pas?), à la recherche de ce qui explique que la nature évolue, qu'un certain nombre de transformations ont lieu (Pourquoi les systèmes changent-ils?). Ils soulignent alors que la stabilité d'un système n'est qu'un état particulier possible à l'intérieur de certaines limites; dès qu'ils sont hors de l'équilibre admissible, les systèmes opèrent des ruptures ou des sauts vers un nouvel équilibre plus ou moins imprévisible. L'observation des systèmes en état d'équilibre suppose la non-prise en considération du temps irréversible. La physique est devenue une science de laboratoire qui, en coupant les expériences de leur environnement, s'efforce de procéder à des expériences atemporelles. Prigogine, en proposant de passer d'une «physique de l'éternité» à une «ouverture des sciences au problème du devenir»[250], réintroduit la flèche du temps dans les sciences.

Ses recherches influenceront également les systémiciens, qui vont eux aussi réintroduire le temps dans la construction des systèmes auxquels ils sont confrontés.

Le type du temps

- Mémoire et finalité

Lemoigne[251] se centre sur le temps construit par le modélisateur et propose neuf niveaux de modélisation, chacun introduisant une complexité plus grande. En particulier, il souligne qu'un système complexe mémorise les informations qu'il a stockées et les décisions qu'il a prises afin de coordonner ses actions. De plus, et c'est le niveau de complexité le plus grand, le système se finalise. Mémoriser et finaliser, ce sont deux opérations qui inscrivent le modélisateur dans le temps. Ce sont aussi deux repères pour lire ce qui, dans un système, peut être en difficulté et ne pas fonctionner.

- Temps arrêté et temps événementiel

Ausloos[252] s'appuie en partie sur les travaux de Lemoigne, mettant surtout l'accent sur l'idée de finalité. Partant de la notion d'équifinalité et de l'affirmation qu'un système est finalisé, il renonce à se centrer sur la recherche des causes dans le passé: elles sont toujours aléatoires, partielles, indécidables. Par contre, il cherche à comprendre ce vers quoi tend le système, sa finalité. Il y a plusieurs chemins pour arriver au même but. Aussi un système est-il toujours en train de corriger sa trajectoire en fonction des événements qui surgissent sur sa route. Pour comprendre ces corrections, il faut regarder le but.

Mais les finalités de l'ensemble du système ne correspondent pas forcément à celles des individus qui le composent. Lorsque les enjeux sont contradictoires, que finalités individuelles et finalités du système s'opposent, des symptômes surgissent.

Il convient donc de prendre en compte la manière avec laquelle les familles gèrent le temps et se projettent dans l'avenir.[253] Cette attention amène Ausloos à distinguer deux tendances bien distinctes: le temps arrêté pour les familles rigides et le temps événementiel pour les familles chaotiques[254] (voir tableau page suivante).

FAMILLE À TRANSACTIONS RIGIDES	FAMILLE À TRANSACTIONS CHAOTIQUES
Perception du temps	
- Temps arrêté (passé et présent confondus sans futur envisageable);	- Temps événementiel (sans passé ni futur; seulement temps immédiat);
- pas d'informations nouvelles (d'où arrêt du processus et homéostase qui se réduit au non-changement) (entropie augmente);	- surcharge d'informations (d'où emballement du processus et homéostase qui se réduit aux changements, mais non durables) (entropie augmente);
- mémoire inutilisable;	- pas de mise en mémoire;
- le pouvoir est dans le jeu symétrique (les paradoxes figent, les velléités de changement s'enlisent dans les immobilismes).	- le pouvoir est dans le jeu événementiel (les agir successifs empêchent tout changement durable du fait du mouvement incessant).
Réactions du thérapeute	
- Oublie le contenu des séances et le sens lui échappe;	- Ne se souvient que d'une succession d'événements sans cohérence apparente;
- a tendance à faire des séances trop longues avec l'illusion des recueillir des informations supplémentaires;	- se laisse embarquer dans des séances chaotiques et désordonnées d'où il ne tire aucune information;
- se sent confus.	- se sent débordé.
Conséquences thérapeutiques	
- Mobiliser le temps en suscitant la crise pour sortir de la rigidité;	- Freiner le temps en introduisant la durée pour sortir du chaos;
- respecter les craintes de changement quitte à prendre une attitude paradoxale de non-changement;	- provoquer des changements restreints mais durables pour introduire la permanence;
- définir la relation pour sortir des relations symétriques figées;	- préciser le contrat pour sortir de l'agir événementiel;
- donner un futur (projet) pour rendre vivant le passé;	- rendre un passé (historicité) pour permettre un futur dans la durée;
- mener l'entretien de façon souple pour que circulent les informations.	- mener l'entretien de façon ferme pour que les informations soient retenues.

L'échelle du temps

- Synchronie et diachronie

Le Gallou parle d'une échelle des temps et différencie synchronie et diachronie, qu'il définit comme suit[255]:

SYNCHRONIE	DIACHRONIE
Slogan	
ÊTRE ET FAIRE	PROVENIR ET DEVENIR
Pôles concernés	
L'ORGANIQUE ET LE FONCTIONNEL	L'HISTORIQUE ET LE FUTURIQUE
Quasi synonymes	
LE FONCTIONNEMENT	L'ÉVOLUTION
- la production	- la construction, la réalisation
- l'exploitation	- la conception
- la conduite	- la réorganisation
- la gestion	- l'investissement
- le management	- la transformation-changement
- la conservation-maintenance	
- l'opérationnel	- le prévisionnel
- la tactique	- le stratégique
- le physiologique	- le génétique
...	...

Fontaine[256] distingue l'espace et le temps: «L'espace d'une famille, c'est la façon dont elle règle la proximité et la distance, les liens et les limites, l'être avec les autres et l'être soi, la socialisation et l'individuation. Le temps d'une famille, c'est la manière dont elle gère le maintien et le changement, la continuité et l'adaptation, la stabilité et la flexibilité.»

Il propose le schéma qu'il appelle «Le losange de l'axe diachronique»[257]:

La fonction d'une famille est d'assurer la présence des deux pôles: maintien et changement. Dans le sens de la santé, le maintien se traduit par la stabilité et le changement par la flexibilité. Stabilité et flexibilité sont compatibles entre elles et produisent une synergie. Dans le sens de la pathologie, la manifestation du maintien est la rigidité, et celle du changement, le chaos. Rigidité et chaos sont deux mouvements antagonistes qui se paralysent réciproquement. Il propose ainsi une vision dans laquelle sont présentes et les préoccupations de la première cybernétique, qui se centrent sur le non-changement, et celles de la deuxième cybernétique, qui se centrent sur l'évolution.

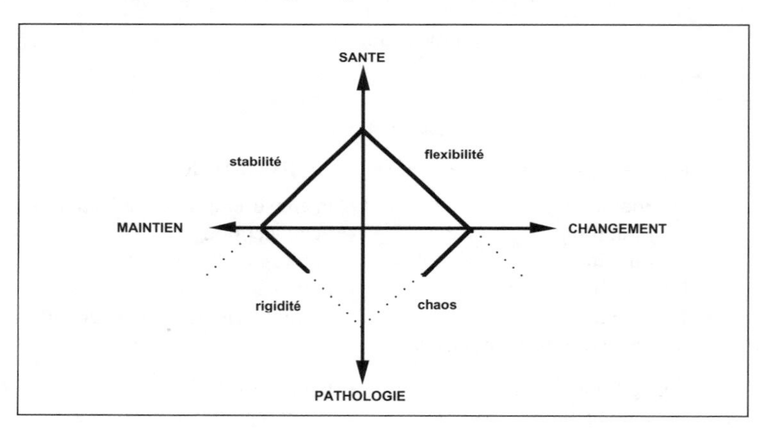

- Temps individuel et temps social

Barudy[258], à la lumière des thèses de Varela et de Maturana, propose de distinguer différents types de temps: temps biologique, temps intergénérationnel, temps culturel, soulignant que non seulement le temps prend un sens différent selon le contexte qui le détermine, mais que l'échelle n'est pas la même au niveau de l'individu, du groupe, de la famille, de la société, de la nation, de la culture ou de la galaxie.

Dans le même sens, Sue[259] parle de temps social pour étudier la manière avec laquelle le temps prend sens dans une société: temps sacré et temps profane, temps de travail et temps libre, pour aller vers une nouvelle représentation du temps, plus qualitative et orientée vers le présent.

Nous nous arrêterons là pour ce tour d'horizon des divers points de vue. Nous l'avons vu, cette notion du temps passe du temps nié au temps retrouvé, de l'accent sur le passé à celui sur le futur, et à la réintroduction de l'histoire dans sa globalité.

Temps et processus

Il y a souvent dans les écrits une superposition de la notion de temps et de celle de processus. Prendre en compte le processus, c'est prêter attention au déroulement d'une situation, à son évolution, à la manière avec laquelle les événements et les comportements s'enchaînent les uns aux autres dans l'écoulement du temps.

Pourtant, à l'usage, nous avons dû nous rendre compte que le mot «processus» est ambigu, car il désigne des contenus différents:

D'une part, «processus» est parfois opposé à contenu. Il est alors assimilé au niveau relationnel dont Watzlawick nous dit qu'il est en métaposition par rapport au contenu: c'est le processus relationnel qui donne sens au contenu. Se centrer sur le processus, c'est, dans ce sens, privilégier le niveau relationnel. C'est également accorder une importance seconde aux contenus. En ce sens, le mot processus renvoie à ce que nous écrivions dans la section sur les «jeux relationnels».

D'autre part, le mot «processus» désigne l'attention au déroulement d'une intervention dans la continuité: penser en termes de processus serait alors se penser en interaction dans la durée, prendre en compte les capacités autotransformatrices des systèmes clients, pour chercher à coconstruire un mouvement qui va poursuivre son évolution sans l'intervenant social. Etre attentif au processus renvoie alors à des perspectives de stratégie d'intervention, à penser l'instant de la rencontre dans une optique d'évolution générale et de transformation.[260]

Cette vision a une pertinence certaine à nos yeux et nous paraît l'emploi le plus approprié pour le terme de «processus». Il s'agit, à nos yeux, d'une notion qui englobe l'ensemble des perspectives d'intervention, donc l'ensemble des repères que nous proposons. Tous s'inscrivent dans un processus, dans une histoire relationnelle, dans une évolution.

Pourtant, la prise en compte du temps nous paraît utile comme repère pour l'intervention, distincte de l'idée générale de processus d'intervention. Elle amène à prêter attention à la manière avec laquelle le temps est géré dans un système, comme étant une des bases aidantes pour la construction d'une hypothèse. Il s'agit donc bien d'un repère dans le sens où nous les proposons.

Idées-clés

En ce qui concerne le travail social, voici ce que nous proposons de garder comme prioritaire pour cette notion de temps:

Définition: Nous nommons «rapport au temps» la capacité d'un système à vivre dans le présent en intégrant le passé et en s'orientant vers l'avenir.

De plus, des diverses réflexions qui précèdent, nous retenons:

1. Le terme de *processus* englobe l'ensemble de ce qui se passe dans la rencontre entre intervenant et client. Il doit être distingué de celui de temps qui se préoccupe de la gestion de l'histoire passée, présente et future. Le temps peut être bloqué, par exemple, pour permettre la poursuite d'un certain processus relationnel.
2. Le temps est *synchronique* et *diachronique*. Une des fonctions d'une famille, comme de n'importe quel système, est de gérer, dans l'instant et dans la durée, le *maintien* et le *changement*, la continuité et l'adaptation, la stabilité et la flexibilité.
3. L'évolution du *cycle de la vie familiale* comporte des passages prévisibles (couple sans enfants, arrivée des enfants, entrée à l'école, adolescence, départ des enfants, vie du

couple sans enfants et vieillesse) et des accidents de parcours (naissance, maladie, mort et deuil, adoption, migration, divorce, inceste). Les uns comme les autres provoquent des *crises*, sources aussi bien de paralysie que d'évolution bénéfique.
La vie institutionnelle aussi traverse des *phases évolutives*, source de crises paralysantes ou évolutives.

4. Le temps est une *notion individuelle, familiale, groupale, sociétale, culturelle*. Il a une valeur différente dans chaque contexte. Le rapport au temps d'un client n'est pas le même que celui d'un autre client, ni que celui de l'intervenant. Ce qui peut apparaître comme temps problématique pour l'un n'est pas forcément vécu comme tel par l'autre.
5. L'organisation d'un système se gère au présent. C'est dans les interactions de l'*ici et maintenant* que se jouent et se maintiennent les rapports au passé et à l'avenir. Cela ne signifie pas qu'il faille ignorer passé et futur.
6. La crainte d'une évolution de l'organisation du système peut provoquer, notamment au travers de l'apparition d'un symptôme, un blocage du temps. Tout se passe comme si le temps était stoppé. En ce sens, l'arrêt du temps exerce une fonction d'*évitement d'évolution* du système.
7. Il y a transmission d'une génération à l'autre de missions, dettes relationnelles, délégations, pour équilibrer la balance de la justice relationnelle. L'*histoire transgénérationnelle* est d'autant plus présente et prégnante que des dettes ne sont pas réglées, des délégations non accomplies, des injustices non réparées.
8. Le temps présent peut être également un lieu d'affrontement des conflits non résolus de l'histoire des personnes en présence. *La circularité n'est pas que dans le présent, elle est dans l'histoire relationnelle.*
9. *La fuite dans l'avenir* est également une façon de ne pas gérer le présent et d'en éviter les contrariétés, ou de les supporter en les relativisant. «Demain ça ira mieux» est une façon de ne pas affronter les difficultés d'aujourd'hui.

10. Chaque individu a ses propres *finalités* de même que chaque système. Ce vers quoi ils tendent peut parfois être compatible ou, au contraire, les orienter dans des directions opposées. Le conflit entre finalités du système et finalités individuelles peut conduire à ne plus savoir comment gérer le temps, à être tendu entre deux manières de se projeter dans le temps. Cela peut amener au sacrifice de l'un des deux pôles.
11. Il y a essentiellement deux manières de ne pas pouvoir vivre le temps présent: le ralentir ou le précipiter. Temps *arrêté ou temps événementiel* sont deux faces différentes de la même question: celle du rapport au temps et de la difficulté à prendre en compte l'ensemble de son historicité.

Repère

Il nous faut maintenant examiner en quoi cette notion de temps est pertinente comme repère pour l'établissement d'une hypothèse, d'une piste d'intervention, et pour la coconstruction d'un sens avec le système client.

Utiliser le repère *temps,* c'est s'intéresser à la capacité que montre un système de se percevoir inclus dans une histoire qui vient de quelque part et qui va quelque part. Elle peut être arrêtée (temps ralenti) ou elle peut donner l'impression de se précipiter (temps accéléré). Nous proposons deux pistes.

Le temps ralenti ou le temps bloqué

C'est Ruesch[261] qui introduit l'idée d'un temps accéléré ou ralenti, parlant de l'accélération et la décélération des processus comportementaux. Si Ausloos souligne en particulier ce temps arrêté chez les psychotiques, Delwin et Vieytes-Schmitt en parlent à propos des handicapés.[262]

Le temps peut être bloqué pour ne plus voir le passé et/ou pour ne voir que le passé, et/ou pour ne pas voir l'avenir: «Arrêter le temps, c'est empêcher les transactions conflictuelles. (...). On remet toujours à plus tard, et en fait à jamais, la négociation de tout ce qui pourrait entraîner un conflit et donc une crise.»[263]

La première idée que nous retenons, c'est que la manière avec laquelle le système s'organise autour d'une difficulté consiste à arrêter le temps, à oublier le passé, à ne pas imaginer de lendemain. La vie est réduite au jour le jour.

- Le passé enfoui ou encadré

Face à une difficulté qui a été vécue avec beaucoup de souffrances, qui n'a jamais pu vraiment être acceptée, il paraît plus simple de faire comme si ce n'était pas possible qu'il y ait un après. Il s'agit donc essentiellement de perte, de deuil non fait, d'évitement de la confrontation à la mort physique ou relationnelle. Le temps arrêté apparaît comme une tentative de survivre face à l'inacceptable ou l'inavouable.

L'arrêt du temps, par exemple, face à un fils handicapé de manière importante et durable, c'est une façon, autant pour les parents que pour les enfants, de ne plus se confronter aux questions lancinantes: Qu'adviendra-t-il plus tard de lui? Devrons-nous toujours le prendre en charge? Et quand nous parents serons vieux - et quand eux parents seront vieux -, à quelle charge serons-nous contraints ou condamnés? Le temps est bloqué par une souffrance trop difficile, comme par exemple la perte d'un enfant idéal, le passage à une autre étape du cycle de vie, la perte d'un être cher, d'une identité nationale ou culturelle, d'un scénario de vie, de capacités physiques, d'objets symboliques essentiels, d'un lieu d'enracinement. L'important est moins la nature de ce qui a été perdu que l'importance subjective que lui accordait la personne ou le système.

De l'événement si lourd, on ne parle jamais, c'est le passé enfoui. Ou alors on ne parle que de lui et rien d'autre n'a d'intérêt, c'est le passé encadré.

Réintroduire le temps dans de telles situations risque de raviver cette blessure et de confronter l'ensemble des personnes à la difficulté de la perte, de réactiver l'angoisse, le désespoir, l'incertitude, la dépression.

Etre confronté à un système dans lequel le temps semble bloqué amène le travailleur social à explorer quand le temps s'est arrêté, à rejoindre la souffrance inexprimable et à construire la fonction positive de ce blocage du temps: évitement de la souffrance insupportable, évitement de la dépression, de la culpabilité de n'avoir pas su ou pas pu, difficulté de se donner le droit de survivre. Mais pour l'intervenant, c'est accepter de provoquer une crise, un débordement émotionnel important. Le deuil se fait souvent dans les larmes. Il s'agit donc d'accompagner le processus de deuil avec les phases indispensables de ce processus: colère, tristesse, acceptation, avant de pouvoir réinvestir à nouveau le temps, vivre dans le présent et en fonction de projets.

- L'avenir enfoui

Mais le temps bloqué c'est aussi l'empêchement de voir en avant, l'arrêt de l'histoire pour ne pas regarder ce qui pourrait venir: demain fait trop peur, il est constitué de trop d'incertitudes, de risques de pertes; demain ne peut être que pire...

Nous trouvons cette réaction au passage d'une phase du cycle de la vie familiale à une autre: empêchement de voir les enfants grandir et partir, les parents vieillir et mourir, ne plus avoir la possibilité d'avoir encore un enfant, renoncer à travailler et se retrouver sans raisons de vivre..Mais aussi face à des situations chroniques, telles que le handicap: difficulté d'imaginer l'avenir d'une personne handicapée, mais aussi de son entourage; si le temps est bloqué, la famille de la personne handicapée ne vieillit pas non plus.

«Quand le temps est interdit, toute histoire de vie est impossible»[264] pour chacun des membres du système.

S'interdire de penser à l'avenir, c'est bloquer le temps. Il s'agit là aussi de deuil non fait, non pas dans le sens d'événement traumatique à digérer, mais dans celui de l'incapacité à imaginer que vivre offre encore de l'intérêt. L'avenir est derrière soi!

Si le temps est arrêté, il devient exclu aussi bien de faire des choix que des renoncements. Choisir comme renoncer impliquent une durée, une histoire. Or seul le présent compte. Il est trop effrayant de penser à demain.

Ce peut être une manière de vivre dans le paradis perdu, mais les clients des travailleurs sociaux ont rarement connu une période de paradis! Il s'agit plutôt de l'incapacité de se projeter dans l'avenir: *no future*. Le mieux qui puisse arriver est encore pire qu'aujourd'hui, alors autant ne pas y penser. C'est une position essentiellement pessimiste, nihiliste...Quelles pistes alors pour le travailleur social?

Dans beaucoup de situations, notamment liées au cycle de vie, il y a un travail de deuil à encourager, soutenir et accompagner. Nous n'y revenons pas.

Dans d'autres situations, notamment de perte de scénario de vie, de découragement général ou de démission grandissante, il nous paraît nécessaire de s'appuyer, dans l'intervention, sur ce qui est accessible, en l'occurrence ici, le passé. Repérer les événements qui dans l'histoire ont été marquants, importants, ceux que les personnes regrettent.

Les moyens qui favorisent ce travail, sont l'inscription sur l'axe du temps des événements, ou le jeu de l'oie[265] ou encore les sculptures évolutives. Ce travail a pour fonction non seulement de favoriser une réappropriation du passé, mais surtout d'explorer le réseau relationnel dans lequel s'inscrit le blocage du temps. Il sera utile également pour l'intervenant de rechercher quels choix et renoncements auraient dû être faits, ce qu'aurait impliqué le fait de choisir et celui de renoncer.

L'établissement de la carte de réseau permet ensuite de passer à l'exploration du futur: non pas en termes de projets pour la personne ou le système client, mais en termes d'effets relationnels: Que disent les diverses personnes du réseau identifié? Que pensent-elles de la situation, et quelles risquent d'être leurs réactions face à la paralysie de l'évolution, si elle devait se prolonger? A nos yeux, ce n'est ni par l'encouragement ni par la contrainte que les personnes pourront remettre le temps en mouvement, mais par l'importance perçue des effets relationnels probables de la paralysie.

Enfin, par rapport aux situations de clients qui semblent indifférents à eux-mêmes, les *no futrure*, voire ceux qui se mettent dans un processus d'autodestruction, c'est par l'intérêt et l'attention que l'intervenant montre aux personnes que pourra peut-être s'inverser la spirale destructrice dans laquelle ils sont enfermés.

Boszormenyi Nagy parle de partialité multidirectionnelle et d'exonération: il s'agit de construire avec les personnes une compréhension de ce qu'ils auraient été en droit de recevoir et qu'ils n'ont pas reçu (donner quittance de la légitimité du besoin) et, dans le même temps, de reconnaître que les personnes desquelles ils auraient du recevoir n'étaient pas en mesure de leur donner (exonération).[266]

Mugnier, lui, parle des «stratégies de l'indifférence» pour nommer cette attitude de la part de certaines familles. La question pour l'intervenant est alors de montrer de l'intérêt aux familles sans perpétuer le jeu de l'indifférence à soi-même, en particulier en n'alimentant pas le jeu de victimes non vengées proposé par ces familles.[267]

Le temps événementiel ou accéléré

C'est pour Ausloos le temps des systèmes chaotiques: il se marque en une succession perpétuelle d'actes, d'interruptions, d'événements. Dans les institutions, c'est le temps de l'urgence perpétuelle: on court toujours au plus pressé, sans jamais pouvoir s'arrêter. Non seulement le passé n'existe pas, ne peut être pris en compte, utilisé, assimilé comme source d'informations pertinentes pour décider de la conduite à suivre, mais le futur ne compte pas non plus; il n'y a pas le temps d'y penser: on verra plus tard...Ou encore, le présent est disqualifié et seul après demain compte: l'an prochain cela ira mieux, avec notre nouveau programme pédagogique, notre nouveau travail, notre nouvel appartement, notre mariage, notre nouveau collègue...

L'agitation empêche non seulement de mémoriser le passé, mais aussi de se projeter dans l'avenir: ce sont des systèmes en panne de projet, en conflit de finalités. Sans savoir où aller, chacun tourne en rond, annulant par ses actions les tentatives qu'un autre pourrait faire pour donner un sens ou une direction aux événements. Là, nous proposons également deux hypothèses que nous articulons autour de deux idées principales: le *déracinement* et le *blocage des finalités*.

- Le déracinement

Ce que nous appelons ainsi, c'est le fait pour un système de ne pas ou ne plus savoir ce qui fonde son existence, ce qui alimente un *nous*, ce qui relie les expériences passées; sans racines, chacun est ballotté au gré des événements, des pressions de toute nature, des craintes de punition ou de réprimande. Les racines, ce sont des lieux, des événements, des relations, des croyances. Plus ces éléments sont importants et plus ils sont mis en relation entre eux, plus profond sont l'enracinement et la capacité de ne pas se laisser ballotter dans tous les sens.

Dans la mesure où l'enracinement n'est plus qu'individuel et n'alimente pas un sentiment d'appartenance, les conflits de pouvoir s'amplifient et amènent un fonctionnement où chacun, à tour de rôle, tente de prendre le pilotage du système en annulant ce que les précédents ont mis sur pied.

Dans les institutions, par exemple, l'oscillation normale entre la définition des objectifs, qui amène une redéfinition des structures, qui elle-même amène à une redéfinition des objectifs, et ainsi de suite...,[268] s'accélère sans que personne ne semble capable de calmer le jeu.

Le souci de perfection peut également amener à ce mouvement, la recherche de perpétuelles améliorations amenant à une mise en question incessante qui efface les points de repère et de satisfaction: tout devient relatif, donc en mouvement, donc à améliorer..en même temps. Il n'y a plus de choix prioritaire possible, tout a le même degré d'urgence.

Il n'y a pas de mémoire des événements, comme si les expériences passées ne servaient à rien. Tout est toujours à recommencer. Sans mémoire, il n'y a pas de décision réelle possible, concertée et réfléchie. Ce sont les événements qui décident.

L'intervenant face à de telles situations est confronté à un agir continuel; chacun bouge non seulement dans sa tête, mais également dans les faits: il y a toujours quelqu'un qui se lève, sort, va ouvrir une fenêtre qu'un autre va refermer, sort pour aller aux toilettes, dont il revient avec une nouvelle idée, qu'il impose sans souci de savoir ce qui s'est passé en son absence.

L'intervenant cherchera alors à calmer le jeu pour retrouver ce qui, auparavant, servait de point de repère, ce qui permettait de ne pas s'emballer, de donner un sens.

Mais pour cela le discours calme et réfléchi s'avère peu utile et il vaut mieux se servir d'exercices qui provoquent de l'activité: sculptures, jeu de l'oie de Caillé[269] ou historiogramme d'Ausloos[270], jeux de rôles, construction de métaphores communes avec mise en scène; tout cela et d'autres techniques sans doute contribuent à ancrer le passé, à construire la mémoire défaillante.

Bien sûr, la question de la fonction de la paralysie de la mémoire est importante. Dans ce sens, il s'agit de la prendre comme symptôme et de la traiter comme telle. Mais une fois cette fonction coconstruite, reste la question d'aider à reconstituer ce souvenir collectif qui permettra d'enraciner l'histoire d'où l'on vient pour envisager le futur.

Le temps événementiel a une fonction, mais il ne suffit pas de la nommer pour que la capacité de constituer une mémoire collective renaisse spontanément.

- Le blocage des finalités

Ce que nous appelons ainsi, c'est le fait, pour un système, de ne pas ou ne plus savoir vers quoi il tend, ce qu'il entend promouvoir, le projet qui le soutient et lui donne sens, ce qui fonde son existence.

Les effets de ce blocage sont de propulser chacun dans l'agitation désordonnée, dans le remplissage à outrance de son temps, dans la surcharge perpétuelle. Le présent immédiat est seul important, il est impossible de se projeter à moyen ou long terme: on n'a pas le temps.. Après demain peut-être...

Nous sommes enclins à nous demander quelle est la fonction du blocage de l'avenir. Nous suggérons les pistes suivantes:

- conflit entre finalités individuelles et finalités du système[271];
- incapacité de se projeter dans l'avenir suite à une longue expérience de projets déçus;
- incapacité de se donner des projets réalistes;
- peur diffuse face à l'immensité de l'incertitude sur l'avenir de la terre, son écologie, ses conflits internationaux;
- mise en œuvre d'un secret qui paralyse chacun dans l'impossibilité de dire et de taire[272].

Les hypothèses qui vont dans ce sens parleront alors de protection, d'évitement de conflits ou de désillusion, d'empêchement de penser pour éviter la peur, la révolte, la dépression, la violence.

L'intervenant, là aussi, devra calmer le jeu. Il risque d'être pris à son tour dans le tourbillon de l'agitation. Il pourra chercher à cadrer le temps, à négocier un arrêt en sécurité pour souffler, regarder, replonger dans ses racines pour y trouver les forces et les expériences-ressources.

Nous recommandons volontiers de dresser une carte relationnelle sur laquelle on fait apparaître les buts de chacun, des divers sous-systèmes, et de la globalité du ou des systèmes concernés. Cette représentation fait apparaître visuellement *les enjeux contradictoires, les incompatibilités, les pannes* de quelques-uns face aux projets mirifiques des autres et leurs relations entre elles. Faire exister des desseins incompatibles permet d'identifier où des choix doivent être opérés, des priorités déterminées.

Un tableau des finalités crée un espace intermédiaire qui soutient la mise à distance et la possibilités de choix assumés.

Ainsi donc, temps arrêté, bloqué, paralysé, ralenti, ou temps accéléré, tourbillonnant, événementiel, sont deux manières de ne pas pouvoir vivre le présent ou de le figer en séquences ritualisées et répétitives. Faire une hypothèse à partir de ce repère nous amènera à élaborer des stratégies pour remettre le temps en route ou pour le ralentir, pour permettre que le présent soit relié au passé et inscrit dans un projet.

Nous pensons qu'il convient de prêter, dans ces situations, une attention toute particulière aux questions du rythme de chacun et à celles du confort, et de l'intervenant et du système client. Dans la mesure où l'intervenant se montre capable de tenir son propre rythme, de gérer de manière souple et claire le temps dont il dispose, il aidera sans aucun doute le système client à prendre en compte la gestion de son temps, en l'inscrivant dans l'histoire passée, présente et à venir.

Résumé

La notion de temps se situe à deux niveaux:

- D'une part comme *concept*:

Définition: Nous nommons «rapport au temps» la capacité d'un système de vivre dans le présent en intégrant le passé et en s'orientant vers l'avenir.

De plus:

1. Le terme de *processus* doit être distingué de celui de *temps*.
2. Le temps est *synchronique* et *diachronique*. Il faut gérer le *maintien* et le *changement*, la stabilité et la flexibilité.
3. Le *cycle de vie* comporte des *crises*, prévisibles ou accidentelles.
4. Le temps est une *notion individuelle, familiale, groupale, sociétale, culturelle.* Il a une valeur différente dans chaque contexte.
5. C'est dans l'*ici et maintenant* que se joue l'organisation d'un système et que les rapports au passé et à l'avenir se mettent en scène.
6. La crainte d'une évolution peut provoquer un *blocage du temps* qui exerce une fonction d'*évitement de l'évolution* du système.

7. Il y a *transmission intergénérationnelle* de missions, dettes relationnelles, délégations.
8. *La circularité* n'est pas que dans le présent, elle est dans *l'histoire relationnelle.*
9. *La fuite dans l'avenir* est une façon de ne pas gérer le présent, d'en éviter les contrariétés ou de les supporter en les relativisant.
10. Chaque individu, de même que chaque système, a ses propres *finalités*. Il peut y avoir conflits ou incompatibilité de finalités.
11. *Temps arrêté ou temps événementiel* sont deux manières de ne pas pouvoir vivre le temps présent.

- D'autre part, comme *repère* et comme *piste d'intervention*:

1. *Le temps ralenti ou le temps bloqué*
   a) *Le passé enfoui ou encadré: L'après* est impossible. Réintroduire le temps risque de réactiver la souffrance. On peut rejoindre la souffrance et construire la fonction positive du blocage du temps.
   b) *L'avenir enfoui: no future*. Choix et renoncements sont exclus. On peut s'appuyer sur le passé, inscrire les événements sur l'axe du temps, puis explorer le réseau relationnel dans lequel s'inscrit le blocage du temps, en établir la carte et explorer le futur en termes d'effets relationnels.
2. *Le temps événementiel ou accéléré* des systèmes chaotiques: le passé n'existe pas, il n'y a pas de mémoire, le futur ne compte pas non plus.
   a) *Le déracinement*: le système ne sait plus ce que sont ses racines, chacun est ballotté au gré des événements et des pressions. Il faut alors retrouver ce qui permettait de donner un sens, et aider à reconstituer ce souvenir collectif qui permet d'enraciner l'histoire pour envisager le futur.
   b) *Le blocage des finalités*: On peut y voir une fonction de protection, d'évitement de conflits ou de désillusion, d'empêchement de penser pour éviter la peur, la révolte, la dépression, la violence. Il faut alors calmer le jeu, cadrer le

temps et dresser une carte relationnelle pour faire apparaître *les enjeux contradictoires, les incompatibilités, les pannes*, ce qui permet d'identifier où des choix doivent être opérés, des priorités déterminées.

Chapitre IV

LE TRAVAIL SOCIAL ET L'INTERVENTION SYSTÉMIQUE: REGARD CRITIQUE

Comme nous l'avons décrit dans les chapitres précédents, c'est par la thérapie familiale que l'approche systémique a intéressé les travailleurs sociaux il y a vingt ans en France et en Suisse romande. Les formations idoines ont donc été les premières à les éveiller à cette manière nouvelle de considérer la réalité, qualifiée par certains de révolution épistémologique.

Assez rapidement, nous nous sommes toutefois aperçus de la portée limitée de la thérapie familiale et de la nécessité de trouver un modèle systémique adapté à la réalité et aux contextes[1] du travail social, encouragés par la théorie même qui affirmait être une *théorie générale du système*: toute réalité pouvait être comprise comme un système; il existerait des lois générales expliquant son fonctionnement.

Mais le passage fut difficile et ce n'est qu'en 1989 que nous parvenons à une élaboration satisfaisante d'un modèle d'intervention en travail social.[2] Depuis, ce modèle a passablement évolué.[3] Tel que nous l'avons présenté au chapitre précédent, il reste toutefois provisoire et doit se comprendre comme une *construction de repères pour l'intervention systémique dans le travail social* plutôt qu'un construit fini, exhaustif et dogmatique.

Les repères pour l'intervention

Dans les chapitres I et II, nous avons distingué trois groupes de repères:

• *Les repères pour décrire* et se représenter la réalité (repères épistémologiques): les concepts de pertinence, de globalité, de téléologie et d'agrégativité (Lemoigne) rendent compte de cette manière nouvelle, opposée au discours cartésien, de considérer le réel. Ici, le travailleur social est invité à considérer le réel à la fois dans ce qu'il est (sa structure) dans ce qu'il fait (sa fonction), dans sa transformation (son évolution), dans ce vers quoi il tend (ses finalités), et dans son environnement (son contexte). Cette multiplicité de facteurs rend la réalité complexe, incertaine et imprévisible: l'ordre et le désordre, le normal et le pathologique, l'exclu et l'intégré, le centre et la périphérie sont conçus comme inséparables, antagonistes et complémentaires tout à la fois (Morin).

• *Les repères pour guider*, donner sens et valeur à nos choix (repères éthiques): selon nous, l'approche systémique n'est pas idéologiquement neutre. Penser système, c'est se préoccuper de la structure qui relie, c'est-à-dire de comment chacun est relié aux autres.

Les valeurs sous-jacentes s'expriment en termes de solidarité, mutualité, tolérance et se traduisent par des action de coordination et de coopération (Duss von Werdt et Morin).

• *Les repères pour intervenir* (repères méthodologiques): les concepts qui vont aider le travailleur social dans son intervention et que nous appelons des portes d'entrée dans le réel individuel, familial et social:
- *le cadre* posé à l'intervention;
- *le contexte* relationnel et institutionnel dans lequel s'inscrit l'intervention;
- la nature de *la demande* et l'identité des demandeurs;

- *les jeux relationnels* dans lesquels s'impliquent les acteurs;
- *les préconstruits*, représentations mentales qu'ils ont les uns les autres;
- *les pressions* exercées sur les acteurs pour qu'ils se comportent d'une certaine manière;
- *le symptôme* ou les symptômes présentés;
- *le temps* géré, bloqué ou accéléré.

Tels sont les principaux concepts qui constituent notre modèle d'intervention. Ces outils sont précieux pour indiquer *comment* entrer dans une réalité; ils ne suffisent cependant pas entièrement pour décider *à quels niveaux de la réalité* ces portes - pour reprendre l'image - peuvent ou doivent s'ouvrir.

Prenons un exemple concret pour mieux identifier sur quoi veut porter notre réflexion critique:

Manu, 24 ans, est toxicomane accroché à l'héroïne. Il a fait sa demande d'admission dans un centre de transition, où il lui est possible de venir trois mois pour réfléchir et s'orienter dans ses choix face à la drogue. Les règles de ce foyer sont strictes: pas d'alcool, ni de drogue, ni de fumée.

Manu a pris des distances par rapport a son cercle de copains et est retourné vivre chez ses parents. Il se dit décidé à décrocher, mais veut se donner un temps de réflexion avant d'entrer dans un centre pour un traitement à long terme. Il désire reprendre son métier. Il pourrait probablement reprendre son travail, mais celui-ci se trouve juste à côté du lieu de rencontre de ses copains de drogue. Cela le fait hésiter par crainte d'une rechute. Pourtant son père l'encourage, estimant que le travail lui ferait du bien.

Ses parents sont prêts à l'accueillir, ceci d'autant plus que sa sœur aînée vient de quitter la maison pour vivre avec son ami. La séparation s'est faite après une violente dispute.

Les amis de Manu viennent au centre et lui apportent des bières, ce qui est strictement interdit. Manu dit les refuser, sachant qu'il met en péril son séjour s'il les accepte. Manu a l'impression que la police le surveille.

Cette situation peut se lire à plusieurs niveaux de réalité. Pour Manu, s'agit-il d'un problème de motivation, de clarté dans ses choix? Ou d'un problème familial qui le pousse à entreprendre une nouvelle tentative de sortir du milieu au moment où sa sœur part en catastrophe? Ou d'une question d'appartenance au milieu qui le relance jusque dans le foyer? Ou encore d'un échantillon de la scène de la drogue et de ses réseaux de trafic, de dettes, de règlements de comptes? Ou encore d'un cri désespéré d'une jeunesse qui ne sait plus à quoi se raccrocher et où mettre du sens dans ses choix?

Quel serait alors le niveau pertinent pour intervenir? Notre regard critique sur la manière dont nous travaillons et faisons travailler, dans des situations de ce genre, que ce soit en tant que formateurs ou superviseurs, nous amène aux réflexions suivantes:

- L'approche systémique centre l'attention sur les interactions et sur la transmission d'informations entre des objets que nous appelons des systèmes. Dans les sciences humaines, elle s'inscrit dans un courant bien précis, le courant interactionnel-communicationnel.[4] L'accent y est mis sur la communication. Il s'agit, et c'est ce à quoi nous nous employons, de bien communiquer et de bien faire communiquer, entre personnes, familles, groupes et réseaux.

  L'évaluation de notre pratique nous permet de dire que nous centrons davantage l'attention sur la communication et sur l'interaction, c'est-à-dire davantage sur ce qui se passe entre des personnes (mêmes les groupes y sont vus comme un ensemble de personnes) que sur des problèmes de structures, d'organisation, ou de logiques institutionnelles. Or, il n'est pas certain que du point de vue du travail social, les problèmes sociaux tels que le chômage, la drogue, la pauvreté..puissent être compris dans cette seule dimension.
- Cette façon de privilégier ce qui se passe entre les personnes n'est pas fortuite. Elle est dans le prolongement des idéaux du travail social dès son origine. Bouquet rappelle que l'humanisme démocratique qui a fondé le travail social est défini «comme une exigence éthique d'aide aux prochains, ou

comme une intervention désintéressée auprès de demandeurs d'aide, par le moyen de l'échange intersubjectif considéré en soi comme un outil pédagogique»[5].

- Par ailleurs, et peut-être est-ce inhérent à ces idéaux et à la fonction du travail social, la lecture que font les travailleurs sociaux de la réalité est principalement conjoncturelle au dépens d'une lecture structurelle. C'est-à-dire que les déviances et les maux de toute sorte dont souffrent les membres d'une société et la société elle-même, seraient accidentels et non pas inhérents à cette société (structurels). Et si nous considérions le chômage, la délinquance, la psychose comme des phénomènes propres, nécessaires, durables dans la société, que deviendrait l'intervention du travailleur social? Comment, dans l'intervention, celui-ci intégrerait-il ce regard sur le phénomène et sur les personnes qui le vivent, le subissent, l'entretiennent?

Nous n'avons malheureusement pas les moyens pour l'instant de répondre à de telles questions. Sans doute participent-elles des réflexions actuelles autour du nouveau paradigme que Morin et tant d'autres recherchent: joindre là où l'on a séparé, impliquer là où l'on a objectivé.

Une façon, pensons-nous, d'y contribuer serait d'expliciter dans notre modèle les divers niveaux de la réalité. Tentons de le faire sous la forme de six propositions:

Les niveaux de réalité dans l'intervention: propositions

1. Conformément à nos présupposés épistémologiques, nous renonçons à l'illusion de tout pouvoir embrasser dans notre connaissance d'un objet. Ainsi donc, *le niveau de réalité sera toujours celui que l'intervenant-connaissant décidera de privilégier*, confronté à celui proposé par le client. Ainsi parviendront-ils à construire ensemble une compréhension

du problème posé. Sans cet accord sur le sens à donner à l'événement, la recherche d'une solution sera bien difficile.

2. Si tout connaître d'un objet est impossible, cela ne veut pas pour autant dire qu'il faille renoncer à rechercher une compréhension aussi large que possible. *Penser globalement, agir localement*. Ce slogan exprime parfaitement cette idée. Cela veut dire qu'il est nécessaire de faire coexister - dans la réflexion qui précède, accompagne et suit l'action - divers niveaux de la réalité, comme une sorte de toile de fond de laquelle peut, à un moment ou à un autre, émerger tel ou tel niveau. Choisir, pour Manu, une compréhension à un niveau individuel, devrait être compatible avec un autre niveau de réalité, selon ce qui se passe.

3. *L'action locale est choisie en fonction des protagonistes, de leurs statuts et du contexte, mais aussi selon le modèle d'intervention retenu.* De ce point de vue, l'utilisation des repères que nous proposons influencera le niveau de la réalité sur laquelle nous voulons intervenir.

4. Traditionnellement, *le travail social découpe la réalité en y distinguant l'individu, la famille, le réseau, l'institution, les structures sociales*. Nous retenons ces cinq niveaux de réalité pour préciser, d'une part, ceux que nous privilégions avec notre modèle, et, d'autre part, pour vérifier comment on peut inclure, dans notre compréhension d'intervenant, ces divers aspects de la réalité.
   Ces niveaux ne s'excluent pas les uns les autres; bien au contraire, ils sont complémentaires, antagonistes et concurrents. Nous ne les comprenons pas comme s'englobant les uns les autres, à l'image des poupées russes, mais enchevêtrés de telle manière qu'aucun ne recouvre tout à fait les autres et que les logiques d'appartenance ne sont pas les mêmes pour les participants des divers niveaux.

En reprenant l'exemple de Manu, nous pourrions représenter cette intrication de la manière suivante:

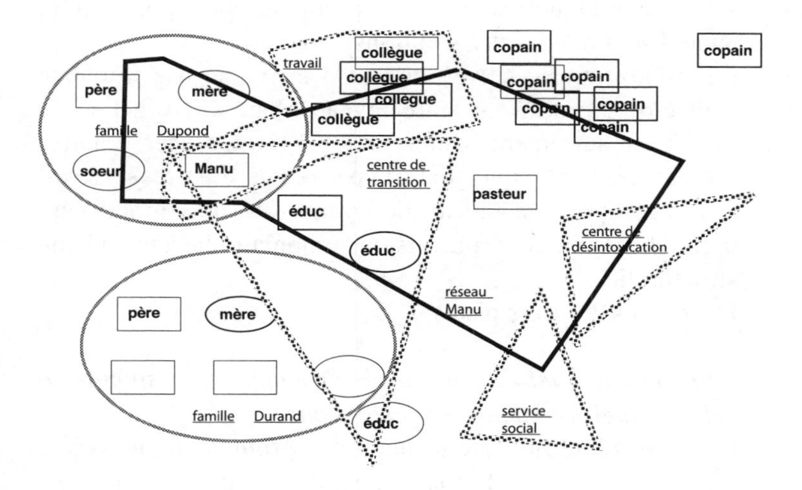

5. Ce que nous voulons faire apparaître dans ce schéma, c'est que *individu, famille, institution, réseau et structure sociale sont des réalités de complexité croissante:* leurs ressources, leur organisation, leurs intérêts, l'appartenance qu'ils proposent, les responsabilités de chacun, la manière de définir le problème, sont autant de points de différence, et parfois de divergence, entre eux.
La famille de Manu est un ensemble complexe d'individus et de caractéristiques. Le foyer est un ensemble complexe d'individus, de membres de familles diverses et de caractéristiques. Le réseau est un ensemble complexe d'individus, de familles entières ou partielles, de représentants d'institutions diverses, à la composition instable et changeante. Changer de niveau de réalité, c'est changer de niveau de complexité et parfois de logique.

6. *Il est utile de changer de niveau lorsque celui dans lequel nous sommes ne permet pas de résoudre un problème,* de faire évoluer une situation ou des personnes.
Dans ces cas il conviendrait d'examiner:
- si le niveau auquel est formulé le problème correspond à celui auquel sont tentées des solutions;
- si ces deux niveaux correspondent, d'examiner si le problème peut être abordé à un autre niveau, donc s'il y a lieu de modéliser autrement l'intervention, de mobiliser d'autres ressources, d'impliquer d'autres personnes, d'autres services;
- si le passage à un niveau de complexité plus grand peut permettre de passer d'une vision conjoncturelle à une vision structurelle.

Reprenons ces trois pistes:

• *Le niveau auquel est formulé le problème correspond-il à celui auquel sont tentées des solutions?*

Nous postulons que quelle que soit la problématique sociale posée, il est possible de la concevoir aux cinq niveaux indiqués: individu - famille - réseau - institution- structures sociales. Il convient alors de se demander:
- Par qui est posé le problème?
- A quel niveau de réalité le problème est-il posé?
- Les autres personnes ou instances impliquées posent-elles le problème au même niveau?

Pour reprendre l'exemple de Manu, on peut poser le problème comme relevant du niveau familial, alors que la famille en fait un problème individuel, attribuant à Manu la responsabilité de ce qui se passe.

Il sera ensuite nécessaire d'explorer ce qui a été tenté pour résoudre ce problème, afin de vérifier s'il y a correspondance entre le niveau où est défini le problème et celui où les solutions sont envisagées. Ainsi, par exemple, nous pourrions constater que Manu situe le problème au niveau familial, mais concentre toutes ses tentatives de solutions à prendre des grandes décisions individuelles ou à chercher du réconfort auprès de son réseau d'amis. De même, la famille peut situer le problème au niveau individuel et faire beaucoup d'efforts pour trouver des appuis dans son réseau ou interpeller diverses instances pour qu'elles modifient leur politique d'assistance ou de répression.

Cette exploration, on le voit, permet de faire apparaître les accords et désaccords entre les acteurs sur le sens à donner à la situation (le niveau ou le problème est posé) et sur le niveau où le problème devrait être traité. On peut penser que plus il y a accord - le travailleur social aurait donc là une fonction importante - plus il y a de chances de trouver des solutions satisfaisantes.

- *Si la formulation du problème se fait au même niveau que la recherche de solutions et que le problème subsiste, peut-on explorer les autres niveaux de la réalité?*

Il s'agit en fait d'ouvrir, d'augmenter le nombre des choix possibles selon von Foerster[6]. Augmenter le registre explicatif des causalités d'une situation ouvre incontestablement des pistes nouvelles, contribue à désenfermer, à construire une réalité nouvelle, stimule la créativité dans la recherche de solutions.

Ainsi la toxicomanie de Manu, expression d'une personnalité faible, sans beaucoup de volonté et facilement influençable (niveau de réalité individuelle), pourra être comprise comme volonté d'éviter le morcellement familial, ou comme manifestation d'un système social incapable d'offrir à sa jeunesse des aspirations et des valeurs exaltant le don de soi, le goût de l'effort, etc.

Le rôle du travailleur social sera donc de redéfinir le problème à la lumière de ces niveaux de la réalité pour construire son action, travailler avec son client et le système familial, amical, et social à d'autres représentations possibles de ce qui se passe, de ce qui pourrait être différent, des personnes et des ressources à mobiliser.

- *Le passage à un niveau de complexité plus grand permet-il de passer d'une vision conjoncturelle à une vision structurelle?*

Reconnaître la complexité des situations sociales passe par la reconnaissance de l'intrication de ces cinq niveaux. Lorsque Watzlawick invite, dans certaines situations, à passer d'un changement 1 à un changement 2, il définit cette transformation comme un recadrage: «recadrer signifie donc modifier le contexte conceptuel et/ou émotionnel d'une situation, ou le point de vue selon lequel elle est vécue, en la plaçant dans un autre cadre»[7]. Parmi les recadrages possibles, nous n'en retiendrons ici qu'une seule catégorie, celle qui recadre le problème à un niveau de complexité plus grand. En passant d'une vision centrée sur le patient désigné, c'est-à-dire celui qui montre un dysfonctionnement, une bizarrerie ou une folie, à une vision centrée sur le sens de ce dysfonctionnement dans le système familial, Watzlawick change la nature du problème, le complexifie (puisqu'il fait intervenir beaucoup plus de paramètres, donc plus d'incertitude). S'il est possible de passer du niveau individu à celui de famille, il doit en être de même pour les niveaux supérieurs: réseau, institution et structures sociales. Penser réseau là où l'on pense, sans succès, famille et penser structures sociales là où l'on s'essouffle à penser réseau pourrait être de l'ordre d'un changement 2, une possibilité de mettre en évidence les structures qui relient les choses entre elles et qui les font être ce qu'elles sont.

Notre hypothèse serait que c'est en nous entraînant au recadrage d'une vision moins complexe à une vision plus complexe que nous parviendrons à passer d'une vision conjoncturelle à une vision structurelle.

Dans une vision conjoncturelle, la difficulté est vue comme passagère, accidentelle, nécessitant un redressement plus ou moins fort, mais sans remise en cause de la manière dont s'organisent le ou les systèmes impliqués dans la difficulté. En recadrant, dans le sens de la complexité, on fait apparaître les jeux, les interactions dans lesquelles sont pris les partenaires en présence.

De manière générale, nous pourrions dire que le travail social a été inventé dans un contexte où la vision conjoncturelle dominait, c'est-à-dire une vision de la société comme tendant vers la perfection; le travail social avait et a toujours une fonction réparatrice, une fonction de redressement: la délinquance, la pauvreté, l'exclusion étaient des sortes de ratés du système.

La pensée conjoncturelle continue à être très largement partagée: par exemple, ont dit volontiers que la pauvreté ou le chômage sont liés à une crise économique ou à un mauvais système de gestion. Dès que la crise sera dépassée, dès que le gouvernement fera plus ceci ou cela, les choses iront mieux. Face à tous les problèmes sociaux, même les plus largement partagés, nous avons beaucoup de peine à ne pas nous suffire de l'explication conjoncturelle.

Et si, précisément, nous tentions de les considérer aussi comme structurels[8], c'est-à-dire produits par le contexte dans lequel ils apparaissent? Alors, le chômage, la pauvreté, la délinquance, mais aussi la psychose, la dépression, ne seraient plus seulement un accident de parcours, mais l'expression nécessaire d'une structure économique et sociale donnée.

Depuis quelques années, ces considérations ont cours dans le monde du travail social. Les conséquences en terme d'intervention restent encore largement à inventer.

Depuis de nombreuses années, les travailleurs sociaux connaissent et font état des cinq niveaux de la réalité que nous avons rappelés. Pour des raisons évoquées au début de ce chapitre, dans la pratique, ce sont surtout les niveaux individu et famille qui sont pris en considération, y compris par les travailleurs sociaux formés à l'approche systémique.

Notre modèle a comme ambition de donner aux travailleurs sociaux systémiciens des outils pour *penser* globalement. Pour ce qui est de l'*action*, il nous paraît se limiter à l'intervention auprès des individus, des familles et des petits groupes. Des modèles d'intervention systémique en réseau et en collectivité restent à découvrir et à formaliser. Des recherches dans ce sens sont en cours.[9]

NOTES

Introduction

[1] O. Amiguet, en inaugurant le premier colloque francophone «Travail social et approche systémique», octobre 1992, avait posé de manière détaillée l'état de la question: «Travail social et systémique: contexte et/ou épistémologie», in *Travail social et systémique,* textes réunis par O. Amiguet et C. Julier.

[2] Le travailleur social, comme nous l'entendons ici du point de vue historique, c'est d'abord l'assistant social et l'éducateur spécialisé. En dehors de ce contexte historique, le travail social inclut toutes les autres professions de ce champ: en particulier animateurs socio-culturels, logopédistes, orthophonistes, psychomotriciens, éducateurs de la petite enfance, maîtres socio-professionnels.

[3] Ouvrages de référence de C. Rogers: *Le développement de la personne*; *La liberté pour apprendre*; *La relation d'aide et la psychothérapie.*

[4] R. Bélanger, L. Chagoya, *Technique de thérapie familiale.*

[5] P. Watzlawick, J. Helmick Beavin, D. Jackson, *Une logique de la communication.*

[6] H.H. Perlman, *L'aide psychosociale interpersonnelle* et *La personne, l'évolution de l'adulte et de ses rôles dans la vie.*

[7] W. Glasser, *Reality therapy, une nouvelle approche thérapeutique par le réel.*

[8] A. Menthonnex a publié un remarquable texte sur les principales références aux sciences sociales du service social: *Le service social et l'intervention sociale.*

[9] Les premiers travailleurs sociaux, au début de ce siècle, situent déjà clairement l'individu dans son environnement. Voir les écrits des premières théoriciennes, telles que M. Richmond, *Les nouvelles méthodes d'assistance* et G. Hamilton, *Théorie et pratique du casework.*

[10] Nous verrons dans le chapitre suivant quelques conséquences de ce changement.

[11] Dont a été tiré l'ouvrage*Travail social et systémique*, textes réunis par O. Amiguet et C. Julier.

[12] Soit le staff des formateurs systémiques du CEFOC: O. Amiguet, M. Grisel, C. Julier, C. Lechenne.

[13] Parmi ces théorisations, il convient de mentionner celle de Silvia Staub-Bernasconi, formatrice à l'Ecole de Zurich, ouvrage à paraître sur la question; On peut déjà se référer à son article «Connaissance et savoir-faire - théories et compétences dans le travail social» in *Manuel de l'action sociale en Suisse.*

[14] Trois sur quatre formateurs sont principalement ou secondairement psychothérapeutes, après avoir été travailleurs sociaux.

[15] C. Sluzki: «Le réseau social: frontières de la thérapie systémique», in *Thérapie Familiale*, 1993/3.

Chapitre I

[1] Niels Böhr, cité par E. Morin, in *Magazine littéraire*, n° 312, 1993.

[2] M. Balmary, *La divine origine,* p.23.

[3] J.J. Wittezaele et T. Garcia, *A la recherche de l'Ecole de Palo Alto*, p.337.

[4] K. Popper, *Logique de la découverte scientifique*, p. 57.

[5] J.J.Duby, «La fin du déterminisme», in *Magazine littéraire*, n° 312,1993, p.321.

[6] K. Popper, op. cit., p. 287.

[7] Le dualisme premier chez Descartes est la distinction radicale entre la réalité spirituelle et la réalité matérielle: l'homme possède à la fois une âme et un corps.
[8] In E. Schwartz, *La révolution des systèmes*, p. 196.
[9] C'est semble-t-il au politicien et philosophe sud-africain J.C. Smuts que l'on doit ce concept et la philosophie qui s'y rattache. F. Perls, fondateur de la Gestalt thérapie l'aurait exporté aux Etats-Unis après son long séjour en Afrique du Sud. J.M. Robine, «Le holisme de J.C. Smuts», in revue *Gestalt*, 1994/6.
[10] A ce propos, il vaut la peine de lire l'ouvrage d'E. Morin, *Terre-patrie*, dans lequel il propose une religion du 3e type... dont la fonction, dit-il, serait simplement de relier.
[11] J.-L. Le moigne, *La Théorie du système général: théorie de la modélisation*, pp. 7 et 8.
[12] A la même époque, Edgar Morin fait paraître le 1er tome de *La méthode*, une méthode apte à relever le défi de la complexité: *La Nature de la nature*, suivi en 1980 de *La Vie de la vie* (tome II), puis en 1986 de *La Connaissance de la connaissance* (tome III), et enfin de *Les Idées* (tome IV). Penseur de la complexité, cet auteur a eu et continue d'avoir sur nous une influence déterminante. Il sera dans les pages qui suivent abondamment cité.
[13] E. Morin, *Pour sortir du XXe siècle*, p. 72.
Notons aussi la racine grecque de «théorie» qui signifie d'abord contemplation d'une unité profonde sous la multiciplicité apparente.
[14] E. Morin, op.cit. p. 72.
[15] Tout tourne autour du soleil.
[16] Tout tourne autour de la terre.
[17] Citations de E. Badinter, *XY, de l'identité masculine*, p. 21.
[18] N. Bouvier, *L'usage du monde*, p. 68.
[19] J.-L. Lemoigne, *La théorie du système général.*
[20] Ibidem, p.10 (Descartes, cité par Lemoigne).
[21] Ibidem, p. 23.
[22] Ibidem, p. 10.
[23] Ibidem, p. 23.
[24] Ibidem, p.10 (Descartes, cité par Lemoigne).
[25] On dit aussi téléonomie.
[26] J.-L. Lemoigne, op.cit., p. 23.
[27] Ibidem, p.10 (Descartes, cité par Lemoigne).
[28] Morin distingue *la complication*, c'est-à-dire les interrétroactions innombrables et *le complexe*, c'est-à-dire «l'union des processus de simplification qui sont sélection, hiérarchisation, séparation, réduction, avec les autres contre-processus qui sont la communication, qui sont l'articulation de ce qui est dissocié et distingué; (il s'agit)... d'échapper à l'alternative entre la pensée réductrice qui ne voit que les éléments et la pensée globaliste qui ne voit que le tout», *Introduction à la pensée complexe*, p.135. La complexité c'est l'union de la complexité et de la simplicité!
[29] J.-L. Lemoigne, op. cit., p. 23.
[30] Ibidem, p. 25.
[31] F. de Suassure cité par J.-L. Lemoigne, op. cit.
[32] Un excellent dossier est présenté dans la revue *Science et vie*, n° 914, novembre 1993, intitulé «Le chaos gouverne la pensée», en particulier l'article de T. Pilorge, «Vivre les comportements chaotiques, survivre, évoluer, se diversifier au mépris de l'ordre».
[33] E. Morin, *Introduction à la pensée complexe.*
[34] Ibidem, p. 86.
[35] Ibidem, p. 22.

36 Ibidem, p. 92.
37 Ibidem, p. 103.
38 C.W. Churchman, 1976, cité par Melese.
39 L. von Bertalanffy a intitulé son ouvrage *General System Theory»,* ce qui peut se traduire par *Théorie générale du système ou Théorie du système général.* Selon J.L. Lemoigne, l'intitulé «théorie générale *des* systèmes», bien qu'utilisé, ne serait pas conforme à l'idée de Bertalanffy pour qui «le système est un modèle de nature générale».
40 L. von Bertalanffy, *Théorie générale des systèmes.*
41 Cette définition s'inscrit tout à fait dans les caractéristiques du paradigme systémique que nous avons décrit préalablement.
42 G. Cuendet, *Principe de la gestion,* p. 17.
43 M. Selvini-Palazzoli et al., *Le magicien sans magie,* p. 53.
44 P. Watzlawick et al., *Une logique de la communication.*
45 A. Daigremont et al., *Des entretiens collectifs aux thérapies familiales,* p. 15.
46 J.C. Benoît et al., *Dictionnaire clinique des thérapies familiales systémiques.*
47 D. Bériot, *Du microscope au macroscope, l'approche systémique dans l'entreprise.*
48 Autoréférence, auto-organisation sont des concepts actuellement largement utilisés pour caractériser ces lois singulières qui accordent à chaque système vivant des capacités relatives à s'organiser et à croître par lui-même, mais aussi à ne se référer qu'à lui-même pour dire qui il est.
49 La cybernétique, terme introduit par N. Wiener en 1948, recouvre un ensemble de théories sur les mécanismes de contrôle de l'information et de la communication. Ces travaux ont influencé considérablement la conception du vivant, à partir du moment où elles ont été utilisées pour comprendre le fonctionnement d'un système ouvert. G. Bateson, puis les chercheurs de l'Ecole de Palo Alto ont puisé dans ces théories les concepts de contexte, de rétroactions négatives et positives. Elles orientent donc nettement le courant systémique.
50 P. Caillé, *Un et un font trois.*
51 Juste retur des choses, les recherches les plus récentes dans le domaine de la physique tentent de réintégrer le chaos! Le monde pourrait donc se concevoir et comme un chaos et comme une organisation!
52 L. von Bertalanffy, *Des robots, des esprits et des homme*s.
53 Cité dans J.C. Benoît et al., *Dictionnaire clinique des thérapies familiales systémiques.*
54 L. von Bertalanffy, op. cit., p. 32.
55 E. Morin, *La méthode*, tome I, *La Nature de la nature*, p. 150.
56 Op. cit. p. 16.
57 Voir en particulier «Forme et pathologie des relations» dans les tomes I et II de *Vers une écologie de l'esprit*, G. Bateson.
58 Voir en particulier: M. Selvini, L. Boscolo, G. Cecchin et G. Prata, *Paradoxe et contre-paradoxe.*
59 Voir l'ensemble de son oeuvre, en particulier *La méthode*, tome I, Le Seuil, Paris, 1977.
60 Inspirateur de l'Ecole de Palo Alto et, plus largement, de toute une génération de chercheurs - biologistes, anthropologues, psychiatres, à qui il a transmis la passion d'une manière nouvelle de penser et de savoir. C'est notamment grâce à ses travaux que P. Watzlawick pourra formaliser «une pragmatique de la communication».
61 P. Watzlawick, *L'invention de la réalité.* Voir en particulier l'article de Ernst von Glasersfeld dont nous nous sommes inspirés «Introduction à un constructivisme

radical».

[62] E. von Glasersfeld, «Introduction à un constructivisme radical», in L'invention *de la réalité,* p.23.

[63] *La construction du réel chez l'enfant*, cité par E. von Glasersfeld, op. cit., p. 27.

[64] E. von Glaserfeld, op.cit., p.35.

[65] In *Sciences humaines,* n° 32, 1993.

[66] R. Zuniga, «La théorie et la construction des convictions en travail social», in *Service social*, vol. 42, n° 3,1993.

[67] Polanyi, cité par Zuniga, op. cit., p. 46.

[68] R. Zuniga, op. cit., p. 46.

[69] Ibidem, p.48.

Chapitre II

[1] L. von Bertalanffy, *Théorie générale des systèmes.*

[2] P. Watzlawick, *Une logique de la communication.*

[3.] J. de Rosnay, *Le macroscope. Vers une vision globale*, pp. 257-258.

[4.] D. Durand, *La systémique*, p. 116.

[5] L. Corchuan, «La thérapie familiale a-t-elle une âme?, in *Therapie familiale*, 1986, 4, p. 368.

[6] D. Durand, *La systémique*, p. 123. Pour affirmer cela, Durand s'appuie sur J. Lesourne, *Les systèmes du destin.*

[7] J. de Rosnay, «Une approche multidimensionnelle de l'homme», in *Systèmes, éthique, perspectives en thérapie familiale*, sous la direction de Y. Rey et B. Prieur.

[8] Citons en particulier le congrès de Paris de 1990 dont quelques textes sont parus ensuite sous le titre général de: *Systèmes, éthique, perspectives en thérapie familiale*, sous la direction de Y. Rey et B. Prieur.

[9] H. von Foerster, «La construction d'une réalité», in *L'invention de la réalité. Contributions au constructivisme*, sous la direction de P. Watzlawick, pp. 45-69. H. von Foerster, «Ethique et cybernétique de second ordre», in *Systèmes, éthique, perspectives en thérapie familiale*, sous la direction de Y. Rey et B. Prieur, pp. 41-54.

[10] H. von Foerster, «La construction d'une réalité», in *L'invention de la réalité. Contributions au constructivisme*, sous la direction de P. Watzlawick, p. 69.

[11] Ardoino, cité par E. Morin, *Mes démons*, p. 74.

[12] Withehead, cité par E. Morin, *Mes démons*, p. 80.

[13] E. Morin, op. cit., p. 131.

[14] Y. Boszormenyi Nagy, «Glossaire de thérapie contextuelle», in *Dialogue*, 1991/111, p. 35.

[15] B. Rigo, *Vers une éthique relationnelle dynamique*, pp. 91 et 97.

[16] P. Watzlawick, Don D. Jackson, J. Helmick Beavin, *Une logique de la communication.*

[17] S. Wieviorka, «Jeux de mains: jeux de vilains?», in *Cahiers critiques de thérapie familiale et de pratiques de réseaux*, 1990/11.

[18] M. Selvini, *Le magicien sans magie*, p. 70.

[19] L. Corchuan, «La thérapie familiale systémique a-t-elle une âme?», in *Thérapie Familiale*, 1986/4, pp. 363-369.

[20] Devinez lesquels il préfère!

[21] P. Caillé, «Le modèle systémique des relations humaines ou l'hypothèse de l'autonomie créative», in *Thérapie Familiale*, 1987/1, pp. 19-30.

[22] R. Neuburger, «Analyse, lyse et catalyse, éléments pour une éthique systémique», in *Cahiers du CEFA* du 13.2.1981.

[23] R. Neuburger, «Ethique du changement, éthique du choix. Introduction à une thérapie familiale constructiviste», in *Systèmes, éthique, perspectives en thérapie familiale,* sous la direction de Y. Rey et B. Prieur, pp. 105-117.

[24] E. Morin, «Noologie et éthique» in *L'interaction en médecine et en psychiatrie.* En hommage à Gregory Bateson, 1982, pp. 145-148.

[25] H. Atlan, *A tort et à raison*, p. 297.

[26] Voir à ce sujet G. Fourez, *La science partisane*.

[27] J. Duss von Werdt, «Travail social, approche systémique: valeur et valeurs», in *Travail social et systémique*, textes réunis par O. Amiguet et C. Julier, pp. 269-279.

[28] J. Duss von Werdt, «Individu, familles, systèmes plus larges - aller et retour», in *Thérapie Familiale*, 1991/4, pp. 279-292.

[29] On peut voir par exemple l'usage que fait I. Orgogozo, *Les paradoxes de la qualité*, Organisation, Paris 1987, et *Les paradoxes de la communication*, 1988. Elle utilise de manière claire une lecture systémique de l'organisation pour en tirer des applications utiles au patronat.

[30] Saint Paul dénonçait déjà dans son épître aux Romains (chap. 7): la loi est bonne, mais ils se sont emparés de la loi en la pervertissant à leur propre profit. L'autojustification qu'il dénonce, c'est le décalage entre l'intention bénéfique et la mise en oeuvre qui la déforme. La finalité en a été détournée. La critique des pharisiens, c'est celle d'un détournement de norme.

[31] J. Pluymaekers, «Travail social aujourd'hui: un espace éminemment politique», in *Travail social et systémique*, textes réunis par O. Amiguet et C. Julier.

[32] C. Julier, «Formation à l'approche systémique en travail social» in *Travail social*, 1991/3-4.

[33] Par exemple, face aux chômeurs qui arrivent en fin de droit, une pratique a été mise en place qui consiste à les mettre au bénéfice d'une rente d'invalidité. Si dans certaines circonstances ce choix a pu être justifié, pertinent et aidant, on constate que cette pratique se répand largement et qu'un certain nombre de personnes sont décrétées invalides et marginalisées de manière durable, voire définitive, parce qu'elles ne trouvent pas d'emploi...

Chapitre III

[1] Voir notamment:

C. Bachmann et J. Simonin, *Changer au quotidien: une introduction au travail social.*

P. Berlie, V. Degoumois. M. Fallet. C. Wist, *Introduction au travail social et à l'action sociale.*

S. Staub-Bernasconi, «Connaissances et savoir faire: théories et compétences dans le travail social», in Fragnière et al., *Manuel de l'action sociale en Suisse*, pp. 271-294.

S. Staub-Bernasconi, *Systemtheorie, soziale Probleme und soziale Arbeit: lokal, national, international.*

P. Avvanzino, *Histoires de l'éducation spécialisée.*
A. Menthonnex, *Le service social et l'intervention sociale.*

2 Voir la section sur le symptôme.

3 Sans entrer dans des polémiques stériles sur le choix des termes adéquats pour désigner les personnes qui s'adressent aux travailleurs sociaux, nous utiliserons de préférence le terme de client pour les nommer. Nous utiliserons également les mots *système client* pour indiquer que nous prenons toujours en compte le client et le système relationnel dans lequel il est inclus. Nous utilisons ce terme au singulier par convention. Il va de soi que pour nous *le client* peut recouvrir aussi bien un individu que plusieurs personnes, une famille comme une équipe de travail ou toute autre composition selon la situation abordée et le problème impliqué.

4 O. Amiguet, «Travail social et systémique: contexte et/ou épistémologie», in *Travail social et systémique.*

5 Voir la section sur les jeux relationnels.

6 P. Watzlawick, *Les cheveux du Baron de Münchhausen*,.

7 J-P. Boutinet, *Du discours à l'action*, pp. 11-26.

8 Ibidem, pp. 23-24.

9 J. Pluymaekers, «Agir et réfléchir... à l'infini. La formation à l'approche systémique», in *Thérapie Familiale*, 1986/2, pp. 167-180.

10 E. Morin, *Introduction à la pensée complexe*, p. 101.

11 Ibidem, pp. 104 -124.

12 J.-L. Lemoigne, *La théorie du système général: théorie de la modélisation*, p. 182.

Cadre

13 C. de Saussure, «Psychothérapie au domicile du patient: quel cadre?», in *Cadres thérapeutiques et enveloppes psychiques*, sous la direction de G. Bleandonu, p. 127.

14 *L'espace thérapeutique: cadres et contextes*, sous la direction de M. Grossen et A.-N. Perret-Clermont.

15 M. Selvini-Palazzoli, *Paradoxes et contreparadoxes* et *Le magicien sans magie.*

16 Par exemple:
Y. Boszormenyi Nagy, J.-L. Framo, *Psychothérapies familiales*, pp. 111-118.
G. Salem, *L'approche thérapeutique de la famille*, p. 130 ss.
M. Andolfi. *La thérapie avec la famille*, p. 57 ss.
S. Minuchin, *Familles en thérapie*, p. 149 ss.
M. Heireman, *Du côté de chez soi,* p. 67.
J. Kellerhals et al., «Le contrat comme relation: une étude des cadres sociaux du consentement», in *Cahiers critiques de thérapie familiale et de pratiques de réseaux*, 1991/13, p. 103 ss.

17 E. Fivaz, R. Fivaz, L. Kaufmann, «Encadrement du développement, le point de vue systémique», in *Cahiers critiques de thérapie familiale et de pratiques de réseaux*, 1982/4-5, pp. 63-74.

18 Par exemple: P. Caillé, *Les objets flottants: au delà de la parole en thérapie systémique.*

19 P. Lebbe-Berrier, «Cadre de travail en intervention sociale», in *Thérapie Familiale*, 1992/13, pp. 143-154 et «Méthodologie systémique, support d'une recherche de créativité en travail social», in *Travail social et systémique*, textes réunis par O. Amiguet et C. Julier, pp. 39-72.

20 C. de Robertis, *Méthodologie de l'intervention en travail social*, p. 149 ss.

[21] A cet égard, nous pensons à une institution éducative qui a instauré la pratique du contrat au moment de l'admission des adolescents qu'elle prenait en charge; les objectifs du contrat étaient de préciser le sens du placement, les objectifs poursuivis, les conditions de travail commun. L'intention excellente permit dans un premier temps de donner un élan au travail éducatif: on savait où aller, ce qu'on visait, à quoi servait le placement. Mais, rapidement, les adolescents mirent cette pratique en difficulté en ne respectant pas les clauses du contrat passé à l'admission: celles-ci voulaient poser des bases de collaboration, mais elles devinrent alors les clauses d'exclusion de l'institution pour contrat non respecté. En un an, 18 départs sur 25 furent motivés par un non-respect du contrat. La mise en place du contrat a eu un effet boomerang: il se voulait aidant et est devenu la cause de la paralysie... Ce qui est alors en cause, ce n'est pas tant le contrat lui-même que sa rigidification.

[22] Voir la section sur les pressions.

[23] M. Selvini, «Hypothétisation, circularité, neutralité», in *Thérapie Familiale*, 1983/2, pp. 117-132, de même que
F. Seywert, «Le questionnement circulaire», in *Thérapie Familiale,* 1993/1, pp. 73-88.

[24] Service destiné à favoriser la reprise de l'exercice du droit de visite lorsque celui-ci est interrompu et que les parents ne peuvent se mettre d'accord pour l'exercer, malgré les conventions établies par les tribunaux. Tous les « Point Rencontre» ne partagent pas les mêmes options que celles décrites ci-dessus.

[25] Par exemple:
S. Cirillo, *La famille maltraitante.*
J. Pluymaekers, «Le mandat et la circulation des secrets», in *Familles, institutions et approche systémique*, pp. 107-122.
G. Hardy, Cl. Hesselle, Ch. Defays, H. Gerrekens, «De l'aide contrainte à l'intervention sous mandat», in *Thérapie Familiale*, 1993/4, pp. 353-365, et 1994/2, pp. 167-185.

Contexte

[26] G. Bateson, *La nature et la pensée*, p. 25.

[27] P. Watzlawick, *Une logique de la communication*, p. 15.

[28] Y. Winkin, *La nouvelle communication*, p. 24.

[29] G. Bateson, *La nature et la pensée*, p. 53.

[30] Ibidem, p. 26.

[31] L. Vasquez et al, «Niveaux de signification et communication», in *Thérapie Familiale*, 1991/2, p. 143: «Nous organisons les contextualisations en accordant des priorités d'un niveau sur les autres; c'est ainsi que l'observateur produit des hiérarchies lui permettant d'utiliser plusieurs contextes dans la compréhension d'un événement.»

[32] E. Morin, *Introduction à la pensée complexe*, p. 204.

[33] Ferraresi (1970), cité par M. Selvini, «Contexte et métacontexte dans la psychothérapie familiale», in *Thérapie Familiale*, 1981/2, p. 19.

[34] Ibidem.

[35] Voir Selvini et al., *Le magicien sans magie*, p. 65.
M. Andolfi, *La thérapie avec la famille*, p. 68, distingue quatre contextes proposés au thérapeute par les familles: le contexte *d'attente* dans lequel le système attend la solution du thérapeute, le contexte *judiciaire* dans lequel la famille attend un

jugement de la part du thérapeute, le contexte *protecteur* dans lequel le thérapeute doit protéger le membre annoncé comme fragile, et le contexte de *folie* dans lequel on n'attend rien du thérapeute sinon son impuissance...

[36] J. Cosnier, «De l'amour du texte à l'amour du contexte», in *Cahiers critiques de thérapie familiale et de pratiques de réseaux,* 1991/13, pp. 29-45. Bien qu'il ne s'inscrive pas dans la foulée de Selvini, Cosnier propose de distinguer les *marqueurs d'appartenance* qui sont des indicateurs du milieu social dont on est issu, des traditions dans lesquelles on s'inscrit, etc., et les *marqueurs de relations* qui indiquent le rôle et statut des divers protagonistes: celui-ci est chef, celui-là peut être négligé, on vouvoie celui-ci et tutoie celui-là... Cette distinction de divers types de marqueurs de contexte nous parait utile bien que nous la retrouvions également par le biais d'autres repères.

[37] M. Selvini, «Contexte et métacontexte dans la psychothérapie familiale», in *Thérapie Familiale*, 1981/2, p. 26.

[38] Ibidem.

[39] M. Andolfi, *La thérapie avec la famille*, pp. 66-67. Pour évoquer la même nécessité, il parlera de *redéfinition du contexte*: «On peut transformer la thérapie dans la mesure où est redéfinie la relation entre patient et thérapeute dans la situation thérapeutique. Cela signifie que même le contexte - *c'est-à-dire l'atmosphère affective et l'espace physique dans lequel a lieu la thérapie* - doit changer» .

[40] M. Selvini, *Mara Selvini-Palazzoli, histoire d'une recherche*, p. 76: «La communication n'est jamais ni saine, ni malade, elle est toujours fonction d'un contexte, *d'un jeu.*» (c'est nous qui mettons en évidence).

[41] Cette idée de jeu sera d'ailleurs reprise par exemple par Monroy: «Le terme de «aires de jeu» parait préférable à celui de «contexte» en ce qu'il rend compte d'un certain choix du cadre que l'on va donner à une scène dont le texte n'est pas fortuit», M. Monroy, *Scènes, mythes et logiques*, ESF, Paris, 1989, p. 26.

[42] Cité par M. Heireman, in *Du côté de chez soi*, p. 33.

[43] O. Amiguet, «Travail social et systémique, contexte et/ou épistémologie», in *Travail social et systémique*, pp.11-36.

[44] P. Lebbe -Berrier, *Pouvoir et créativité du travailleur social*, p. 37 ss.

[45] P. Lebbe -Berrier, «Méthodologie systémique: support d'une recherche de créativité en travail social», in *Travail social et systémique*, textes réunis par O. Amiguet et C. Julier, pp. 39-72.

[46] A. Chemin, «Bilan après 15 ans de pratique à l'intervention systémique en A.E.M.O», in *Thérapie Familiale*, 1992/1, p. 56.

[47] A. Chemin, «Vers une méthodologie systémique en AEMO: qui demande quoi, à qui, pour quoi faire, pourquoi maintenant?», in *Travail social et systémique*, textes réunis par O. Amiguet et C. Julier, p.116.

[48] J-P. Mugnier, *L'identité virtuelle: les jeux de l'offre et de la demande dans le champ social*, p. 27.

[49] Il ne nous paraît pas utile de retenir pour l'instant (nous les retrouverons dans la section sur les jeux relationnels) les réflexions de Selvini sur l'établissement du climat de la rencontre, c'est-à-dire sur le jeu qui s'instaure entre les partenaires. De même, nous ne retenons pas ici la conception de Nagy qui fait du contexte une notion englobante et peu opératoire en l'occurrence.

[50] C. Sluzki, «Le réseau social: frontière de la thérapie systémique» in *Thérapie Familiale*, 1993/3, pp. 239-251 et 1993/4, p. 366, propose la notion de carte de réseau qui est construite avec les personnes concernées et aide à identifier qui est impliqué et à quel titre dans la situation:

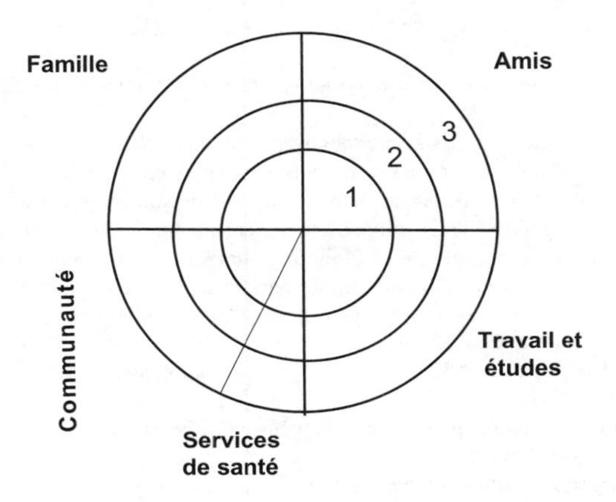

1 = Relations intimes (familiers en contact quotidien/amis proches)
2 = Relations sociales (avec contact personnel)
3 = Personnes connues (relations occasionnelles

[51] Voir à cet égard J-P. Mugnier, «Familles assistées et travail social», in *Thérapie Familiale*, 1990/1, pp. 41-53 et M. Selzenswalb, «Le profil psychosocial de la famille multiassistée», in *Thérapie Familiale*, 1991/4, pp. 337-347.

[52] Quelle est la bonne heure pour coucher un enfant de trois ans? En Suisse, c'est aux environs de 20h, en Amérique du Sud, c'est quand il a sommeil. Une mère sud-américaine se sentira donc une mauvaise mère aux yeux des Suisses si elle couche son enfant quand il a sommeil, mais une mauvaise mère à ses propres yeux si elle le couche à 20h.

[53] Selon l'expression proposée par A. Ciola lors du colloque de Genève en 1992 «Travail social et systémique».

[54] Voir la section presssions à ce sujet.

Demande

[55] S. Cirillo et P. Di Blasio, *La famille maltraitante*, p. 32.

[56] Dictionnaire encyclopédique Larousse, 1979.

[57] F. Belpaire, *Intervenir auprès de jeunes inadaptés sociaux: approche systémique*, p. 225 ss.

[58] L. Onnis, «Le «système demande»: la formation de la demande d'aide selon une perpective systémique», in *Thérapie Familiale*, 1984, pp. 341-348.

[59] Voir Y. Colas, «L'approche systémique et les patients âgés à l'hôpital psychiatrique», in *Thérapie Familiale*, 1988/1, pp. 71-82.

[60] J. Schweizer, «Nécessité ou besoin», in *Thérapie Familiale*, 1993/3 pp. 253-265. Voir à ce sujet la section pressions.

[61] Voir la section sur les préconstruits.

[62] L. Onnis, *Corps et contexte: thérapie familiale des troubles psychosomatiques*, p. 96.
[63] J.-P. Mugnier, «Familles assistées et travail social», in *Thérapie Familiale*, 1990/1, pp. 41-53.
[64] J.-P. Mugnier, *L'identité virtuelle: les jeux de l'offre et de la demande dans le champ social*, p. 87.
[65] Ainsi, par exemple, cette assistante sociale qui voulait expliquer à un homme africain qu'en Suisse hommes et femmes sont égaux et qui, pour être plus accueillante a invité cet homme à s'asseoir. S'étant levée pour lui remettre son argent, et sans cesser son discours sur l'égalité, elle a négligé de se rasseoir. L'homme s'est fâché et est parti brusquement. Ce n'est qu'après qu'elle a compris que cet homme avait subi une double injure: être assis alors qu'elle lui parlait debout, le mettant ainsi dans une position d'accusé et recevoir de l'argent alors qu'elle était femme, ce qui représentait pour lui une humiliation, le tout englobé dans un discours sur l'égalité...
[66] R. Fisch, J.H. Weakland, L. Segal, *Tactiques du changement,* pp.119-142.
[67] Ibidem, pp. 120-121.
[68] G. Ausloos, «Equation personnelle, langage familial et formation», in *Thérapie Familiale*, 1986/2, pp. 137-145.
[69] R. Neuburger, *L'irrationnel dans le couple et la famille*, p. 134.
[70] Voir à ce sujet la section sur le symptôme: les formes de causalités.
[71] P. Lebbe-Berrier, «Méthodologie systémique: support d'une recherche de créativité en travail social», in *Travail social et systémique*, textes réunis par O. Amiguet et C. Julier, pp. 39-72.
[72] Voir la section sur les pressions.
[73] P. Lebbe-Berrier propose dans *Pouvoir et créativité du travailleur social*, p. 53, le tableau suivant pour retracer le circuit de la demande:

DEMANDES EXPLICITES ET/OU IMPLICITES			
A qui?	De qui?	Pour qui?	Pourquoi?
- au travailleur social directement - à un intermédiaire - à une instance administrative, judiciaire	- du client - du travailleur social - d'un collègue - d'un proche de la famille - du réseau social - d'une instance institutionnelle - de tout autre référent	- pour lui-même - pour un autre membre de sa famille - pour d'autres personnes du réseau	- demandes administratives, financières, juridiques - pour des problèmes relationnels, familiaux, parentaux, conjugaux - pour des interventions de groupe ou d'animation...

[74] J.-P. Mugnier, «Familles assistées et travail social», in *Thérapie Familiale*, 1990/2, pp. 41-53.
[75] Cette question a été traitée par plusieurs auteurs. Schneider, par exemple, parle de la fonction de la demande d'accueil dans les familles qui sont candidates à recevoir un enfant en placement (B. Schneider: «Approche systémique de la sélection des familles d'accueil», in *Thérapie Familiale*, 1990/1, pp. 55-71), reprenant ainsi les thèses de S. Cirillo et P. Di Blasio, *Familles en crise et placement familial*.
[76] Quelques éléments bibliographiques sur la notion de *crise*:

Sur la famille:

G. Salem, *L'approche thérapeutique de la famille,* pp. 49-69.
S. Cirillo, *Familles en crise et placement familial.*
M. Du Ranquet, *Les approches en service social.*

B. Camdessus, *Les crises familiales du grand âge.*
C. Gammer, M.C. Cabié, *L'adolescence, crise familiale. Thérapie familiale par phases.*
P. Caillé, *Un et un font trois.*
P. Caillé, «L'intervenant, le système et la crise», in *Thérapie Familiale*, 1987/4, pp.359-370.
A. Yahyaoui, *Identité, culture et situation de crise.*
G. Ausloos, «Finalités individuelles, finalités familiales: ouvrir des choix», in *Thérapie Familiale*, 1983/2, pp. 207-219.

Sur le développement de l'individu:
D. Aguilera, J. Messik, *Intervention en situation de crise.*
R. Houde, *Les temps de la vie.*
E. Erikson, «Les huit étapes de l'homme», in *Enfance et société,* pp. 169-180.

Sur une perspective plus large:
L. Onnis, «Crises et systèmes humains: influence de l'intervention thérapeutique sur la définition et l'évolution de la crise», in *Cahiers critiques de Thérapie familiale*, 1988/8, pp. 73-82.
J.-L. Lemoigne, «Crises», in *Cahiers critiques de Thérapie familiale*, 1988/9.
Morin E., «Pour une théorie de la crise», in *Sociologie,* 1984.

[77] P. Watzlawick, J. Weakland, R. Fisch, *Changements, paradoxes et psychothérapie.*

[78] Voir en particulier: M. Selvini-Palazzoli, L. Boscolo, G. Cecchin, G. Prata, *Paradoxe et contreparadoxe.*

[79] M. Selvini, *Mara Selvini-Palazzoli: histoire d'une recherche*, pp. 100-110.

[80] M. Selvini-Palazzoli, S. Cirillo, M. Selvini, A.-M. Sorrentino, *Les jeux psychotiques dans la famille*, p. 278.

[81] P. Caillé, «L'intervenant, le système et la crise», in *Thérapie Familiale*, 1987/4, pp. 359-370.

[82] E. Morin, «Pour une théorie de la crise», in *Sociologie,* 1984.

[83] E. Tilmans-Ostyn, «Analyse de la demande versus analyse de la plainte», in *Thérapie Familiale*, 1983/2, pp. 201-205 et
«Analyse de l'enjeu de la demande au lieu de l'analyse de la plainte», in *Thérapie Familiale*, 1985/3, pp. 341-348 et
«La création de l'espace thérapeutique lors de l'analyse de la demande», in *Thérapie Familiale*, 1987/3, pp. 229-246.

[84] R. Fisch, J.H. Weakland, L. Segal, *Tactiques du changement.*

[85] J-J. Wittezaele et T. Garcia, *A la recherche de Palo Alto*, p. 276.

[86] Voir à cet égard la section sur le contexte.

[87] Voir en particulier:
M. Selvini-Palazzoli, «Hypothétisation, circularité, neutralité», in *Thérapie Familiale*, 1983/2, pp. 117-132.
F. Seywert, «Le questionnement circulaire», in *Thérapie Familiale*, 1993/1, pp. 73-88.
F. Belpaire, *Intervenir auprès de jeunes inadaptés sociaux*, pp. 177-182.
Voir également:
P. Lebbe-Berrier, *Pouvoir et créativité du travailleur social*, p. 53.
M. Meynkens, «Supervision d'équipe», in *Thérapie Familiale*, 1993/3, pp. 277-289.
A. Chemin, «Vers une méthodologie systémique en AEMO: qui demande quoi, à qui, pour qui, pour quoi faire, pourquoi maintenant», in *Travail social et systémique*, textes réunis par O. Amiguet et C. Julier, pp. 110-123.
R. Neuburger, «Aspects de la demande: la demande en psychanalyse et en thérapie

familiale», in *Thérapie Familiale*, 1980/2, pp. 133-144.
R. Fisch, J.H. Weakland, L. Segal, *Tactiques du changement*, pp. 97-105.

[88] D. Bériot, *Du microscope au macroscope*.

[89] On enseignait dans les écoles sociales un moyen mnémotechnique pour prendre en compte les situations: les 5 **P**: il faut prendre en compte la **P**ersonne, le **P**roblème, le **P**rofessionnel, la **P**lace et le **P**rocessus. Si le moyen est utile pour faciliter l'apprentissage, il nous paraît nécessaire de reformuler les idées dont il est porteur en fonction du tableau ci dessous. Il conviendrait alors de parler de **P**ersonne (acteur), **P**roblème (Objet), **P**rojet (objectif), **P**lace (contexte), **P**ari (enjeux), **P**ourtour (réseau), **P**rocessus (action déjà tentées), **P**roduits (résultats indicateurs), **P**rofessionnel (rôle de l'intervenant), **P**rix (obstacles et contraintes), **P**acte (redéfinition), **P**rogression (régulation)... Mais est-ce que les 12 **P** font encore office de moyen mnémotechnique? Ce n'est plus évident.

[90] M. Selvini-Palazzoli, L. Boscolo, G. Cecchin, G. Prata, *Paradoxe et contreparadoxe*.

[91] V. Satir, *Pour retrouver l'harmonie familiale*.

[92] Selon la distinction que propose Watzlawick entre «difficulté» et «problème». Cf. note nº 77.

[93] P. Caillé, *Les objets flottants*.

[94] L. Onnis, «Thérapie familiale de l'anorexie mentale, un modèle d'intervention basé sur les sculptures familiales», in *Thérapie Familiale*, 1991/3, pp. 25-35 et «Langage du corps et langage de la thérapie, la sculpture du futur comme méthode d'intervention systémique dans les situations psychosomatiques», in *Thérapie Familiale*, 1992/1, pp. 3-19.

[95] M. Selvini-Palazzoli, «L'organisation a d'ores et déjà son jeu», in *Dans les coulisses de l'organisation*, pp. 156-170.

Jeux relationnels

[96] Cf. G. Bateson, «Une théorie du jeu et du fantasme», in *Vers une écologie de l'esprit*, tome 1, pp. 209-224.

[97] J.-J. Wittezaele et T. Garcia, *A la recherche de l'école de Palo Alto*, p. 158.

[98] M. Du Ranquet, *Les approches en service social: interventions auprès des personnes et des familles*, pp. 42-48.

[99] Nous pouvons souligner que pour d'autres auteurs, cette définition de status est posée en termes de rôles; ainsi, pour Belpaire: «le rôle est constitué par l'ensemble des conduites auxquelles on s'attend de la part d'une personne qui occupe une certaine position à l'intérieur d'un système ou d'un sous-système» et il cite comme rôle: père, mère, mari, frère, policier..., soit assez exactement ce que Du Ranquet désigne par status. Cf. F. Belpaire, *Intervenir auprès de jeunes inadaptés sociaux*, p.71.

[100] Du Ranquet, *Les approches en service social: interventions auprès des personnes et des familles*, p. 44.

[101] Chagoya et Guttman, *Guide pour évaluer le fonctionnement de la famille*, polycopié du groupe émotionnel didactique de Vaucresson, 1978.

[102] M. Mc Goldrick et R. Gerson, *Génogrammes et entretien familial*, p. 142.

[103] G. Ausloos, «Réflexion systémique à propos d'une adolescente anorexique», in *P.R.I.S.M.E.*, 1992/2-3, p. 378.

[104] E. Friedberg, *Le pouvoir et la règle*, pp. 223 et 225.

[105] M. Crozier et E. Friedberg, *L'acteur et le système*, p. 97.

[106] E. Friedberg, *Le pouvoir et la règle*, p. 226: «Au lieu de partir d'un ensemble de rôles

définis à priori comme nécessaires au bon fonctionnement de l'ensemble et intériorisés par les acteurs, on cherchera à reconstruire les rapports de pouvoir et de négociation entre les individus et les groupes à travers lesquels ces rôles sont ou non traduits dans des comportements effectifs, et l'articulation de ces rapports les uns aux autres dans des jeux réglés.»

[107] M. Crozier et E. Friedberg, *L'acteur et le système*, p. 79.

[108] E. Friedberg, *Le pouvoir et la règle*, pp. 227-228.

[109] M. Crozier et E. Friedberg, *L'acteur et le système*, p. 97.

[110] Ibidem, p. 332.

[111] M. Selvini-Palazzoli, L. Boscolo, G. Cecchin, G. Prata, *Paradoxe et contre-paradoxe*, p. 12.

[112] M. Selvini-Palazzoli, S. Cirillo, M. Selvini, A.-M. Sorrentino, «L'individu dans le jeu», in *Thérapie Familiale*. 1989/1, pp. 3-13.

[113] Voir par exemple:
M. Selvini-Palazzoli, «Vers un modèle général des jeux psychotiques dans la famille», in *Cahiers critiques de thérapie familiale et de pratiques de réseaux*, 1988/8.
S. Cirillo et P. Di Blasio, *Familles en crise et placement familial*, repèrent aussi bien les jeux qui amènent au placement de l'un des membres de la famille que les jeux qui incluent l'accueil d'un enfant dans une famille. La question devient alors d'une part de repérer et comprendre ces jeux et, d'autre part, de les rendre compatibles, sans qu'ils ne se paralysent l'un l'autre.
O. Amiguet, «Familles d'accueil et institutions: à la recherche de complémentarités», in *Travail Social*, 1990/12, pp. 14-21, reprend ce travail et l'adapte aux institutions et aux familles d'accueil.
S. Cirillo et P. Di Blasio, *La famille maltraitante*, montrent les particularités des jeux comportant la maltraitance.
G. Prata, «La barrière des microbes», in *Thérapie Familiale*, 1990/1, pp. 3-13, dans lequel il est question du «jeu phobique».
G. Prata, «Du «jeu symétrique» du couple au «jeu psychotique» de la famille», in *Thérapie Familiale*, 1991/12, pp. 3-15.
G. Prata, «Jeux familiaux: amour et haine dans un couple», in *Thérapie Familiale*, 1993/1, pp. 17-29.

[114] M. Selvini-Palazzoli, S. Cirillo, M. Selvini, A.-M. Sorrentino, «La métaphore du jeu», in *Les jeux psychotiques dans la famille*, pp.175-188.

[115] Ibidem, p. 78.

[116] M. Selvini-Palazzoli, «Il nous faut inventer des stratégies pour élargir notre connaissance», in *La thérapie familiale en changement*, sous la direction de M. Elkaïm, p.118: «Substituer au modèle systémique la métaphore du jeu nous a permit de découvrir l'individu en tant qu'être vivant stratégique dans le jeu familial. Mais il est important d'ajouter que, de cet être stratégique, il convient de connaître non les opinions mais les buts.»

[117] M. Andolfi, *La thérapie avec la famille*, pp. 99-107.

[118] M. Andolfi, C. Angelo et M. de Nichilo Andolfi, *Temps et mythe en psychothérapie familiale*,pp. 73-94.

[119] P. Caillé, «L'individu dans le système», in *Thérapie Familiale,* 1989/3, pp. 205-219.

[120] Ibidem, p. 211.

[121] M. Crozier et E. Friedberg, *L'acteur et le système*, pp. 20-21.

[122] P. Caillé, «L'individu dans le système», in *Thérapie Familiale,* 1989/3, p. 213.

[123] P. Caillé et H. Hartveit, «Rien ne va plus..., cinq couples à la recherche d'un nouveau texte», in *Thérapie Familiale*, 1982/4, pp. 373-392.

[124] P. Caillé et Y. Rey, *Il était une fois... du drame familial au conte systémique.*
[125] P. Caillé et Y. Rey, *Les objets flottants: au delà de la parole en thérapie systémique*, pp. 114 -129.
[126] E. Berne, *Des jeux et des hommes.*
[127] E. Berne, cité par P. Lebbe-Berrier, op cit., p. 56.
[128] P. Lebbe-Berrier, «Méthodologie systémique: support d'une recherche de créativité en travail social», in *Travail social et systémique*, textes réunis par O. Amiguet et C. Julier, pp. 39-72.
[129] J.-P. Mugnier, *L'identité virtuelle, les jeux de l'offre et de la demande dans le champ social*, de même dans son intervention aux «Deuxièmes journées francophones de Montrouge» sur Travail social et systémique, «Les stratégies de l'indifférence», in «L'approche systémique dans le social: une méthode pour comprendre, un outil pour agir», *Traces*, ITSR, Montrouge, 1995.
[130] C'est-à-dire un endroit où peut être verbalisé, «je sais que tu sais que je sais que tu sais...» C'est cette circularité dans l'information qui permet de ne pas rester emprisonné dans un modèle fait de ce que chacun imagine que l'autre sait ou pense. Cet espace cognitif commun devient alors le lieu du travail de l'identité et de l'appartenance.
[131] A. Chemin, «Vers une méthodologie systémique en AEMO», in *Travail social et systémique*, textes réunis par O. Amiguet et C. Julier, p. 110.
[132] M. Christen, «Violence familiale, violence institutionnelle: isomorphisme», in *Travail social et systémique*, op, cit., p. 128.
[133] J. Pluymaekers, «Lecture systémique et quotidien institutionnel», in *Familles, institutions et approche systémique*, pp. 63-75, ou «Le mandat et la circulation des secrets», in op. cit., pp. 107-122.
[134] F. Julier-Costes, «Réflexions sur l'argent comme marquer de contexte dans la relation d'assistance financière», *Travail social et systémique*, textes réunis par O. Amiguet et C. Julier, p. 143.
[135] R. Pauzé et L. Roy, «Hypothèse initiale: tentative d'ancrage dans le flot turbulent des événements», in *Familles, institutions et approche systémique*, pp. 132-147.
[136] Cf. pour la carte relationnelle: R. Pauzé et L. Roy, «Hypothèse initiale: tentative d'ancrage dans le flot turbulent des événements», in *Familles, institutions et approche systémique,* pp. 132-147.
[137] G. Ausloos, «Finalités individuelles, finalités familiales, ouvrir des choix», in *Thérapie Familiale*,1983/2, pp.207-219.
[138] Voir la section temps.
[139] Voir à cet égard G. Bateson, «La cybernétique du soi», in *Vers une écologie de l'esprit.*

Préconstruits

[140] Voir par exemple:
H. von Foerster, «Ethique et cybernétique de second ordre», in *Systèmes, éthique, perspectives en thérapie familiale,* sous la direction de Y. Rey et B. Prieur, p. 50: «Quand je parle avec des gens qui ont soit décidé d'être des découvreurs, soit décidé d'être des inventeurs, je suis toujours frappé par le fait qu'aucun d'eux n'a conscience d'avoir pris un jour cette décision.» et
«La construction d'une réalité», in *L'invention de la réalité*, sous la direction de P. Watzlawick, pp. 45- 69.

Egalement: G. Fourez, *La science partisane.*

[141] D. Jodelet, *Les représentations sociales*, p.36. Cet ouvrage présente un panorama des recherches contemporaines sur cette notion de représentation sociale. Voir également: V. Aebischer, J.-P. Deconchy et M. Lipiansky, *Idéologies et représentations sociales.*

[142] Voir G. Bateson, *La peur des anges*, pp. 31-48: Il reprend pour cela une distinction qu'il emprunte à Jung: celle entre *Pléroma*, le monde physique, et *Créatura* le monde de la construction du sens.

[143] «Avec quoi construit-on des réalités idéologiques», in *L'invention de la réalité*, sous la direction de P. Watzlawick, pp. 223- 266.

[144] H. Laborit, *La colombe assassinée.*

[145] G. Bateson, *Vers une écologie de l'esprit*, tome 1, pp. 253-282. Voir également: M. Siméon, «Le temps de la formation», in *Thérapie Familiale*, 1992/3, pp. 327-335, et J.-J. Wittezaele et T. Garcia, *A la recherche de Palo Alto,* pp. 113-129.

[146] C. Sluzki et E. Véron, «La double contrainte comme situation pathogène universelle», in *Sur l'interaction*, sous la direction de P. Watzlawick, pp. 308-322.

[147] J.-J. Wittezaele et T. Garcia, *A la recherche de Palo Alto*, p. 128.

[148] M. Siméon, «Le temps de la formation», in *Thérapie Familiale*, 1992/3, pp. 327-335.

[149] P. Watzlawick, *Faites votre malheur vous-mêmes*, de même J. Haley présente un portrait du schizophrène, montrant quel apprentissage relationnel difficile il a du faire, qui demande patience, expérimentation répétée et ne se trouve donc pas à la portée de n'importe qui. Ce texte ironique, parfois mal reçu, est polémique contre ceux qui se refusent à voir la pathologie en termes relationnels. In *Tacticiens du pouvoir,* chap.6: «L'art d'être schizophrène», pp. 99-118.

[150] V. Satir, *Pour retrouver l'harmonie familiale,* pp. 74-93.

[151] J. Melese:
Approches systémiques des organisations, vers l'entreprise à complexité humaine;
La gestion par les systèmes;
L'analyse modulaire des systèmes de gestion AMS.

[152] Y. Bertrand, *Théories contemporaines de l'éducation*, p. 64.

[153] Voir par exemple: J. Haley, «Les idées qui sont un handicap pour le thérapeute», in *Leaving Home*, pp. 23-43.
De même, P. Caillé parle du «plus un de la relation», c'est-à-dire le mythe relationnel qui est construit par l'appartenance à une même histoire et qui construit en même temps le comportement qu'il faut adopter au nom de cette appartenance. Cf. par exemple, *Un et un font trois.*

[154] P. Lebbe-Berrier, «Méthodologie systémique: support d'une recherche de créativité en travail social», in *Travail social et systémique*, textes réunis par O. Amiguet et C. Julier, pp. 39-72.

[155] Cf. E. Dessoy, «Le milieu humain», in *Thérapie Familiale,* 1993/4, p. 319: «Comme l'ambiance et l'éthique, les croyances associent un élément de culture, les croyances, et un mode de communication spécifique, le discours.»

[156] M. Crozier et E. Friedberg, *L'acteur et le système*, p. 15.

[157] Ibidem, p. 17.

[158] P. Berger et T. Luckmann, *La construction sociale de la réalité.*

[159] E. Goffman, *Stigmates*, ou *Façon de parler.*

[160] T. Nathan, *Fier de n'avoir ni pays, ni amis, quelle sottise c'était,* pp.46-47.

[161] L. Cancrini, *La psychothérapie: grammaire et syntaxe,* p. 17: «Une psychothérapie commence avant même le premier entretien: c'est un fait sur lequel on n'insiste pas suffisamment. Le moment où une personne ou un groupe entrent dans le cabinet du

thérapeute est précédé d'une série d'épisodes, formels ou informels... Qu'il en soit conscient ou non, avant d'ouvrir sa porte, à travers l'ensemble des procédures qui ont conduit à cette porte, le thérapeute a déjà commencé à répondre à une série de questions, formulées dès l'instant où quelqu'un a décidé de faire appel à lui.»

[162] C. Bachmann et J. Simonin, *Changer au quotidien, une introduction au travail social.*

[163] En 1974, une association construit un foyer maternel destiné à accueillir des mères célibataires. Les études parlent d'une nécessité d'environ 12 places. Le foyer en comporte plus de 30. L'équipe, marquée notamment par les écrits féministes anglais, décide d'ouvrir l'accueil aux femmes battues. Ce problème est jugé comme socialement inexistant. Tout au plus doit-il y avoir quelques cas dans les milieux très défavorisés!... En deux mois le foyer est plein. Ce problème n'a donc commencé à être reconnu qu'une fois construit...

[164] C. Bachmann et J. Simonin, *Changer au quotidien, une introduction au travail social,* p. 124 et ss.

[165] G. Dottrens, *L'Evangile, hôte et otage de la paroisse.*

[166] Cf. à cet égard J. Schweizer, «Nécessité ou besoin», in *Thérapie Familiale*, 1993/3, pp. 253-265.

[167] Voir la section sur le contexte.

[168] On se référera avec profit, par exemple, aux écrits suivants:

L. Caufman et P. Igodt, «Quelques développements récents dans la théorie des systèmes: les contributions de Varela et Maturana», in *Thérapie Familiale*, 1984/3, pp. 211-225.

P. Caillé, *Familles et thérapeutes, lecture systémique d'une interaction.*

H. Atlan, *A tort et à raison, intercritique de la science et du mythe.*

I. Prigogine et I. Stengers, *Entre le temps et l'éternité* et «Autoréférence et thérapie familiale», in *Cahiers critiques de thérapie familiale et de pratiques de réseaux*, 1989/9.

M. Elkaïm, *Si tu m'aimes, ne m'aimes pas.*

S. Goffinet, «Mythe, rituel et autoréférence en thérapie familiale», in *Thérapie Familiale*, 1990/1, pp. 73-89.

M. Stigler, «La famille: phénomène autoréférentiel et non pas système autopoïétique», in *Thérapie Familiale*, 1990/3, pp. 323-329.

A. Jacquard, *Voici le temps du monde fini.*

L. Onnis, «Le renouvellement épistémologique de la thérapie familiale: influences actuelles sur la théorie et sur la pratique», in *Thérapie Familiale*, 1991/2, pp. 99-109.

M. Elkaïm (sous la directions de), *La thérapie familiale en changement.*

[169] M. Elkaïm, *Si tu m'aimes ne m'aimes pas*, pp. 13 et 15.

[170] M. Elkaïm (sous la direction de), *La thérapie familiale en changement*, p. 79: «Il semblerait que le sentiment qui naît chez le thérapeute n'ait pas seulement un sens et une fonction dans son économie personnelle, mais aussi dans l'économie du système thérapeutique où ce sentiment apparaît. Si le thérapeute se contente de suivre les sentiments qui naissent en lui sans les analyser, il risque de renforcer les constructions du monde des membres de la famille ainsi que les siennes propres (...) Le travail thérapeutique sera alors d'aider les membres du système thérapeutique à être moins prisonniers des constructions du monde qui empêchent ce système d'évoluer.»

[171] Ainsi, par exemple, cette assistante sociale apprend que sa stagiaire, africaine, était battue par son mari. Scandalisée, elle la pousse à réagir, à ne pas se soumettre, à se séparer d'un mari si violent et donc peu respectueux. Il a fallu beaucoup de patience à la stagiaire pour lui faire comprendre que, dans sa culture, si son mari ne l'avait pas

battue, elle n'aurait plus pu le respecter, car c'était de son devoir de le faire. De plus, s'il l'avait fait, c'était qu'il avait «la connaissance» et cette action le rendait crédible et respectable. Les résonances de l'assistante sociale étaient en ce cas source non pas d'alliance, mais d'incompréhension totale.

[172] Voir à ce sujet: J.-P. Mugnier, «Entre l'offre et la demande: la création d'un espace cognitif commun», in *L'identité virtuelle*, ESFG, Paris, 1993, pp. 87-100.

Pression

[173] Voir à cet égard notre section sur le symptôme.

[174] Cf. M. Selvini et al, «Le problème du référent en thérapie familiale», in *Thérapie Familiale*, 1984/2, pp. 89-99.
M. Selvini, «Le problème du référent quand celui-ci est membre de la fratrie», in *Thérapie Familiale*, 1987/4, pp. 337-358.

[175] Ibidem, 1987, p. 354.

[176] Cf. Y. Colas, «Ambiguïté et formation», in *Thérapie Familiale*, 1986/2, pp. 147-165.

[177] Cf. par exemple: E. Tilmans-Ostyn, «La création de l'espace thérapeutique lors de l'analyse de la demande», in *Thérapie Familiale*, 1987/3, pp. 229-246: «Si le thérapeute analyse d'emblée la plainte, il se pose comme exécutant de l'ordre implicite du référent. Il conforme aussi des jugements négatifs de l'environnement concernant son patient, jugements qu'il omet de connaître et il ne tient pas compte des messages implicites contenus dans le choix du lieu, de la personne qui se présente et de la plainte présentée.»

[178] Voir par exemple:
S. Hirsch, C. Allano, P. Bacquias, C. Chirol, P. Segond, «Consultation familiale sous mandat judiciaire: une approche systémique», in *Traces de Faires*, 1987/4, pp. 113-136.
G. Aubrée et Ph. Taufour, «Des travailleurs sociaux sous ordonnances», in *Thérapie Familiale*, 1988/4, pp. 331-347.

[179] G. Hardy et al, «De l'aide contrainte à l'intervention sous mandat», in *Thérapie Familiale*, 1993/4, p. 355 et 1994/2, pp. 167-185.
On consultera également avec profit: C. Seron et J.-J. Wittezaele, *Aide ou controle, l'intervention thérapeutique sous contrainte.*

[180] J. Schweizer, «Nécessité ou besoin», in *Thérapie Familiale*, 1993/3, pp. 253-265.

[181] O. Masson, «Mandats judiciaires et thérapie en pédopsychiatrie», in *Thérapie Familiale,* 1988/4, p. 300.
Voir également: B. Bourassa, «La demande par delà le mandat», in *Thérapie Familiale*, 1989/2, pp. 163-173.

[182] Y.C. Blanchon et M. Chassin, «Qui fait la loi?», in *Thérapie Familiale*, 1998/4, p. 373.

[183] S. Cirillo et P. Di Blasio, *La famille maltraitante*, pp. 45 et 59.

[184] A. Chemin, «Epopée systémique d'une équipe d'action éducative en milieu ouvert», in *Thérapie Familiale*, 1994/2, pp. 159-171.

[185] A. Chemin, «Bilan après 15 ans de pratique à l'intervention systémique en AEMO», in *Thérapie Familiale*, 1992/1, pp. 55-63.

[186] A. Chemin, «Vers une méthodologie systémique en AEMO», in *Travail social et systémique*, textes réunis par O. Amiguet et C. Julier, pp. 109-123.

[187] J. Pluymaekers, «Le mandat et la circulation des secrets», in *Familles, institutions et approche systémique*, pp. 107-122.

[188] J.-P. Mugnier, «Signalement et abord systémique», in *Thérapie Familiale*, 1988/4, pp. 349-363.

[189] J.-P. Mugnier, *L'identité virtuelle*, pp. 26-27.

[190] Cf. R. Pauzé et al, «Equipe éducative: entre contrôle et changement», in *Thérapie Familiale*, 1990/1, pp. 27-39 et 1990/2, pp. 221-229.

[191] P. Lebbe-Berrier, *Pouvoir et créativité du travailleur social*, p. 53 ss.

[192] M. Christen, «Violence familiale, violence institutionnelle: isomorphisme», in *Travail social et systémique*, textes réunis par O. Amiguet et C. Julier, p. 127-138.

[193] P. Lebbe-Berrier, «Méthodologie systémique: support d'une recherche de créativité en travail social», in *Travail social et systémique*, op. cit., pp. 39-72.

[194] On pourrait rapprocher l'idée de pression de celle de manipulation: serait pression toute tentative de manipulation. Nous pensons qu'on ne peut pas ne pas manipuler. Communiquer, interagir, c'est influencer l'autre, c'est tenter d'obtenir de sa part tel type de comportement. Certes les pressions sont des tentatives de manipulation, mais ce qui les fait apparaître comme pressions, c'est le poids et le sens que leur donnent les personnes qui les subissent.

[195] T. Nathan, *L'influence qui guérit*, p. 246: «Au sujet de la colère: la bile (en grec *khôlé* = la bile) n'est plus contenue et se décharge sans retenue dans le corps du patient et, par voie de conséquence, dans son environnement. La colère, comme la frayeur, est donc articulée à une notion de membrane interne qui cède sous l'effet interne d'une pression.»

[196] Il est intéressant de noter que c'est à la suite de situations désespérées, dans lesquelles tous les intervenants sociaux s'étaient cassé les dents, toutes les menaces et pressions n'avaient pas abouti et toutes les formes d'aide avaient été exploitées jusqu'à la corde, tous les services déclaraient ne plus pouvoir aider... qu'est né dans la banlieue lausannoise un groupe du mouvement ATD Quart Monde: puisque les professionnels se déclaraient impuissants, il fallait donc s'organiser, regrouper les impuissances pour en faire de la force...

Symptôme

[197] J. Haley, *Stratégies de la psychothérapie*, pp. 22-42.

[198] P. Watzlawick, *Le langage du changement*, p. 107 ss.

[199] J.-J. Wittezaele et T. Garcia, *A la recherche de Palo Alto*, p. 275 ss.

[200] En particulier Bateson, Watzlawick, Haley, Fisch, Weekland, Beawin, Sluzki, Ferreira, Wittezaele et Garcia...

[201] Voir notamment dans la section sur la demande ce qui concerne «le plaignant».

[202] M. Selvini-Palazzoli, L. Boscolo, G. Cecchin, G. Prata, *Paradoxe et contre-paradoxe,* p. 43.

[203] Les recherches de M. Selvini et de sa nouvelle équipe ont renforcé l'utilisation de la métaphore du jeu, c'est-à-dire l'optique de manoeuvre relationnelle tant de la part du patient désigné que des autres membres de la familles. Mais le porteur du symptôme, du premier plan qu'il occupait dans les années 70 est passé à l'arrière de la scène. Les recherches centrées autour de l'utilisation de la prescription invariable, dont Selvini rend compte dans *Les jeux psychotiques* mettent l'accent autant sur le symptôme que sur l'imbroglio familial avec les manoeuvres d'instigation qui favorisent l'émergence d'un symptôme. Toutefois, le terme de patient désigné a évolué: «on n'emploie plus le terme *patient désigné*. Ce n'est pas un patient désigné, c'est tout simplement un patient, car patient en latin veut dire *celui qui souffre*, et s'il souffre, il faut l'aider».

Interview publié dans *Résonances*, 1995/1, pp. 11-18.

[204] P. Caillé, «Phase d'évaluation en thérapie familiale systémique», in *Changements systémiques en thérapie familiale*, p.43 ss.

[205] G. Ausloos, «Délinquance et thérapie familiale: le double-lien scindé thérapeutique», in *Bulletin de psychologie*, tome XXXVI, 359.

[206] M. Andolfi, *La thérapie avec la famille*, pp. 28 ss.

[207] M. Andolfi, C. Angelo, P. Menghi, A.M. Nicolo, *La forteresse familiale*, p. 37.

[208] Pour de plus amples informations, consulter:
Y. Boszormenyi Nagy, *Invisible Loyalties*. (Ce livre fondamental n'est toujours pas traduit en français. Quelques extraits traduits circulent de manière officieuse)
Y. Boszormenyi Nagy et J.-L. Framo, *Psychothérapies familiales*.
Y. Boszormenyi Nagy, Divers articles sur son oeuvre, in *Le groupe familial*, 133, 1991 et in *Dialogue*, 110 et 111, 1991.
M. Heireman, *Du côté de chez soi: la thérapie contextuelle d'Yvan Boszormenyi Nagy*.
A. van Heusden, E. van den Eerenbeemt, *Thérapie familiale et générations*.
C. Ducommun, «Approche contextuelle de la relation éducateur-famille», in *Feuillets de pédagogie curative*, 1987/17, pp. 38-42.
A. Ancelin-Schützenberger, *Aie, mes aïeux!*
H. Stierlin, *Le premier entretien familial*.
O. Amiguet, «Familles d'accueil et institutions», in *Travail social*, 1990/12, pp. 14-21.
A. Keller, *Loyauté, force ou faiblesse de l'action éducative*.

[209] M. Heireman, op. cit., p. 47.

[210] Ainsi, J. Prud'homme à Montréal demande son affiliation au mouvement psychanalytique sans renier son appartenance systémique, A.-M. Nicolo propose à Neuchâtel en 1989 une intervention intitulée: «Approche psychoanalytique de la thérapie familiale et de couple» et publie en 1990 un texte intitulé: «Soigner à l'intérieur de l'autre», in *Cahiers critiques de thérapie familiale et de pratiques de réseaux,* 12, pp. 29-51.

[211] R. Neuburger, *L'autre demande*, p.30 ss.

[212] R. Neuburger, *L'irrationnel dans le couple et la famille*, p. 60.

[213] R. Neuburger, *Le mythe familial*.

[214] J. Haley, *Leaving home*, p. 30.

[215] Cf. notamment, «Symptôme, famille et approche systémique», in *Paroles d'or,* revue de l'Association romande des logopédistes diplômés, septembre 1989, pp. 33-37: «Cela m'a paru bizarre que nous, qui travaillons avec des personnes qui changent, nous ayons une théorie qui rend compte de la stabilité.»

[216] E. Trappeniers, «Fonction du symptôme», in *Dictionnaire clinique des thérapies familiales systémiques*, ESF, Paris, 1988.

[217] Voir à ce sujet la bibliographie sur la crise, dans la section sur la demande, note n° 76.

[218] R. Pauzé et L. Roy, «Hypothèse initiale: tentative d'ancrage dans le flot turbulent des événements», in *Familles, institutions et approche systémique*, sous la direction de J. Pluymaekers, pp.132-147.

[219] R. Pauzé et P.A. Cotnarianu, «L'évolution de la notion de symptôme en thérapie familiale au cours des années 1980-1988», in *Thérapie Familiale*, 1991/1, pp. 45-53. Les auteurs donnent une bonne analyse de cette évolution de tendances sur la base de l'étude des articles parus dans deux revues pendant huit ans.

[220] L. Hoffman, «Beyond power and control: toward a second order family systems therapy», notes de lecture de D. Masson, in *Thérapie Familiale*, 1991/1, p. 81 ss.

[221] L. Hoffman, «Une position constructiviste pour la thérapie familiale», in *Cahiers critiques de thérapie familiale et de pratiques de réseaux*, 13, 1991, pp. 79-100.

[222] Cf. «Entretien avec Harry Goolishian: dialogue sur les conversations thérapeutiques», in *Résonances*, 1994/6, pp. 28-35.

[223] Voir plus loin «Symptôme et problème».

[224] G. Ausloos, «Individu-symptôme-famille», in *Thérapie Familiale*, 1990/3, p. 273 ss.

[225] G. Ausloos, op. cit. En regard de cette affirmation, «Un système ne peut poser de problème tel qu'il ne soit capable de le résoudre» nous déclarons notre désaccord. Ausloos laisse entendre d'abord qu'un système crée un problème, c'est-à-dire qu'il réintroduit une intentionnalité qu'il essaie de combattre. Cela reste dans une vision qui privilégie le maintien de l'homéostase comme explication. Comme si tout système était dominé par la peur de changer et ne subissait aucune influence de l'extérieur. Seuls les mécanismes de régulation interne sont explicatifs. Comme si on ne pouvait comprendre les choses qu'à l'intérieur d'un système, en l'isolant de son contexte, comme un système clos. Les travailleurs sociaux savent pourtant que la précarisation due au chômage de longue durée, la violence, la maladie, la langue, ont des incidences sur l'organisation du système qui ne dépendent pas exclusivement des capacités d'adaptation. Etre femme, de couleur, de culture très différente, ne parlant pas la langue du pays d'accueil, malade, pauvre et handicapée à la suite d'un accident, avec un mari au chômage, sans profession, alcoolique et un enfant sourd et un autre toxicomane (!!!) implique d'autres aléas que la capacité du système à poser des problèmes. Morin et Jacquard, par exemple, ont bien montré l'enchevêtrement des systèmes complexes qui génèrent, en eux-mêmes et entre eux, leurs propres tensions paradoxales. Lorsque cette femme, par exemple, est confrontée au *choix* entre demander de l'aide, et ce faisant signaler sa présence illégale, et se faire expulser, ou rester isolée, cela relativise ses marges de manoeuvre.
Néanmoins Ausloos souligne un point très important, c'est que les systèmes disposent de ressources et que c'est en les utilisant, ou en les excluant, qu'ils ont développé un réseau relationnel autour d'une difficulté. C'est donc aussi en s'appuyant sur ces ressources qu'il y aura lieu de construire son intervention.

[226] M. De Clercq, «L'intervention systémiques pour réponse aux urgences psychiatriques», in *Thérapie Familiale*, 1988/3, pp. 231-246.

[227] E. Tilmans-Ostyn, «La création de l'espace thérapeutique lors de l'analyse de la demande», in *Thérapie Familiale,* 1987/3, pp. 229-246.

[228] L. Onnis, «Texte et contexte en psychosomatique: des modèles réductionnistes à une épistémologie de la complexité», in *Cahiers critiques de thérapie familiale et de pratiques de réseaux*, 1991/13, pp. 245-257.

[229] Conférence du BICE à Crêt Bérard, Suisse, 1987.

[230] C. Sluzki, «L'émergence des récits comme foyer de thérapie», in *Thérapie Familiale*, 1991/4, pp. 293-300.

[231] C. Sluzki, «Comment se maintiennent les symptômes», in *Familles, institutions et approche systémique*, sous la direction de J. Pluymaekers, pp. 151-158.

[232] J. Haley, *Leaving home*.

[233] E. Morin, *Introduction à la pensée complexe*, pp. 114 -116.

[234] R. Neuburger, «Symptôme», in *Dictionnaire clinique des thérapies familiales*, sous la direction de J. Miermont, p. 515. Voir aussi la suite de sa construction: «Ethique du changement, éthique du choix», in *Systèmes, éthique, perspective en thérapie familiale*, pp. 105-117, repris et développé dans C. Martin et R. Neuburger, *Entre institutions et familles*,.

[235] O. Amiguet, «Travail social et systémique: contexte et/ou épistémologie», in *Travail*

social et systémique, pp. 11-36.

[236] Pour la clarté du sens du mot *position*, voir la section sur la demande.

[237] P. Lebbe-Berrier, *Pouvoir et créativité du travailleur social*, p. 35.

[238] Par exemple à une patiente qui se plaignait d'être toujours enfermée dans un rôle d'exclue, marginalisée et ne pouvant se respecter, un jeune psychiatre proposait qu'elle pourrait se refaire une nouvelle garde-robe... Ce qui a amené la patiente à commander par correspondance une quantité d'habits et son tuteur à protester contre l'accumulation des dettes qui ne fait que prolonger l'exclusion de sa pupille...

[239] P. Segond, «Approche systémique et justice des mineurs», in *Thérapie Familiale*, 1983/2, pp. 193-200.

[240] R. Pauzé, L. Roy, P. Asselin, «Symptômes: résultats de la perte de souplesse dans les couplages structurels entre l'individu et son environnement», in *Résonances*, 1994/6, pp. 16-26.

[241] J.-P. Mugnier, «Les mesures d'action éducative auprès de familles maltraitantes: je sais que tu sais que je sais que tu sais...», in *Résonances*, 1995/7, pp. 20-25.

Temps

[242] M. Selvini, *Les jeux psychotiques dans la famille*, pp. 185-186.

[243] Voir en particulier I. Prigogine et I. Stengers, *Entre le temps et l'éternité.*

[244] Ibidem, pp. 174 et 181.

[245] M. Monroy, *Scènes, mythes et logiques*, chap. 16.

[246] J.-L. Lemoigne, *La théorie du système général. Théorie de la modélisation* et *La modélisation des systèmes complexes*, p. 58 ss.

[247] G. Ausloos, «Finalités individuelles, finalités familiales, ouvrir des choix,» in *Thérapie Familiale*, 1983/2, pp. 207-219.

[248] P. Watzlawick, *Une logique de la communication.*

[249] Cf. G. Ausloos, «Temps des familles, temps des thérapeutes», in *Thérapie Familiale*, 1990/1, pp. 15-25 et «Temps et systémique», in *Thérapie Familiale*, 1992/3, pp. 221-226.

[250] M. Meynckens, «Le temps en institution», in *Thérapie Familiale*, 1992/3, pp. 287-295, parlera des deux pièges qui «tentent le travailleur social en institution: celui de l'urgence ou celui du temps arrêté». La distinction est la même que celle proposée par Ausloos.

[251] J. Barudy, «Les différents temps dans la phénoménologie humaine: le temps biologique et le temps culturel», in *Thérapie Familiale*, 1992/3, pp. 239-255.

[252] R. Sue, *Temps et ordre social.*

[253] M.-O. Goubier Boula, *Vie familiale et événements.*

[254] Voir par exemple J. Haley, *Un thérapeute hors du commun: Milton Erikson.*

[255] F. Le Gallou, «Activités des systèmes», in *Systémique: théorie et applications.*

[256] P. Fontaine, «Le temps et les familles sous-prolétaires», in *Thérapie Familiale*, 1992/3, pp. 297-326.

[257] Ibidem, de même que pour une vision plus complète, *Dictionnaire clinique des thérapies familiales systémiques*, ESF, Paris, 1988, article «Famille saine».

[258] G. Bateson, *Vers une écologie de l'Esprit.*

[259] J. Haley, *Stratégies de la psychothérapie.*

[260] Voir C. Guitton-Cohen Adad, *Instant et processus.*

[261] J. Ruesch, «Perspectives américaines», in G. Bateson et J. Ruesch, *Communication et société*, p. 163 ss.

[262] G. Ausloos, «Temps des familles, temps des thérapeutes», in *Thérapie Familiale*, 1990/1.
E. Delvin, «Le temps arrêté: chronique sans lendemain d'une vie sans histoire ou les personnes handicapées mentales, leur famille et l'institution», in revue *Thérapie Familiale*, 1992/3, pp. 281-286.
C. Vieytes-Schmitt, «Les enfants de Cendrillon: le temps interdit», in *Thérapie Familiale*, 1992/3, pp. 267-274.

[263] G. Ausloos, «Temps des familles, temps des thérapeutes», in *Thérapie Familiale*, 1990/1, p. 21.

[264] C. Vieytes-Schmitt, «Les enfants de Cendrillon: le temps interdit», in *Thérapie Familiale*, 1992/3, p. 273.

[265] P. Caillé, *Les objets flottants*.

[266] Y. Boszormenyi Nagy, «Glossaire de thérapie contextuelle», in *Dialogue*, 11, 1991/1.

[267] J.-P. Mugnier, «Les stratégies de l'indifférence», in «L'approche systémique dans le social: une méthode pour comprendre, un outil pour agir», in *Traces*, numéro hors série, ITSR, Montrouge, 1993.

[268] Voir E. Goldbeter-Merinfeld, «Temps et institution», in *Familles, institutions et approche systémique*, sous la direction de J. Pluymaekers, p.78.

[269] P. Caillé et Y. Rey, *Les objets flottants*.

[270] G. Ausloos, «Temps des familles, temps des thérapeutes», in *Thérapie Familiale*, 1990/1.

[271] G. Ausloos, «Finalités individuelles, finalités familiales, ouvrir des choix», in *Thérapie Familiale*, 1983/2, pp. 207-219.

[272] Voir à ce propos G. Ausloos, «Secrets de familles», in *Changements systémiques en thérapie familiale*, pp. 62-80.

Chapitre IV

[1] Dans un précédent travail, nous avions montré que le travail social était un contexte, c'est-à-dire un écosystème particulier, qui donne sens à la rencontre entre le travailleur social et un client (individu, famille, groupe, réseau); voir O. Amiguet «Travail social et systémique: contexte et/ou épistémologie», in *Travail social et systémique*.

[2] C. Julier, «L'approche systémique en travail social», in *Travail social*, 3/4, Berne, 1991.

[3] M. Grisel, C. Lechenne, «Essai de modélisation d'une formation pour travailleurs sociaux avec l'approche systémique comme référence», in *Travail social et systémique*, textes réunis par O. Amiguet et C. Julier.
O. Amiguet, C. Julier, «Le travail social et l'intervention systémique: essai critique sur une modélisation», in *Traces*, hors série, Paris, 1995, pp. 79-92.

[4] C. Bachmann et J. Simonin parlent, pour le travail social, de la problématique interactionniste, in *Changer au quotidien*.

[5] B. Bouqet, «Les valeurs dans l'histoire du service social», in *Rencontre*, 88,1993.

[6] H. von Foerster, «La construction d'une réalité», in *L'invention de la réalité*, Watzlawick (sous la direction de), p. 69.

[7] P. Watzlawick, J. Weakland, R. Fisch, *Changements, paradoxes et psychothérapie*, pp. 113 et131.

[8] Regretter que la pensée ne soit que conjoncturelle invite non pas à cesser de considérer les événements sous un angle conjoncturel, mais à élargir sa vision des choses, toujours et encore à *augmenter les choix possibles*: le chômage, par exemple, est bien un phénomène conjoncturel et structurel.

[9] Citons en particulier:
les travaux de Silvia Staub, Ecole de Service social à Zurich, dont la conception systémique de la réalité et du social est prioritairement centrée sur les problèmes sociaux et leurs composantes organisationnelles et structurelles, *Le travail social en tant que théorie, pratique et discipline*, Zurich, mars 1992, texte non publié, ouvrage en préparation et
J. Pluymaekers, «Travail social aujourd'hui: un espace éminemment politique, l'approche systémique ouvre-t-elle à une nouvelle lecture?», in *Travail social et systémique*, textes réunis par O. Amiguet et C. Julier, pp.219-237.

Aebischer V., Deconchy J.-P. et Lipiansky M., *Idéologies et représentations sociales*, Delval, Fribourg, 1991.

Aguilera D. et Messik J., *Intervention en situation de crise*, Edisem, Toronto, 1976.

Amiguet O., «Autour de l'adoption», in *Travail Social*, 1984/2.

Amiguet O., «Vers un travail systémique individuel», in *Thérapie Familiale,* 1987/3, pp. 287-299.

Amiguet O., «Familles d'accueil et institutions: à la recherche de complémentarités», in *Travail Social*, 1990/12, pp. 14-21.

Amiguet O., «Travail social et systémique: contexte et/ou épistémologie», in *Travail social et systémique*, Amiguet et Julier (textes réunis par), Les Editions IES, Genève, 1994, pp. 11-36.

Amiguet O. et Julier C., «Le travail social et l'intervention systémique: essai critique sur une modélisation », in *Traces*, hors série, Paris 1995, pp. 79-92.

Ancelin-Schützenberger A., *Aie, mes aïeux!,* EPI, la Méridienne, Paris, 1993.

Andolfi M., *La thérapie avec la famille,* ESF, Paris, 1982.

Andolfi M., Angelo C., Menghi P., Nicolo A.M., *La forteresse familiale,* Dunod, Paris, 1985, (Ed. originale 1982).

Andolfi M., Angelo C., de Nichilo Andolfi M., *Temps et mythe en psychothérapie familiale*, ESF, Paris, 1990.

Atlan H, *A tort et à raison, intercritique de la science et du mythe,* Seuil, Paris, 1986.

Aubrée G., Taufour Ph., «Des travailleurs sociaux sous ordonnances», in *Thérapie Familiale*, 1988/4, pp. 331-347.

Ausloos G., «Secrets de familles», in *Changements systémiques en thérapie familiale*, Haley, Caillé, Ausloos, Ferreira, Sluzki, Véron, ESF, Paris, 1980, pp. 62-80.

Ausloos G., «Délinquance et thérapie familiale: le double-lien scindé thérapeutique», in *Bulletin de psychologie*, tome XXXVI, 359.

Ausloos G., «Finalités individuelles, finalités familiales: ouvrir des choix», in *Thérapie Familiale*, 1983/2, pp. 207-219.

Ausloos G., «Equation personnelle, langage familial et formation», in *Thérapie Familiale*, 1986/2, pp. 137-145.

Ausloos G., «Temps des familles, temps des thérapeutes», in *Thérapie Familiale*, 1990/1, pp. 15-25.

Ausloos G., «Individu-symptôme-famille», in *Thérapie Familiale*, 1990/3, p. 273 ss.

Ausloos G., «Réflexion systémique à propos d'une adolescente anorexique», in *P.R.I.S.M.E.*, 1992, vol 2, 3.

Ausloos G., «Temps et systémique», in *Thérapie Familiale*, 1992/3, pp. 221-226.

Avvanzino P., *Histoires de l'éducation spécialisée,* Cahiers de l'EESP, Lausanne, 1993.

Bachmann C., Simonin J., *Changer au quotidien: une introduction au travail social,* Etudes vivantes, Paris, 1981.

Badinter E., *XY, de l'identité masculine*, Poche, O. Jacob, Paris, 1992.

Balmary M., *La divine origine,* Grasset, Paris, 1993.

Barudy J., «Les différents temps dans la phénoménologie humaine: le temps biologique et le temps culturel», in *Thérapie Familiale*, 1992/3, pp. 239-255.

Bateson G., «Une théorie du jeu et du fantasme», in *Vers une écologie de l'esprit*, tome 1, Seuil, Paris, 1977, pp. 209-224. Reproduction d'une conférence donnée en 1954.

Bateson G., *Vers une écologie de l'esprit,* Seuil, Paris, tome 1: 1977, tome 2: 1980.

Bateson G., «La cybernétique du soi», in *Vers une écologie de l'esprit*, tome 1, Seuil, Paris, 1977.

Bateson G., *La nature et la pensée,* Seuil, Paris, 1979.

Bateson G. et C., *La peur des anges*, Seuil, Paris, 1989.

Bélanger R., Chagoya L., *Technique de thérapie familiale,* Presse universitaire, Montréal, 1973.

Belpaire F., *Intervenir auprès de jeunes inadaptés sociaux: approche systémique,* Privat, Méridien, Québec, 1994.

Benoit J.-C., Malarewicz A. (sous la direction de), *Dictionnaire clinique des thérapies familiales systémiques,* ESF, Paris, 1988.

Berger P., Luckmann T., *La construction sociale de la réalité*, Méridiens Klincksieck, Paris, 1986.

Bériot D., *Du microscope au macroscope,* ESF, Paris, 1992.

Berlie P., Degoumois V.,.Fallet M., Wist C., *Introduction au travail social et à l'action sociale,* Coras, Lausanne, 1983.

Berne E., *Des jeux et des hommes,* Stock, Paris, 1976.

Bertalanffy L. von, *Théorie générale des systèmes*, Dunod, Paris, 1973.

Bertalanffy L. von, *Des robots, des esprits et des hommes*, ESF, Paris, 1982.

Bertrand Y., *Théories contemporaines de l'éducation*, Chronique sociale, Lyon, 1993.

Blanchon Y.C., Chassin M., «Qui fait la loi?», in *Thérapie Familiale*, 1998/4, p.373.

Boszormenyi Nagy Y., *Invisible Loyalties,* Harper and Row, New-York, 1973, Brunner/Mazel, 1984.

Boszormenyi Nagy Y., Framo J.-L, *Psychothérapies familiales*, PUF, Paris, 1980.

Boszormenyi Nagy Y., Divers articles sur son œuvre, in *Le groupe familial*, 133, 1991.

Boszormenyi Nagy Y., «Glossaire de thérapie contextuelle», in *Dialogue*, 110 et 111, 1991.

Bouquet B., «Les valeurs dans l'histoire du service social», in *Rencontre*, 88,1993.

Bourassa B., «La demande par delà le mandat», in *Thérapie Familiale*, 1989/2, pp. 163-173.

Boutinet J.-P., *Du discours à l'action,* L'Harmattan, Paris, 1987.

Bouvier N., *L'usage du monde,* La Découverte, Paris, 1985.

Caillé P., «Phase d'évaluation en thérapie familiale systémique» in *Changements systémiques en thérapie familiale*, ESF, Paris, 1980.

Caillé P., Hartveit H., «Rien ne va plus,..cinq couples à la recherche d'un nouveau texte», in *Thérapie Familiale*, 1982/4, pp. 373-392.

Caillé P., *Familles et thérapeutes, lecture systémique d'une interaction,* ESF, Paris, 1985.

Caillé P., «Le modèle systémique des relations humaines ou l'hypothèse de l'autonomie créative», in *Thérapie Familiale*, 1987/1, pp. 19-30.

Caillé P., «L'intervenant, le système et la crise», in *Thérapie Familiale* 1987/4, pp. 359-370.

Caillé P., Rey Y., *Il était une fois...du drame familial au conte systémique*, ESF, Paris, 1988.

Caillé P., «L'individu dans le système «, in *Thérapie Familiale*, 1989/3, pp. 205-219.

Caillé P., *Un et un font trois,* ESF, Paris, 1991.

Caillé P., *Les objets flottants: au delà de la parole en thérapie systémique*, ESF, Paris, 1994.

Camdessus B., *Les crises familiales du grand âge,* ESF, Paris, 1983.

Cancrini L., *La psychothérapie: grammaire et syntaxe*, ESF, Paris, 1993.

Caufman L., Igodt P., «Quelques développements récents dans la théorie des systèmes: les contributions de Varela et Maturana», in *Thérapie Familiale,* 1984/3, pp. 211-225.

Chagoya M.D., Guttman M.D., *Guide pour évaluer le fonctionnement de la famille,* polycopié du groupe émotionnel didactique de Vaucresson, 1978.

Chemin A., Caron A., Gaudin P., Jezequel M.T., Poirier B., «Epopée systémique d'une équipe d'action éducative en milieu ouvert», in *Thérapie Familiale*, 1984/2, pp. 159-171.

Chemin A., Caron A., Joly A., «Bilan après 15 ans de pratique à l'intervention systémique en A.E.M.O.», in *Thérapie Familiale,* 1992/1, pp. 55-63.

Chemin A., «Vers une méthodologie systémique en AEMO, qui demande quoi, à qui, pour quoi faire, pourquoi maintenant», in,

Travail social et systémique, Amiguet et Julier (textes réunis par), Les Editions IES, Genève, 1994, pp.110-123.

Christen M., «Violence familiale, violence institutionnelle: isomorphisme», in *Travail social et systémique*, Amiguet et Julier (textes réunis par), Les Editions IES, Genève, 1994.

Cirillo S., Di Blasio P., *Familles en crise et placement familial*, ESF, Paris, 1988.

Cirillo S., Di Blasio P., *La famille maltraitante*, ESF, Paris, 1992.

Colas Y., «Ambiguïté et formation», in *Thérapie Familiale*, 1986/2, pp. 147-165.

Colas Y., «L'approche systémique et les patients âgés à l'hôpital psychiatrique», in *Thérapie Familiale*, 1988/1, pp. 71-82.

Corchuan L., «La thérapie familiale systémique a-t-elle une âme?», in *Thérapie Familiale*, 1986/4, pp. 363-369.

Cosnier J., «De l'amour du texte à l'amour du contexte», in *Cahiers critiques de thérapie familiale et de pratiques de réseaux*,1991/13, pp. 29-45.

Crozier M., Friedberg E., *L'acteur et le système*, coll. Point,Seuil, Paris, 1977.

Cuendet G., *Principe de la gestion*, Presse polytechnique romande, Lausanne, 1981, vol. I.

Daigremont A., Guitton C., Rabeau B., *Des entretiens collectifs aux thérapies familiales*, ESF, Paris, 1979.

De Clercq M., «L'intervention systémique pour réponse aux urgences psychiatriques», in *Thérapie Familiale*, 1988/3, pp. 231-246.

Delvin E. «Le temp arrêté: chronique sans lendemain d'une vie sans histoire ou les personnes handicapées mentales, leur famille et l'institution», in *Thérapie Familiale*, 1992/3, pp. 281-286.

Dessoy E., «Le milieu humain», in *Thérapie Familiale*, 1993/4.

Dottrens G., *L'Évangile, hôte et otage de la paroisse*, travail non publié, Lausanne, 1993.

Duby J.J., «La fin du déterminisme», in *Magazine littéraire*, 312, 1993.

Ducommun C. «Approche contextuelle de la relation éducateur-famille», in *Feuillets de pédagogie curative*, SFPC, 1987/17, pp. 38-42.

Durand D., *La systémique*, coll. Que sais-je?, PUF, Paris, 1983.

Duss von Werdt J., «Individu, familles, systèmes plus larges-aller et retour», in *Thérapie Familiale,* 1991/4, pp. 279-292.

Duss von Werdt J., «Travail social, approche systémique: valeur et valeurs», in *Travail social et systémique*, Amiguet et Julier (textes réunis par), Les Editions IES, Genève, 1994, pp.269-279.

Elkaïm M., *Si tu m'aimes, ne m'aimes pas*, Seuil, Paris, 1989.

Elkaïm M., «Symptôme, famille et approche systémique», in *Paroles d'or*, Revue de l'association romande des logopédistes diplômés, septembre 1989.

Elkaïm M., (sous la direction de): *La thérapie familiale en changement,* Les empêcheurs de penser en rond, Le Plessis-Robinson, 1994.

Erikson E., «Les huit étapes de l'homme», in *Enfance et société*, Delachaux et Niestlé, Lausanne, 1982, pp. 169-180.

Fivaz E., Fivaz R., Kaufmann L., «Encadrement du développement, le point de vue systémique», in *Cahiers critiques de thérapie familiale et de pratiques de réseaux*, 1982/4-5, pp. 63-74.

Fisch R., Weakland J.H., Segal L., *Tactiques du changement*, Seuil, Paris, 1986.

Foerster H. von, «La construction d'une réalité», in *L'invention de la réalité*, Watzlawick (sous la direction de), Seuil, Paris, 1988, pp. 45-69.

Foerster H. von, «Ethique et cybernétique de second ordre», in *Systèmes, éthique, perspectives en thérapie familiale*, Rey et Prieur (sous la direction de), ESF, Paris, 1991.

Fontaine P., «Le temps et les familles sous-prolétaires», in *Thérapie Familiale,* 1992/3, pp. 297-326.

Fourez G., *La science partisane*, Sociologie nouvelle, Duculot, Gembloux, 1974.

Friedberg E., *Le pouvoir et la règle,* Seuil, Paris, 1993.

Gallou F. Le, «Activités des systèmes», in *Systémique, théorie et applications*, Le Gallou et Bouchon-Meunier, Technique et documentation, Lavoisier, Paris, 1992.

Gammer C., Cabié M.C., *L'adolescence, crise familiale. Thérapie familiale par phases,* ERES, Toulouse, 1992.

Glasser W., *Reality therapy, une nouvelle approche thérapeutique par le réel*, Epi, Paris, 1974.

Glasersfeld E. von, «Introduction à un constructivisme radical», in *L'invention de la réalité*, Watzlawick (sous la direction de), Seuil, Paris, 1988.

Goffinet S., «Mythe, rituel et autoréférence en thérapie familiale», in *Thérapie Familiale*, 1990/1, pp. 73-89.

Goffman E., *Stigmates*, Editions de Minuit, Paris, 1975.

Goffman E., *Façons de parler,* Editions de Minuit, Paris, 1987.

Goldbeter-Merinfeld E., «Temps et institution» in *Familles, institutions et approche systémique*, Pluymaekers (sous la direction de), ESF, Paris, 1989, pp. 78,

Goubier Boula M-O., *Vie familiale et événements,* LEP, Lausanne, 1994.

Goolishian H., «Entretien avec Harry Goolishian: dialogue sur les conversations thérapeutiques», in *Résonances*, 1994/6, pp. 28-35.

Grisel M., Lechenne C., «Essai de modélisation d'une formation pour travailleurs sociaux avec l'approche systémique comme référence», in *Travail social et systémique*, Amiguet et Julier (textes réunis par), Les Editions IES, Genève, 1994, pp. 203-216.

Grossen M., Perret-Clermont A-N. (sous la direction de), *L'espace thérapeutique: cadres et contextes,* Textes de bases en psychologie, Delachaux et Niestlé, Lausanne, 1992.

Guitton-Cohen Adad C., *Instant et processus,* ESF, Paris, 1988.

Haley J., *Stratégies de la psychothérapie,* Eres, Toulouse, 1993 (Ed. originale 1963).

Haley J., *Un thérapeute hors du commun: Milton Erikson*, Hommes et Groupes, EPI, Desclée de Brouwer, Paris, 1984, (Ed. originale 1973).

Haley J., *Leaving home,* ESF, Paris, 199, (Ed. originale 1980).

Haley J., *Tacticiens du pouvoir*, ESF, Paris, 1984.

Haley J., «Les idées qui sont un handicap pour le thérapeute», in *Leaving Home*, ESF, Paris, 1991.

Hamilton G., *Théorie et pratique du casework,* Comité français de service social et d'action sociale, Paris, 1965.

Hardy G., Hesselle Cl. de, Defays Ch., Gerrekens H., «De l'aide contrainte à l'intervention sous mandat», in *Thérapie Familiale,* 1993/4 pp. 353-365 et 1994/2, pp. 167-185.

Heireman M., *Du côté de chez soi: la thérapie contextuelle d'Yvan Boszormenyi Nagy,* ESF, Paris, 1989.

Heusden A. van, Eerenbeemt E. van, *Thérapie familiale et générations. Aperçus sur l'oeuvre de I. van Boszormenyi Nagy*, Nodules, PUF, Paris, 1994.

Hirsch S., Allano C., Bacquias P., Chirol C., Segond P., «Consultation familiale sous mandat judiciaire: une approche systémique», in *Traces de Faires*, 1987/4, pp. 113-136.

Hoffman L., «Beyond power and control: toward a second order family systems therapy», notes de lecture de D. Masson, in *Thérapie Familiale,* 1991/1, p. 81 ss.

Hoffman L., «Une position constructiviste pour la thérapie familiale», in *Cahiers critiques de thérapie familiale et de pratiques de réseaux*, 1991/13, pp. 79-100.

Houde R., *Les temps de la vie*, G. Morin, Québec, 1991.

Jacquard A., *Voici le temps du monde fini,* Seuil, Paris, 1991.

Jodelet D., *Les représentations sociales,* PUF, Paris, 1989.

Julier C., «Formation à l'approche systémique en travail social», in *Travail Social*, 1991/3-4.

Julier-Costes F., «Réflexions sur l'argent comme marqueur de contexte dans la relation d'assistance financière», in *Travail social et systémique*, Amiguet et Julier (textes réunis par), Les Editions IES, Genève, 1994, pp. 139-150.

Keller A., *Loyauté, force ou faiblesse de l'action éducative*, mémoire de diplôme, EESP, Lausanne, 1993.

Kellerhals J., Modak M., «Le contrat comme relation: une étude des cadres sociaux du consentement», in *Cahiers critiques de thérapie familiale et de pratiques de réseaux*, 1991/13, p. 103 ss.

Laborit H., *La colombe assassinée*, Grasset, Paris, 1983.

Lebbe-Berrier P., *Pouvoir et créativité du travailleur social,* ESF, Paris, 1988.

Lebbe-Berrier P., «Cadre de travail en intervention sociale», in *Thérapie Familiale,* 1992/13, pp. 143-154.

Lebbe-Berrier P., «Méthodologie systémique, support d'une recherche de créativité en travail social»,in *Travail social et systémique*, Amiguet et Julier (textes réunis par), Les Editions IES, Genève, 1994, pp.39-72.

Lemoigne J-L., *La théorie du système général: théorie de la modélisation,* PUF, Paris, 1984.

Lemoigne J-L., «Crises», in *Cahiers critiques de thérapie familiale et de pratiques de réseaux,* 1988/9.

Lemoigne J-L., *La modélisation des systèmes complexes, AFCET systèmes,* Dunod, Bordas, Paris, 1990.

Lesourne J., *Les systèmes du destin*, Dalloz, Economie, Paris, 1976.

Mc Goldrick M., Gerson R., *Génogrammes et entretien familial*, ESF, Paris, 1990.

Martin C., Neuburger R., *Entre institutions et familles*, coll. Innovation, Croix Marine Edition, Paris, 1993.

Masson O., «Mandats judiciaires et thérapie en pédopsychiatrie», in *Thérapie Familiale,* 1988/4, p. 300.

Melese J., *Approches systémiques des organisations, vers l'entreprise à complexité humaine,* Hommes et Techniques, Suresnes, 1979.

Melese J., *La gestion par les systèmes*, Hommes et Techniques, Suresnes, 1980.

Melese J., *L'analyse modulaire des systèmes de gestion AMS,* Hommes et Techniques, Suresnes, 1982.

Menthonnex A., *Le service social et l'intervention sociale*, coll. "Cours de l'IES" , Les Editions IES, Genève, 1995.

Meynckens M., «Le temps en institution», in *Thérapie Familiale*, 1992/3, pp. 287-295.

Meynkens M., «Supervision d'équipe», in *Thérapie Familiale*, 1993/3, pp. 277-289.

Miermont J. (sous la direction de), *Dictionnaire des thérapies familiales,* Payot, Paris, 1987.

Minuchin S., *Familles en thérapie,* Delarge, Paris, 1979.

Monroy M., *Scènes, mythes et logiques,* ESF, Paris, 1989.

Morin E., *La méthode,* Seuil, Paris:
tome 1: *La Nature de la nature*, 1977;
tome 2: *La Vie de la Vie*, 1980;
tome 3: *La Connaissance de la connaissance*, 1986;
tome 4: *Les idées*, 1991.

Morin E., *Pour sortir du XXe siècle*, Nathan, Paris, 1981.

Morin E., «Noologie et éthique», in *L'interaction en médecine et en psychiatrie*, en hommage à Gregory Bateson, Génitif, ERES, Paris, 1982, pp. 145-148.

Morin E., «Pour une théorie de la crise», in *Sociologie*, Fayard, Paris, 1984.

Morin E., *Introduction à la pensée complexe,* ESF, Paris, 1990.

Morin E., Kern B., *Terre-patrie,* Seuil, Paris, 1993.

Morin E., *Mes démons*, Stock, Paris, 1994.

Mugnier J.-P., «Signalement et abord systémique», in *Thérapie Familiale,* 1988/4, pp. 349-363.

Mugnier J.-P., «Familles assistées et travail social», in *Thérapie Familiale,* 1990/1, pp. 41-53.

Mugnier J.-P., *L'identité virtuelle: les jeux de l'offre et de la demande dans le champ social,* ESF, Paris, 1993.

Mugnier J.-P., «Les stratégies de l'indifférence», in «L'approche systémique dans le social: une méthode pour comprendre, un outil pour agir», in *Traces*, numéro hors série, ITSR Montrouge, 1995.

Mugnier J.-P., «Les mesures d'action éducative auprès de familles maltraitantes: je sais que tu sais que je sais que tu sais.», in *Résonances*, 1995/7, pp. 20-25.

Nathan T., *Fier de n'avoir ni pays, ni amis, quelle sottise c'était,* La pensée sauvage, Paris, 1993.

Nathan T., *L'influence qui guérit,* Odile Jacob, Paris, 1994.

Neuburger R., «Aspects de la demande: la demande en psychanalyse et en thérapie familiale», in *Thérapie Familiale,* 1980/2, pp. 133-144.

Neuburger R., «Analyse, lyse et catalyse, éléments pour une éthique systémique», in *Cahiers du CEFA* du 13.2.1981.

Neuburger R., *L'autre demande,* ESF, Paris, 1984.

Neuburger R., article «Symptôme», in *Dictionnaire clinique des thérapies familiales*, Miermont (sous la direction de), Payot, Paris, 1987, p. 515.

Neuburger R., *L'irrationnel dans le couple et la famille,* ESF, Paris, 1988.

Neuburger R., «Ethique du changement, éthique du choix. Introduction à une thérapie familiale constructiviste», in *Systèmes, éthique, perspectives en thérapie familiale*, Rey et Prieur (sous la direction de), ESF, Paris, 1991, pp. 105-117.

Neuburger R., *Le mythe familial,* ESF, Paris, 1995.

Nicolo A-M., «Soigner à l'intérieur de l'autre», in *Cahiers critiques de thérapie familiale et de pratiques de réseaux*, 1990/12, pp. 29-51.

Onnis L., «Le *système demande*: la formation de la demande d'aide selon une perpective systémique», in *Thérapie Familiale,* 1984/4, pp. 341-348.

Onnis L., «Crises et systèmes humains: influence de l'intervention thérapeutique sur la définition et l'évolution de la crise», in *Cahiers critiques de thérapie familiale et de pratiques de réseaux,* 1988/8, pp. 73-82.

Onnis L.,*Corps et contexte: thérapie familiale des troubles psychosomatiques,* ESF, Paris, 1989.

Onnis L., «Thérapie familiale de l'anorexie mentale, un modèle d'intervention basé sur les sculptures familiales», in *Thérapie Familiale,* 1991/3, pp. 25-35.

Onnis L., «Le renouvellement épistémologique de la thérapie familiale: influences actuelles sur la théorie et sur la pratique», in *Thérapie Familiale,* 1991/2, pp. 99-109.

Onnis L., «Texte et contexte en psychosomatique: des modèles réductionnistes à une épistémologie de la complexité», in *Cahiers critiques de thérapie familiale et de pratiques de réseaux*, 1991/13, pp. 245-257.

Onnis L., «Langage du corps et langage de la thérapie, la sculpture du futur comme méthode d'intervention systémique dans les situations psychosomatiques», in *Thérapie Familiale,* 1992/1, pp. 3-19.

Orgogozo I., *Les paradoxes de la qualité*, Organisation, Paris, 1987.

Orgogozo I., *Les paradoxes de la communication*, Organisation, Paris, 1988.

Pauzé R., Roy L., «Hypothèse initiale: tentative d'ancrage dans le flot turbulent des événements», in *Familles, institutions et approche systémique*, ESF, Paris, 1989, pp. 132-147.

Pauzé R., Basque D., Bouchard M., Germain J.G., Quesnel M.J., Rainville S., «Equipe éducative: entre contrôle et changement», in *Thérapie Familiale,* 1990/1 pp.27-39 et 1990/2, pp. 221-229.

Pauzé R., Cotnarianu P.A., «L'évolution de la notion de symptôme en thérapie familiale au cours des années 1980-1988», in *Thérapie Familiale,* 1991/1, pp. 45-53.

Pauzé R., Roy L., Asselin P., «Symptômes: résultats de la perte de souplesse dans les couplages structurels entre l'individu et son environnement», in *Résonances*, 1994/6, pp. 16-26.

Perlman H.H., *L'aide psychosociale interpersonnelle*, coll. Socio-guide, Centurion, Paris, 1972.

Perlman H.H., *La personne, l'évolution de l'adulte et de ses rôles dans la vie*, coll. Socio-guide, Centurion, Paris, 1973.

Pilorge T., «Vivre les comportements chaotiques, survivre, évoluer, se diversifier au mépris de l'ordre», in «Le chaos gouverne la pensée», in *Science et vie*, novembre 1993.

Pluymaekers J., «Agir et réfléchir..à l'infini. La formation à l'approche systémique», in *Thérapie Familiale,* 1986/2, pp. 167-180.

Pluymaekers J., «Lecture systémique et quotidien institutionnel», in *Familles, institutions et approche systémique*, ESF, Paris, 1989, pp.63-75.

Pluymaekers J., «Le mandat et la circulation des secrets», in *Familles, institutions et approche systémique*, ESF, Paris, 1989, pp. 107-122.

Pluymaekers J., «Travail social aujourd'hui: un espace éminemment politique» in *Travail social et systémique*, Amiguet et Julier (textes réunis par), Les Editions IES, Genève, 1994, pp. 219-237.

Popper K., *Logique de la découverte scientifique*, trad., Payot, Paris, 1973.

Prata G., «La barrière des microbes», in *Thérapie Familiale,* 1990/1 pp. 3-13.

Prata G., «Du *jeu symétrique* du couple au *jeu psychotique* de la famille», in *Thérapie Familiale,* 1991/12, pp. 3-15.

Prata G., «Jeux familiaux: amour et haine dans un couple», in *Thérapie Familiale,* 1993/1, pp. 17-29.

Prigogine I., Stengers I., *Entre le temps et l'éternité,* Fayard, Paris 1988.

Prigogine I., Stengers I., «Autoréférence et thérapie familiale», in *Cahiers critiques de thérapie familiale et de pratiques de réseaux*, 1989/9.

Ranquet M. Du, *Les approches en service social: interventions auprès des personnes et des familles,* Edisem, Le Centurion, Québec, 2ème éd., 1983.

Rey Y., Prieur B. (sous la direction de), *Systèmes, éthique, perspectives en thérapie familiale,* ESF, Paris, 1991.

Richmond M., *Les nouvelles méthodes d'assistance,* Félix Alcan, Paris, 1926.

Rigo B., *Vers une éthique relationnelle dynamique*, Mémoire de spécialisation en éthique, Faculté de théologie de l'université de Lausanne, 1987.

Robertis C. de, *Méthodologie de l'intervention en travail social*, coll. Socio-guides, Le Centurion, Paris, 1981.

Robine J.M., «Le holisme de J.C. Smuts», in *Revue Gestalt,* 6, Bordeaux, 1994.

Rogers C., *Le développement de la personne*, Dunod, Paris, 1967.

Rogers C., *La liberté pour apprendre*, Dunod, Paris, 1974.

Rogers C., *La relation d'aide et la psychothérapie*, tome I et II, EST, Paris, 1980.

Rosnay J. de, *Le macroscope. Vers une vision globale*, Seuil, Paris, 1975.

Rosnay J. de, «Une approche multidimensionnelle de l'homme», in *Systèmes, éthique, perspectives en thérapie familiale*, Rey et Prieur (sous la direction de), ESF, Paris, 1991.

Ruesch J., «Perspectives américaines», in *Communication et société*, Bateson et Ruesch, Seuil, Paris, 1988 (éd. orig. 1951), p. 163 ss.

Salem G., *L'approche thérapeutique de la famille,* Masson, Paris, 1987.

Satir V., *Pour retrouver l'harmonie familiale,* Delarge, Paris, 1980.

Saussure C. de, «Psychothérapie au domicile du patient: quel cadre?», in *Cadres thérapeutiques et enveloppes psychiques*, Bleandonu (sous la direction de), Presses Universitaires de Lyon, 1992, p. 127.

Schneider B., «Approche systémique de la sélection des familles d'accueil», in *Thérapie Familiale,* 1990/1, pp. 55-71.

Schwartz E., *La révolution des systèmes*, Delval, Lausanne, 1988.

Schweizer J., «Nécessité ou besoin», in *Thérapie Familiale,* 1993/3, pp. 253-265.

Segond P., «Approche systémique et justice des mineurs», in *Thérapie Familiale,* 1983/2, pp. 193-200.

Selvini-Palazzoli M., Boscolo L., Cecchin G., Prata G., *Paradoxes et contreparadoxes,* ESF, Paris, 1978.

Selvini-Palazzoli M., Cirillo S., D'Ettore I., Garbellini M., Ghezzi D., Lerma M., Lucchini M., Martino C., Mazzoni G, Mazucchelli F., Nichele M., *Le magicien sans magie,* ESF, Paris 1980.

Selvini-Palazzoli M., «Contexte et métacontexte dans la psychothérapie familiale», in *Thérapie Familiale,* 1981/1, pp. 19-27.

Selvini-Palazzoli M., «Hypothétisation, circularité, neutralité», in *Thérapie Familiale,* 1983/2, pp. 117-132.

Selvini-Palazzoli M., «L'organisation a d'ores et déjà son jeu» in *Dans les coulisses de l'organisation*, ESF, Paris,1984, pp. 156-170.

Selvini-Palazzoli M., «Le problème du référent en thérapie familiale», in *Thérapie Familiale*, 1984/2, pp. 89-99.

Selvini-Palazzoli M., «Le problème du référent quand celui-ci est membre de la fratrie», in *Thérapie Familiale,* 1987/4, pp. 337-358.

Selvini-Palazzoli M., «Vers un modèle général des jeux psychotiques dans la famille», in *Cahiers critiques de thérapie familiale et de pratiques de réseaux*, 1988/8.

Selvini-Palazzoli M., Cirillo S., Selvini M., Sorrentino A-M., «L'individu dans le jeu», in *Thérapie Familiale,* 1989/1, pp. 3-13.

Selvini-Palazzoli M., Cirillo S., Selvini M., Sorrentino A-M., *Les jeux psychotiques dans la famille*, ESF, Paris, 1990.

Selvini-Palazzoli M., «Il nous faut inventer des stratégies pour élargir notre connaissance», in *La thérapie familiale en changement*, Elkaïm (sous la direction de), Les empêcheurs de penser en rond, Le Plessis-Robinson, 1994.

Selvini-Palazzoli M., interview publié in *Résonances*, 1995/1, pp. 11-18.

Selvini M., *Mara Selvini-Palazzoli, histoire d'une recherche,* ESF, Paris, 1987.

Selzenswalb M., «Le profil psychosocial de la famille multiassistée», in *Thérapie Familiale,* 1991/4, pp. 337-347.

Seron C., Wittezaele J-J., *Aide ou contrôle, l'intervention thérapeutique sous contrainte*, De Boeck, Bruxelles, 1991.

Seywert, F. «Le questionnement circulaire», in *Thérapie Familiale,* 1993/1, pp. 73-88.

Siméon M., «Le temps de la formation», in *Thérapie Familiale,* 1992/3, pp. 327-335.

Sluzki C., Véron E., «La double contrainte comme situation pathogène universelle», publié en 1971 et repris in *Sur l'interaction,* Watzlawick (sous la direction de), Seuil, Paris, 1977, pp. 308-322.

Sluzki C., «Comment se maintiennent les symptômes», in *Familles, institutions et approche systémique,*Pluymaekers (sous la direction de), ESF, Paris, 1989, pp. 151-158.

Sluzki C., «L'émergence des récits comme foyer de thérapie», in *Thérapie Familiale,* 1991/4, pp. 293-300.

Sluzki C., «Le réseau social: frontière de la thérapie systémique», in *Thérapie Familiale*, 1993/3, pp. 239-251 et 1993/4, p. 366.

Staub-Bernasconi S., «Connaissances et savoir faire: théories et compétences dans le travail social», in *Manuel de l'action sociale en Suisse*, Fragnière et al, Réalités sociales, Lausanne, 1989 pp. 271-294.

Staub-Bernasconi S., *Le travail social en tant que théorie, pratique et discipline,* Zurich, mars 1992, texte non publié, ouvrage en préparation.

Staub-Bernasconi S., *Systemtheorie, soziale Probleme und soziale Arbeit: lokal, national, international,* Haupt, Bern, 1995.

Stierlin H., *Le premier entretien familial,* Delarge, Paris, 1977.

Stigler M., «La famille: phénomène autoréférentiel et non pas système autopoïétique», in *Thérapie Familiale*, 1990/3, pp. 323-329.

Sue R., *Temps et ordre social,* Le sociologue, PUF, Paris, 1994.

Tilmans-Ostyn E., «Analyse de la demande versus analyse de la plainte», in *Thérapie Familiale,* 1983/2, pp. 201-205.

Tilmans-Ostyn E., «Analyse de l'enjeu de la demande au lieu de l'analyse de la plainte», in *Thérapie Familiale,* 1985/3, pp. 341-348.

Tilmans-Ostyn E., «La création de l'espace thérapeutique lors de l'analyse de la demande», in *Thérapie Familiale,* 1987/3, pp. 229-246.

Trappeniers E., article «Fonction du symptôme», in *Dictionnaire clinique des thérapies familiales systémiques*, ESF, Paris, 1988.

Vasquez L., Castella P., Andrieux I., Luco A.M., Manuel M.C., «Niveaux de signification et communication», in *Thérapie Familiale,* 1991/2, pp. 135-149.

Vieytes-Schmitt C., «Les enfants de Cendrillon: le temps interdit», in *Thérapie Familiale,* 1992/3, pp. 267-274.

Watzlawick P., Helmick Beavin J., Don Jackson D., *Une logique de la communication,* Seuil, Paris, 1972.

Watzlawick P., Weakland J., Fisch R., *Changements, paradoxes et psychothérapie,* Seuil, Paris, 1975.

Watzlawick P., *Le langage du changement,* Seuil, Paris, 1980.

Watzlawick P., *Faites votre malheur vous-mêmes*, Seuil, Paris, 1984.

Watzlawick P., «Avec quoi construit-on des réalités idéologiques», in *L'invention de la réalité,* Watzlawick (sous la direction de), Seuil, Paris, 1988, pp. 223-266.

Watzlawick P., *Les cheveux du Baron de Münchhausen*, Seuil, Paris, 1991.

Wieviorka S., «Jeux de mains: jeux de vilains?», in *Cahiers critiques de thérapie familiale et de pratiques de réseaux*, Privat, 1990/11.

Winkin Y., *La nouvelle communication*, Seuil, Paris, 1981.

Wittezaele J.-J., Garcia T., *A la recherche de Palo Alto,* Seuil, Paris, 1992.

Yahyaoui A., *Identité, culture et situation de crise,* La pensée sauvage, Paris, 1989.

Zuniga R., «La théorie et la construction des convictions en travail social», in *Service social*, Québec, vol 42, no 3, 1993.

TABLE DES MATIÈRES

Chapitre I

INTRODUCTION A LA PENSÉE SYSTÉMIQUE, COMPLEXE ET CONSTRUCTIVISTE

INTRODUCTION GÉNÉRALE

LE NOUVEAU DISCOURS SUR LA MÉTHODE

LES THÉORIES SUR LESQUELLES SE FONDE L'APPROCHE SYSTÉMIQUE

Chapitre II

Y A-T-IL UNE ÉTHIQUE DE L'INTERVENTION SYSTÉMIQUE EN TRAVAIL SOCIAL?

Chapitre III
LES REPÈRES MÉTHODOLOGIQUES

INTRODUCTION

CADRE

CONTEXTE

PRESSION

SYMPTÔME

TEMPS

Chapitre IV

LE TRAVAIL SOCIAL ET L'INTERVENTION SYSTÉMIQUE: REGARD CRITIQUE